KU-131-230

小家，越住越大

逯薇/著绘

图书在版编目（CIP）数据

小家，越住越大 / 逯薇著绘. -- 北京：中信出版社，2016.5（2018. 11 重印）
ISBN 978-7-5086-6019-6

I. ①小… II. ①逯… III. ①家庭生活－基本知识 IV. ①TS976.3

中国版本图书馆CIP数据核字（2016）第 055443 号

小家，越住越大

著　　者：逯　薇
策划推广：中信出版社（China CITIC Press）
出版发行：中信出版集团股份有限公司
（北京市朝阳区惠新东街甲 4 号富盛大厦 2 座　邮编　100029）
（CITIC Publishing Group）
承 印 者：北京通州皇家印刷厂

开　　本：787mm×1092mm　1/32　　印　　张：10.75　　字　　数：135 千字
版　　次：2016 年 5 月第 1 版　　印　　次：2018 年11月第 26次印刷
广告经营许可证：京朝工商广字第 8087 号
书　　号：ISBN 978-7-5086-6019-6
定　　价：58.00 元

前言

1992年，我11岁。有一天，父母给了我一把钥匙，让我自己去看看即将搬入的新家。那是单位家属楼四层的一套房子，大约90平方米。这套小小的三室一厅，是父母努力工作多年才购得的集资房，当时没有装修队，更没有设计师，大部分的装修工作都是父亲下班后亲手做的。

我打开房门的那一刻，映入眼帘的是考究的木质墙裙、酒红色的地板，还有乳白色的双头壁灯。我按捺不住兴奋，心中呼喊："哇哦！以后这里就是我的家了呀?!"那份惊喜，那份充实又温暖的感觉，我至今仍记忆犹新。

从那一刻起，我才意识到，房子是可以给人带来幸福感的啊！

于是长大后，我很自然地成了一名住宅设计师，就职于国内目前最大的住宅地产开发企业。

十几年来，所有与住宅相关的细分领域（如建筑设计、室内设计、软装设计、收纳设计），

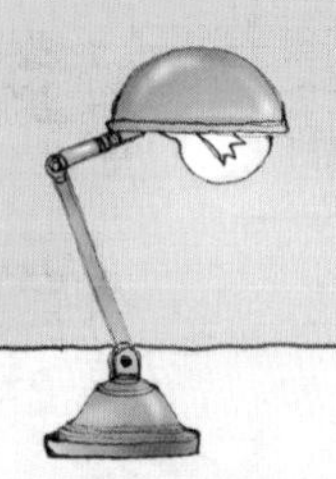

我都在努力学习，希望能把自己儿时对于房屋的那份感动和温暖，通过工作传递给更多人。

然而，工作的时间越久，设计的房子越多，我却越苦恼。

苦恼的原因来自设计房屋与入户访谈时的巨大心理落差。为了更好地了解居住者真正的感受，我常在房屋交付一段时间后，前往其中一部分住户家中参观回访。十几年来，我曾陆续走进近千户家庭。而令我吃惊的是，其中大部分家庭的空间都处于低效的“使用状态”！

有的家，门口走廊上鞋子堆了一地；
有的家，厨房里连基本的切菜区都没有；
有的家，主卧衣柜几乎被塞到爆炸；
……

慢慢地，我开始明白：“家”是由硬件的“房子”和软件的“人”组成的，我只是“房子的设计师”，永远不能替代“住在房子里的人”。一套房子哪怕设计得再完美，也不过是个壳，从把它交付给居住者的那天起，就已经与我无关。

居住在中国城市的人，大多是首次置业。居住经验的匮乏，使他们无论是在买房、装修，还是在实际居住中，都难以把握矛盾的真正焦点——房价高、面积小、物品多、居住久。

如何才能在这小小的“房子”里，拥有大大的“家”？

这既是你的烦恼，也是我的烦恼。

这本小书，便是为解决这些烦恼而写。

起初，它只是我漫无目的的几页涂鸦，没想到发在微信公众号“家的容器”上之后，竟得到不少朋友的认同。

慢慢地，我开始思考，或许这种方式真的可以启发居住者、让他们拥有更好的一个家。

再后来，从一句句热情的读者留言中，我发觉：提升居住者自己的“软件”水平，远比我埋头设计住宅“硬件”重要得多！

这本300多页的小书，其实最想告诉你的一句话是：“房子并不重要，重要的是住在里面的人。”

你如何对待家，家便如何对待你。

住宅设计师逯薇
2016年3月

推荐序一

首先祝贺逯薇女士新书出版，如同是发生在我自己身上的喜事，心中感到无比的愉悦。

生活改造方面的知识，是让生命力持续升级的能量源，同时也会给自己及家人更多实际的生活体验。在每一天的美好积淀下也将会丰富我们的人生。

逯薇对生活改造上的热情与思索，加上她长年积累下来的空间改造知识，必将带给我们更多人生道路上的幸福感，为我们的生活哲学带来启发和影响。

我能够有幸与逯薇相识，非常珍惜这份深厚的善缘，并且为她的成就感到骄傲。

创意生活导师

[日]近藤典子

推荐序二

逯薇加入万科集团13年，工作一直与住宅研发及居家生活有关，并做了大量思考探索。她曾经深入每家每户，亲历超过10万户家庭居住空间的设计、使用和因为家庭结构变化而必然发生的改造及空间生命周期的问题。我想，大量的设计实践以及自身对于生活的感悟，促使她决定尝试更深入地从根儿上去理解中国商品住宅的空间问题。逯薇几乎完成了从学徒到实践者，从根源出发的独立思考者再回归实践的过程，而这本书也是目前最新进展的呈现。

我想，人们对于更美好生活的向往是普世的。如果说万科过去工作最成功的部分是给百万中国家庭提供了居所，那逯薇这本书就是要帮助大家更好地使用居所。房子是一个容器，空间里承载的是物件和情感。这本书解决的是越来越多的物件和越来越局促空间之间的和谐问题。正如我们在社区里提供物业服务、商业服务，甚至教育和医疗，万科已从创造空间逐步进化成融合空间和内容的服务者。而帮助大家提高“住商”，让人们更好地使用房子也是我们内容服务的一种。

万科集团董事会主席

王石

目录

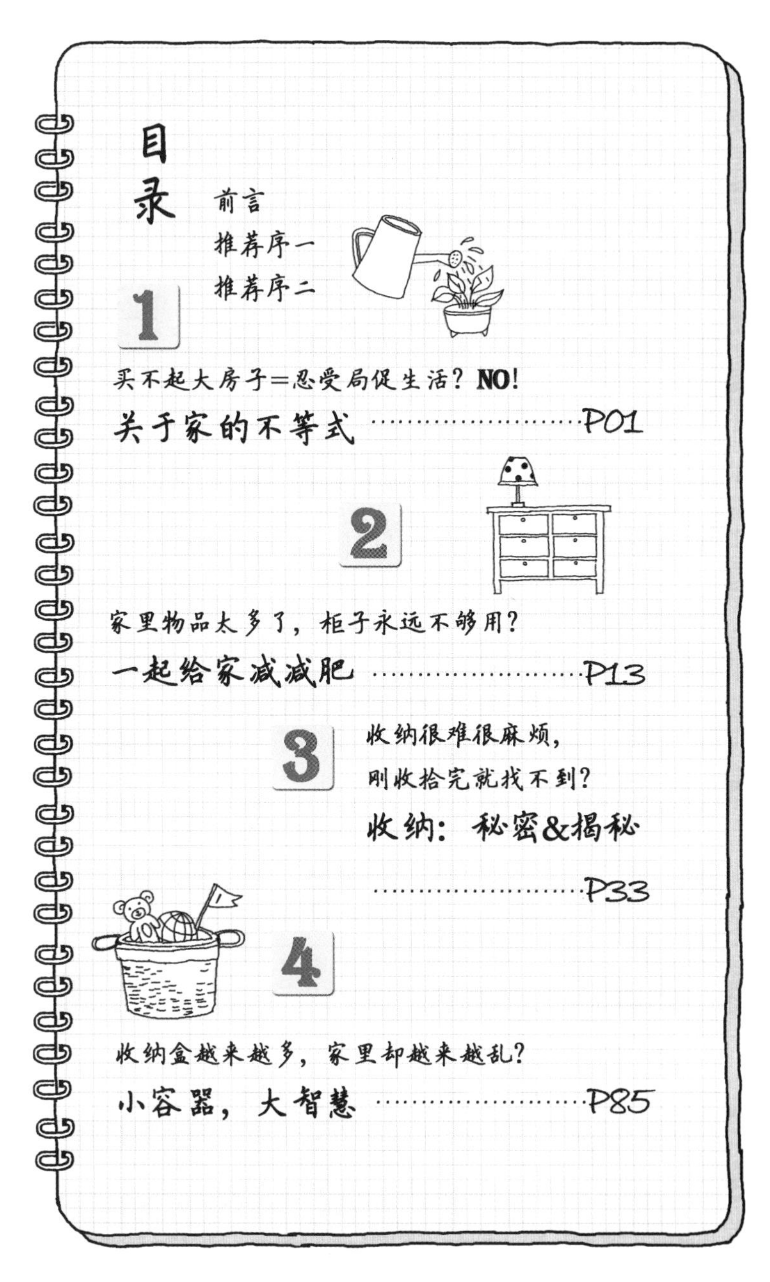

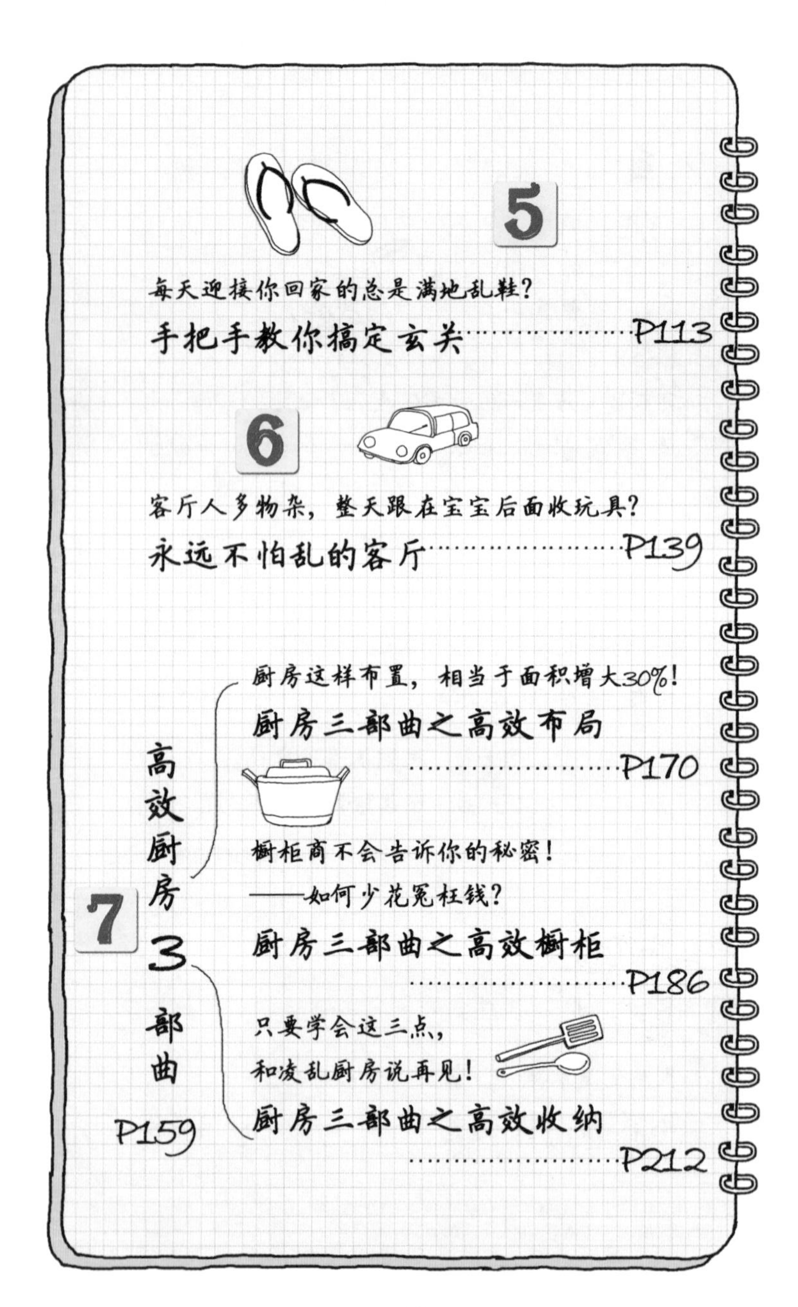
5
每天迎接你回家的总是满地乱鞋?
手把手教你搞定玄关 P113
6
客厅人多物杂，整天跟在宝宝后面收玩具?
永远不怕乱的客厅 P139
7
高效厨房3部曲 P159
厨房这样布置，相当于面积增大30%!
厨房三部曲之高效布局 P170
橱柜商不会告诉你的秘密!
——如何少花冤枉钱?
厨房三部曲之高效橱柜 P186
只要学会这三点，
和凌乱厨房说再见!
厨房三部曲之高效收纳 P212

关于家的
不等式

你是否也同我一样，离开了小小的故乡，来到城市求学，毕业后扎根在新城市，每天努力着？

你是否也同我一样，怀抱着“拥有一个属于自己的家”的念头，从无到有，一点点靠近梦想？

你是否也同我一样，坚定地认为，这小小的家，是自己在偌大城市里唯一的心灵庇护所？

即使加班到深夜，拖着沉重脚步和疲惫的身体回到家，也能在打开门的瞬间，被暖暖的黄色灯光和软软的拖鞋温柔地抚慰。

每天栖身的家，每天生活的家，
它是舒适的、安静的、包容的。

如何打造只属于你的那个美丽的家？

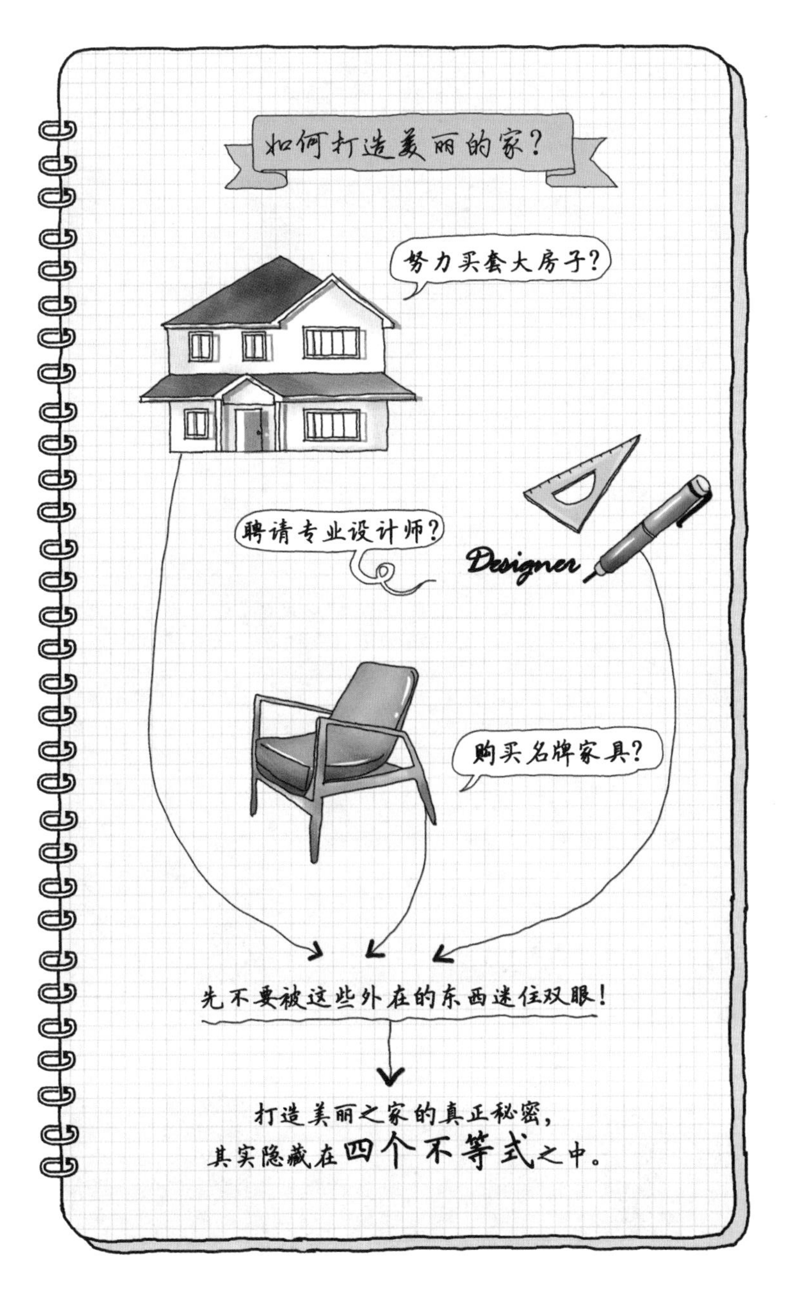
如何打造美丽的家？
努力买套大房子？
聘请专业设计师？
Designer
购买名牌家具？
先不要被这些外在的东西迷住双眼！
打造美丽之家的真正秘密，
其实隐藏在四个不等式之中。

不等式之一

House 房

≠

Home 家

“你买房了吗？”

这个问题，对于大学毕业后在某个城市打拼，二三十岁的年轻人来说，应该时常被人问到吧？

作为一个住宅设计师，每一天，我都会听到与房有关的对话，看到与房有关的生活，遇到与房有关的悲或喜：

“我们快结婚了，可买不起只能租。”

“我买不起大的，只能买个‘小两居’。”

“我考虑明年买，然后把父母接过来。”

……

人人都梦想拥有属于自己的房子。费尽千辛万苦、可能背负30年贷款买下房子的你，可曾想过，自己真正想要拥有的，难道只是房子本身？

那个灰色的水泥壳子，并不是家！

温暖的阳光洒向光洁的地板、松软沙发旁，盆栽吐露新芽，空气中弥漫着早餐的香气……这才是你一直梦寐以求的、内心深处渴望的家吧？

人可以没有房，却不能没有家。

【不等式之二】

Designer 设计师

≠

Dweller 居住者

“住宅设计师”

作为一名住宅设计师，从表面上看，我似乎能做与住宅有关的一切事情：

我能绘制楼栋、规划房型；

我能设计装修、配置家具；

我甚至能亲手缝制窗帘等布艺。

如果有机会，一切都可以尽我所能，给客户最好的解决方案。

但唯有一件事情，我永远做不到，那就是替代你，居住其中。

我在入户访谈时，时常被完全相同的两套房子却呈现出截然不同的居住状态所震惊。即使是一模一样的户型、一模一样的精装修，只要住进去的人不同，就会呈现出完全不同的家的模样。

假设我所设计的房子可以打60分，那么在房屋交付给你之后，到底是变成99分的家，还是变成45分的家，完全取决于你自己“住商”的高低。

设计师，只能提供半成品的“住宅”。

居住者，才能搭建独一无二的“家”。

我的微末之技，又怎及你那颗真正爱家的心。

【不等式之三】

Bigger 住得更大

≠

Better 住得更好

“改善型居住”

看到这几个字，80%的人脑海中都会立刻联想到“更大的房子”。

更大，就会更好？

有位朋友的话一语中的：“终于换了房子，面积倒大了些，但不知为什么，人活动的空间一点没变大，家还是那么乱。”

改善型居住，除了社区、房屋面积、房间数量、套房卫生间等硬件条件升级之外，同样需要提升的是居于其中的人的“住商”。

如同情商、财商一样，“住商”就是你和住宅的相处之道，它的高低决定你的真实居住水准。它与房子的大小、新旧、租买、贵贱都无关，只与住在其中的人息息相关。

与其烦恼买不起大房子考虑改善型居住，不如好好提升自己内在的“住商”。

这样，即使不换房，你和家人也可以享受真正的改善型居住。

【不等式之四】

$\mathcal{M}^2$ 家的面积

$\neq$

$\mathcal{M}^3$ 家的容积

“你有什么居住烦恼？”

“家里东西太多放不下！”
“储物空间永远不够！”
“房子太小不够住啊！”

几十年前的中国，社会物质匮乏，很多贫穷家庭被形容为“家徒四壁”。而到了今天这个物质充裕的时代，塞满了大量冗物、拥挤不堪的家，反而会给人贫穷的感觉。

我去客户家访谈时，常疑惑那么好的房子为什么没有发挥真正实力，被住成了这副平庸而凌乱的样子？每个小小的家里，都塞满了快溢出来的杂物。在居住这件事情上，最考验人的莫过于此了吧。

一切似乎都可以尽情买买买——除了房子。

家中的“人”和“物”共存于一个屋顶之下，如果管理不好“物”，“人”的生活空间就会被挤压。本来是给人居住的房子，却变成了储物的仓库，岂不是本末倒置？

解决这个矛盾的办法，就是“收纳”。

收纳是管理好小房子的大智慧。

一起给家减减肥

居住烦恼小调研
烦！
家里东西实在太多，感觉永远放不下！
烦！
想扔一些旧东西，但是家里人（比如老人家）会阻拦，甚至扔掉的还会被捡回来！
换季时我的衣服无处存放，只好把老公的衣服请出衣柜！
烦！
为什么不管我怎么努力收拾，家里都会一下子又乱掉啊啊啊……
烦！

永远的烦恼NO.1
过去10年间，
我曾到过10个以上城市调研，
向数以百计的居住者提出上述问题。
无论调研多少次，
无论调研哪个城市，
无论调研对象住多大的房子，
“居住烦恼NO.1”的位置，
始终被这句话牢牢占据：
家里东西太多了，
永远都放不下！
好烦哦……
第四届居住烦恼大赛

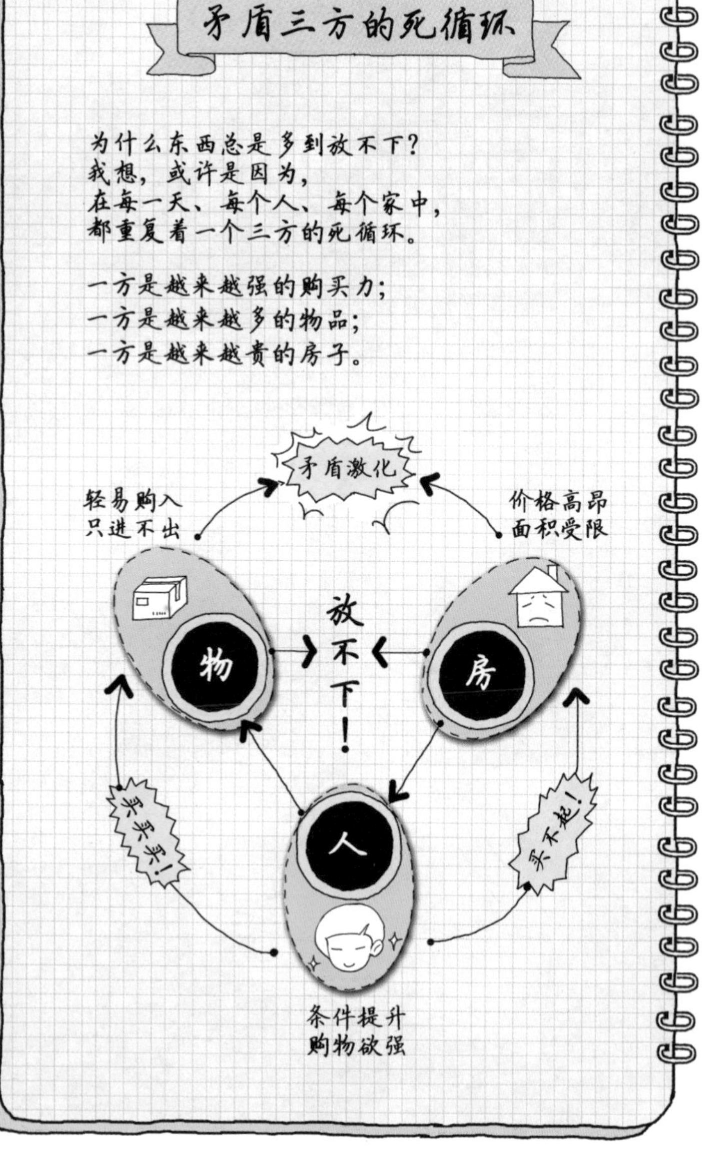

矛盾三方的死循环
为什么东西总是多到放不下？
我想，或许是因为，
在每一天、每个人、每个家中，
都重复着一个三方的死循环。
一方是越来越强的购买力；
一方是越来越多的物品；
一方是越来越贵的房子。
矛盾激化
轻易购入
只进不出
价格高昂
面积受限
物
放不下！
房
买买买！
人
买不起！
条件提升
购物欲强

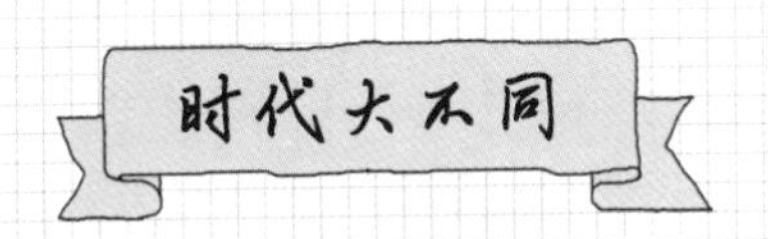

东西太多，真的不是你的错！

毕竟，在过去30年间，整个社会物质条件发生了惊天逆转，时代已大不同。

如同我们每天的饮食，从担心吃不饱到发愁吃太多，烦恼本身已从“不足”变为“过度”。

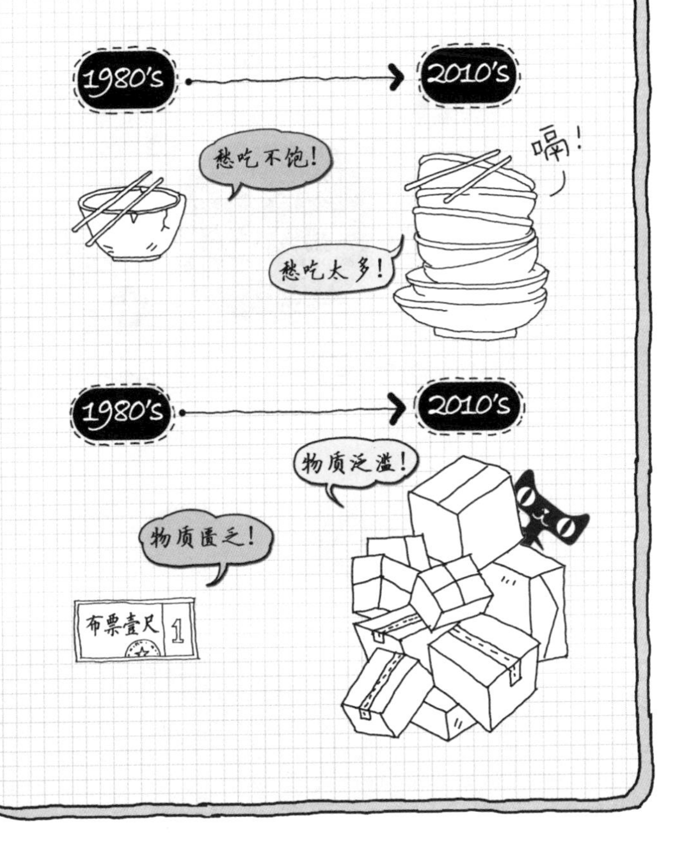

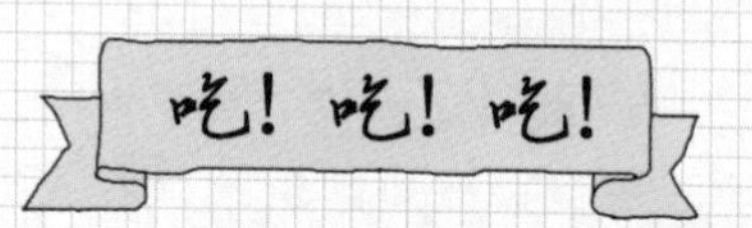

生活条件变好、吃得精细、零食过量，
再加上职场人士大多工作忙碌、缺乏运动，
发胖就在一瞬间！

肥胖及其带来的各种健康问题，已经成为现代中国人的普遍困扰。

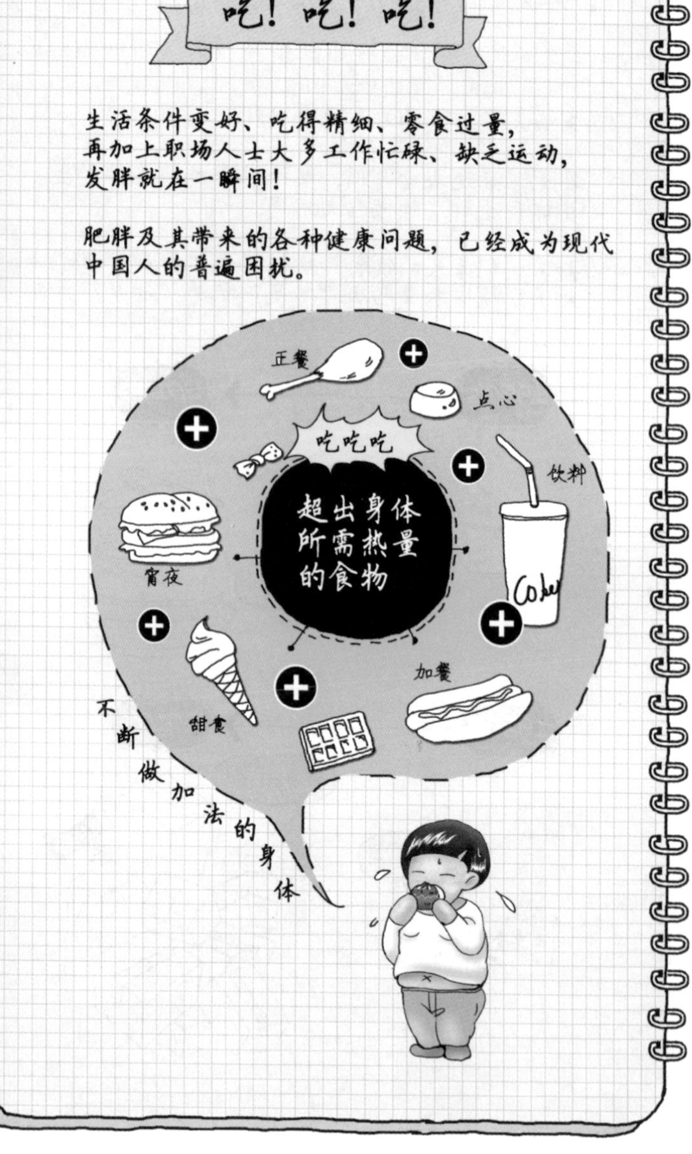

买！买！买！

全球化商品种类极大丰富、广告无处不在，中国人的购买实力又不断增强。
每天都要买买买！

过去，人们用“家徒四壁”来形容一个家贫穷，但如今买不起大房子的工薪族的小窝反倒是各种杂物堆积如山……

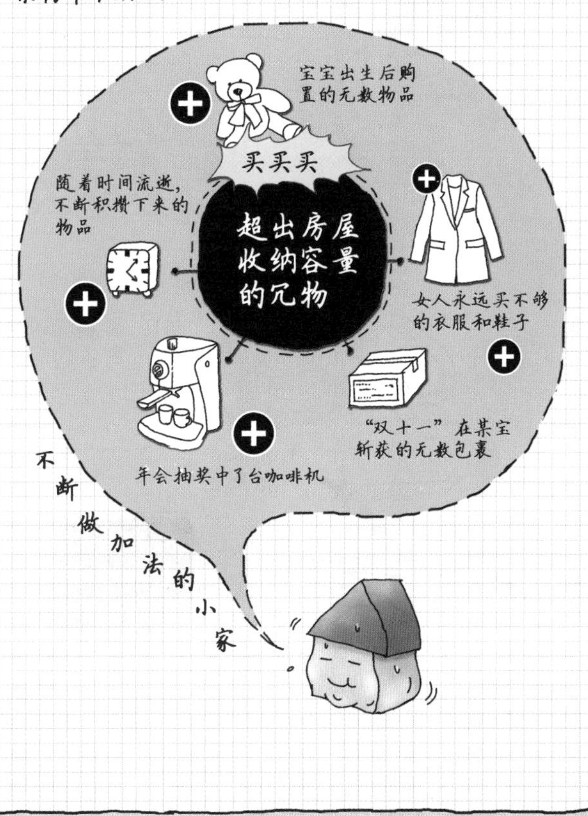

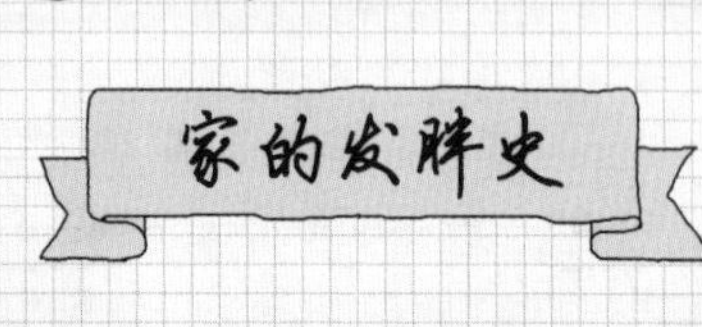

家的发胖史

刚搬入的新家，如同刚步入社会的年轻大学生，身形颀长、意气风发。然而在职场打拼几年，伴随着加班、吃宵夜，疏于锻炼，腹部逐步松弛，身体日益沉重。

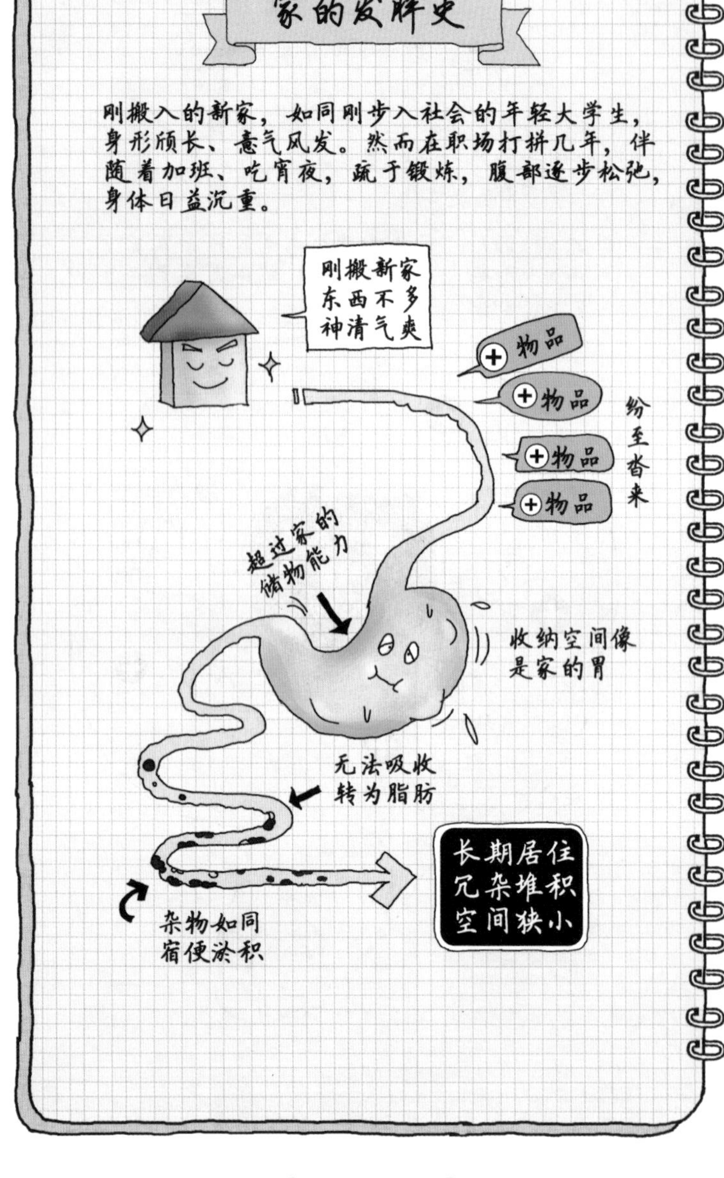

我的发胖史

我从小就是个瘦瘦的女娃儿，大学毕业时也不过90斤。工作十几年，陆陆续续长了些膘，幸好赘肉藏得还算隐蔽，勉强维持着M码的身材。

2013年秋天，我忽然迷恋上了轻乳酪蛋糕，每天下午都跑到公司隔壁蛋糕店买一块作为下午茶。结果没过两个月，我的身材已如同吹气球一般变得滚圆，体重到达人生巅峰——110斤！

由于个子矮，110斤的效果惊人，当时所有的旧衣服都没法儿穿了，要买XL码才能穿得上。看着自己的水桶腰大象腿，真心无法忍受下去了！

必须减肥！

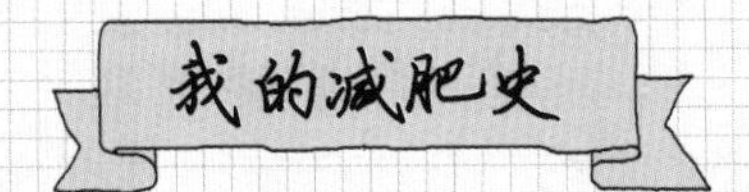

我的减肥史

紧绷的衣服令人不爽，
腰间的赘肉让人不快，
我无意冒犯微胖界人士，
只因不堪承受胖的压力，
所以选择让自己变瘦。

发胖是加法的过程，
变瘦是减法的结果。
无论是节食还是有氧运动，
只要使摄入能量少于消耗，
实现体内热量做减法，
逐步丢弃赘肉，
人自然就会瘦下去。

我的减肥方法很简单，
坚决不吃晚饭（饿过最初半个月就不会饿了），
每天做适量的有氧运动（几公里慢跑），前后大约持续了半年。

2014年春天，减肥第7个月时，我的体重回到了高中时代的86斤，能穿进零码套裙，走起路来都轻盈不少。这个体重一直维持至今几乎从未反弹。

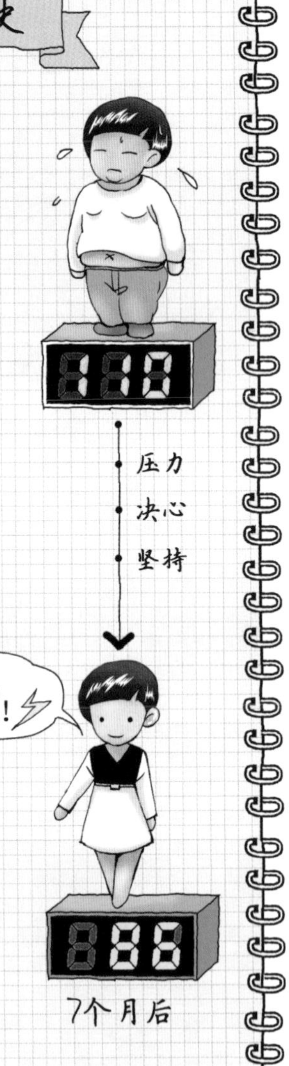

我的减肥史

人人都说减肥难，其实真心想瘦，哪有瘦不下来的道理？就怕一边嚷着“要减肥要减肥”，一边毫不客气地大快朵颐。

不是不能瘦，而是不（真心）想瘦。

减肥方法千千万万，我始终认为最好的方式就是少吃多跑。既然发胖是因为过度加法，那么减肥自然就是减法。

不要老想着依赖药物、器械之类的捷径，也不要被“七天瘦20斤”之类的广告迷惑，只要每天少吃一顿饭、多跑几步路、加之数月的时间，宽松的裤腰自然就会提示你的成绩。

事实上，自从人瘦了，我的精神确实好了不少，走路时感到身体轻盈，从小不爱运动的习惯也改了，开始懂得享受运动出汗带来的快感。

做了减法的身体，如获新生。

开始家的减肥

借自身减肥成功的动力，
我顺势开始了家的“减肥”。

我的家，面积不大（约100平方米），家里人却不少（足足六口人），居住了五六年后，积攒了数量惊人的杂物，挤爆了家里原本充裕的收纳空间。但人人都强调东西有用，即使我想丢掉一些物品，也异常艰难。住久了，所有人都对凌乱视而不见，大家逐渐麻木。

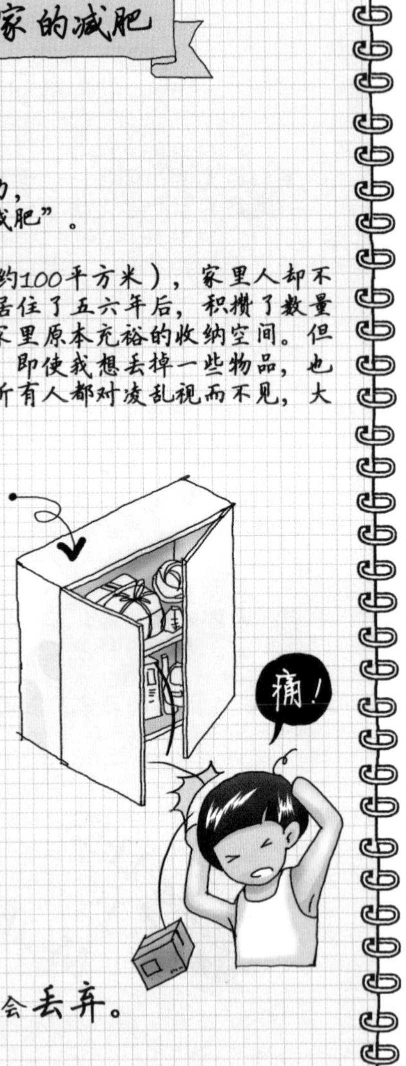

某天，我打开收纳吊柜的瞬间，被上层一股脑儿掉落的物品狠狠砸了一下。

那一刻我意识到，如果继续这样住下去，只怕连氧气，都要从物品的夹缝中努力吸取。

空间超饱和、物品爆仓的家，就好比肥胖者超标的血脂一般，时刻向居住者施加着无言的压力。

从那天起，我开始学会**丢弃**。

丢弃家的“赘肉”

羡慕那些狂吃不胖的大胃王，
如同羡慕有钱人家的大别墅。
既然自己无法拥有这样的条件，
那么还是应该设法努力，
使自己的身体不再肥胖，
让自家的蜗居告别拥挤。

家的减肥，如同人的减肥一样，
节食必先于运动、
丢弃必先于收纳。

“减”是最根本最重要的。

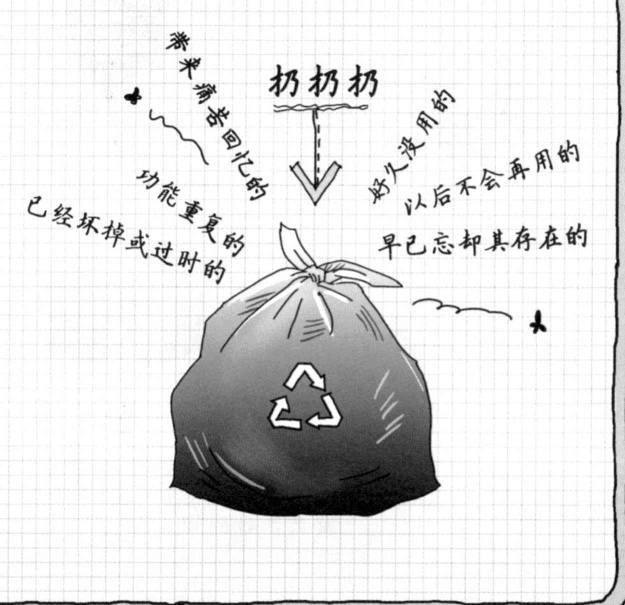

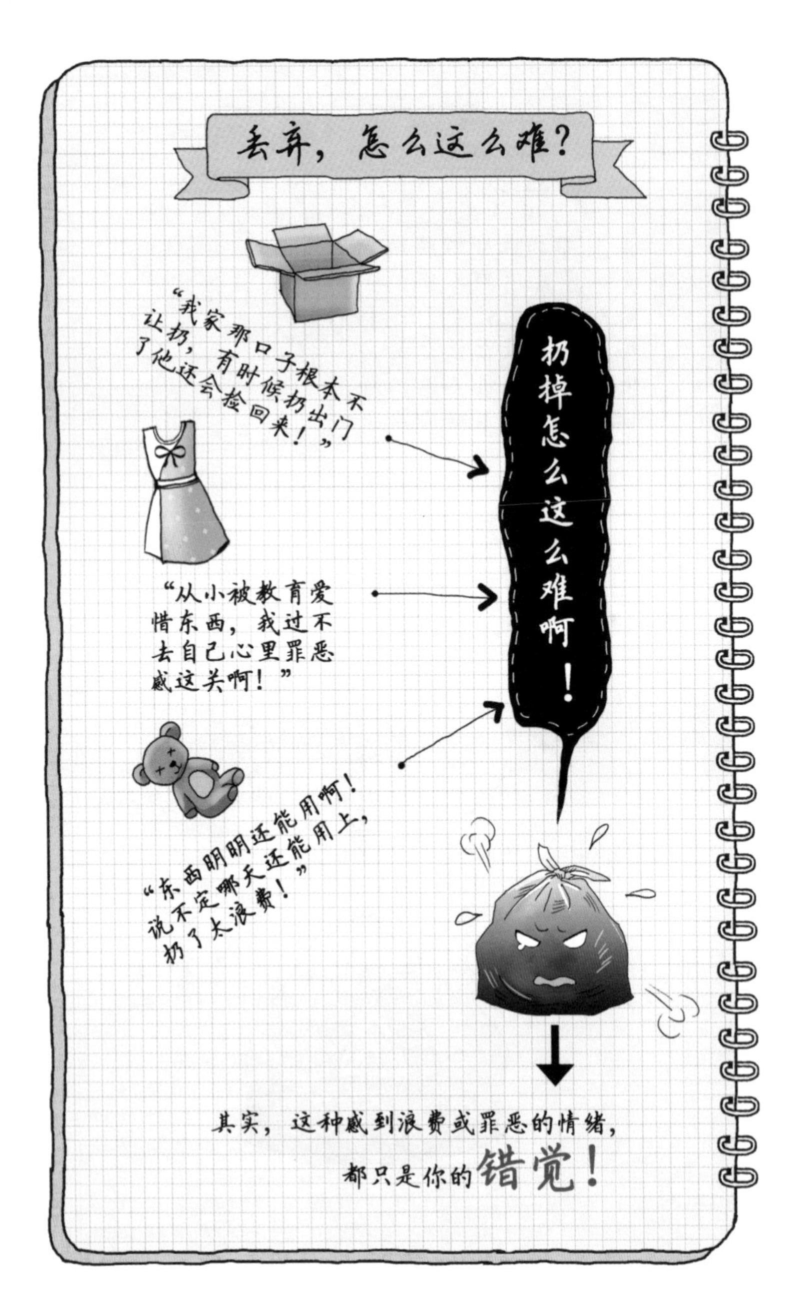

丢弃，怎么这么难？
“我家那口子根本不让扔，有时候扔出门了他还会捡回来！”
“从小被教育爱惜东西，我过不去自己心里罪恶感这关啊！”
“东西明明还能用啊！说不定哪天还能用上，扔了太浪费！”
扔掉怎么这么难啊！
其实，这种感到浪费或罪恶的情绪，
都只是你的错觉！

千辛万苦买下小窝
一起来算一笔关于价值和价格的账吧。
“HOME花园”
开盘售罄，
紧急加推，
限时特惠，
仅售
18 888
元/平方米！
掏光积蓄
终成业主
1m
1m²
1m

杂物却成了家的主人
到底是家，还是旧货仓库？
两年后
1m²
东西实在太多了，家里永远放不下！！
别人送的纪念品，只打开看过一次
¥0
上一轮牛市时买的炒股秘籍
¥20.0
礼
1m
1m
促销送的广告扇子
¥2.0
¥128.0
刚工作时买的便宜登机箱，已闲置几年
¥298.0
两年前买的连衣裙不合身，极少穿

贵买贱用才是浪费！

房子是世界上最昂贵的生活必需品，
要支付高昂费用、可能背负30年贷款，
购买它本是作为家庭的容器，
它却慢慢沦为廉价冗物的仓库，
这难道不是对房屋**价值的不尊重？**
这才是人生中**最大的浪费**吧？

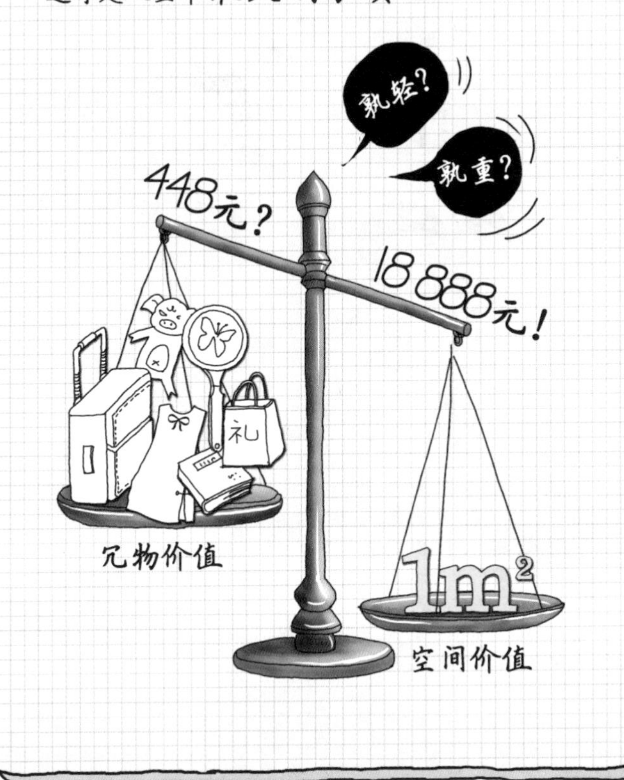

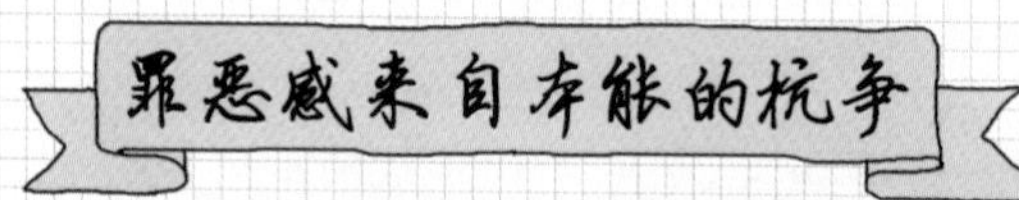

罪恶感来自本能的抗争

哺乳动物吃食物，转化为脂肪囤积在身体内，是为了抵抗未来食物不足带来饥荒的可能。减肥之所以艰难，只因与本能相悖。

同理，人类积攒可用的物品，潜意识里是为备不时之需。丢弃冗物令人感到惋惜，只是与先天占有欲对抗的自然反应而已。

谁不想要这种痛快感？

如果以上说法仍无法说服你，
不妨这样想一想：
当你努力减肥的时候，
会因为失去赘肉而心疼吗？

如果真心想要那个苗条的自己，
那么身体就一定能瘦下去。

如果真心想要夺回舒适的居室，
那么家也一定能瘦下去。

现在我的家比起“减肥”前，
大约减少了1/3的东西。
打开柜门后，仍有大量的富余空间。

这种游刃有余的松快感，像极了我在
两年前慢慢瘦下来的过程中，发现裤
腰明显变宽时的痛快心情。

为身体减负，亦为家减负。

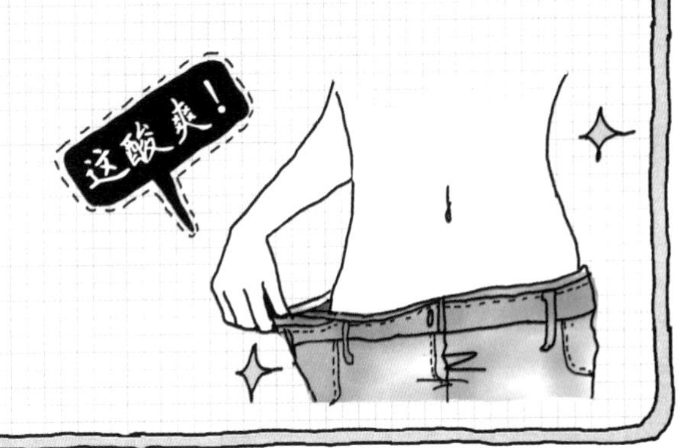

减肥得到的，
不仅是瘦身，更是自信。
丢弃得到的，
不仅是空间，更是从容。
别再犹豫了，
下定决心，
从今天起，
开始家的减肥吧！
GO!

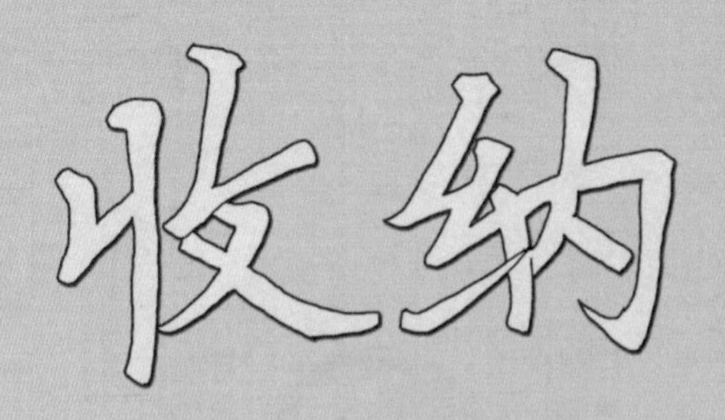
收纳

—秘密&揭秘—

看到收纳二字就会头痛！
我家收纳空间太小！
我不擅长收纳
收纳太麻烦了！
做起来很辛苦
累
努力收拾完结果一下子又乱了！
烦

Q
究竟什么是收纳？

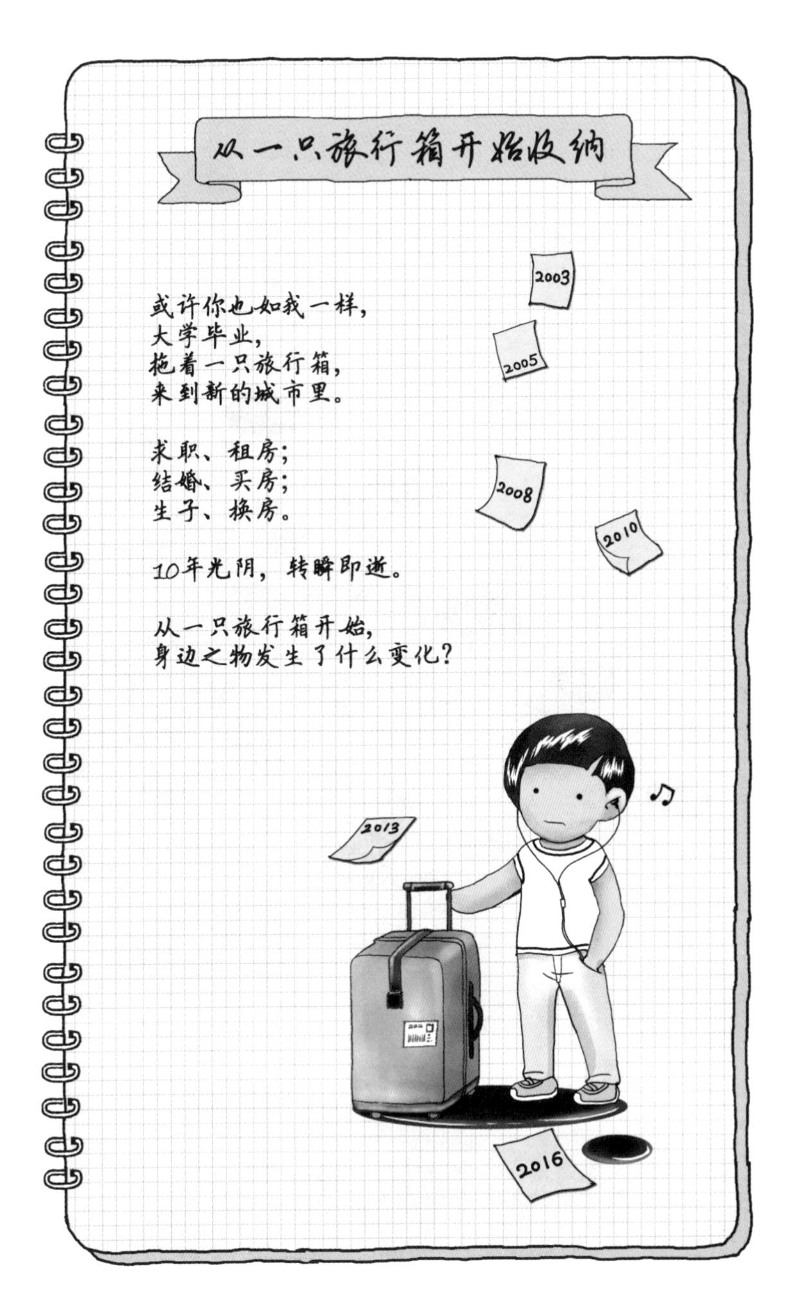
从一只旅行箱开始收纳
2003
2005
2008
2010
2013
2016
或许你也如我一样，
大学毕业，
拖着一只旅行箱，
来到新的城市里。
求职、租房；
结婚、买房；
生子、换房。
10年光阴，转瞬即逝。
从一只旅行箱开始，
身边之物发生了什么变化？

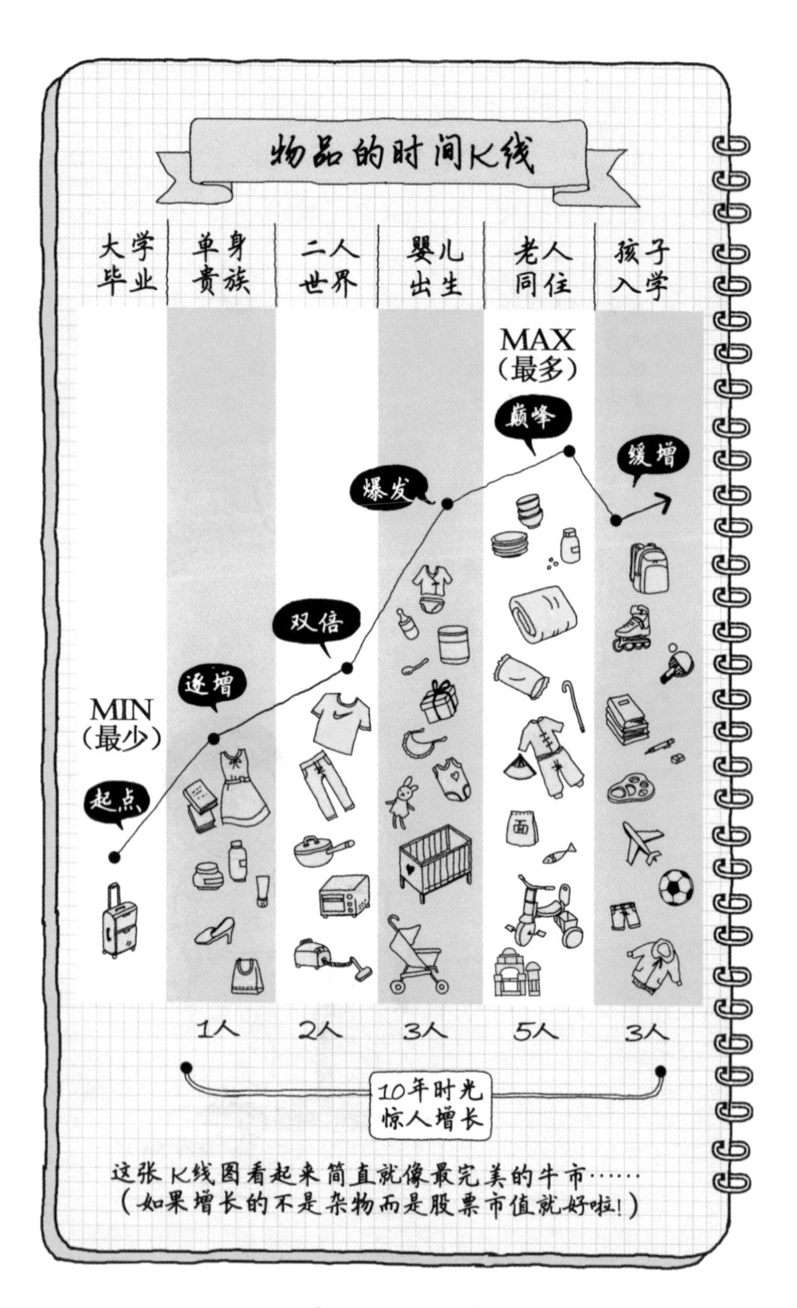

物品的时间K线
大学毕业
单身贵族
二人世界
婴儿出生
老人同住
孩子入学
MAX（最多）
巅峰
缓增
爆发
双倍
逐增
MIN（最少）
起点
面
1人
2人
3人
5人
3人
10年时光惊人增长
这张K线图看起来简直就像最完美的牛市……
（如果增长的不是杂物而是股票市值就好啦！）

300个登机箱?!

在漫长的岁月里，随着生命轨迹的变化，需要收纳物品的类型和数量也发生着巨大变化，东西越来越多、越来越杂。

尽管食品会被吃完、鞋子会被穿坏、垃圾会被丢弃，但是绝大多数住宅自搬入那天起，就持续做着

加法、加法……

持续10年的加法之后，
在稳定生活的情况下，
一套城市住房，按100平方米标准三居室的三口之家，
平均需要收纳的物品体积约为

10立方米。

这个数值是什么概念？

我出差用的**20寸登机箱**的容积是：

34厘米 x 50厘米 x 19厘米
=0.0323立方米

10立方米≈300个**登机箱**

家居第一元素

法国女性室内建筑师夏洛特·贝里安
（Charlotte Perriand, 1903—1999）

在半个多世纪以前写道：

好想要个整洁小家
现实
收纳，平衡的关键。
理想

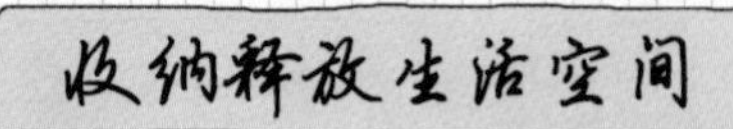

收纳释放生活空间

每一天，我们都在不停地“收纳”。
收纳，如同“空间的磁盘碎片整理”。

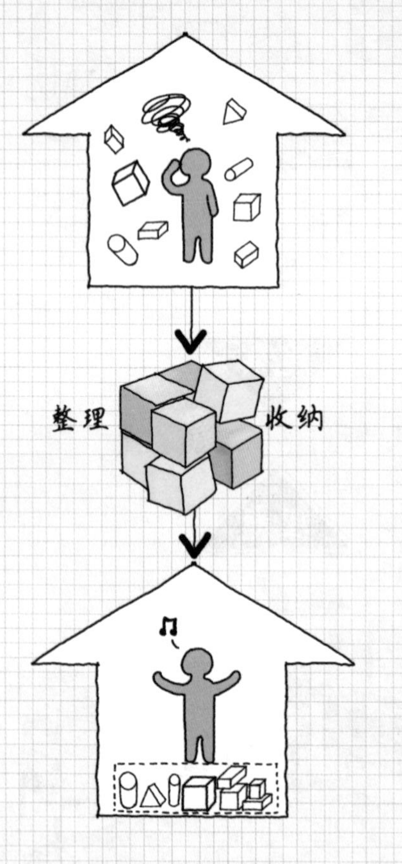

硬盘使用的时间长了，文件的存储位置会变得凌乱，导致使用效率下降。磁盘碎片整理就是把这些松散的碎片收集起来，拼合成连续高效的存储区域。

空间的使用亦然。所谓的“收纳”，就是把零星的物品和松散的空间进行整理或压缩，释放出不被占用的大块完整的空间，从而能更高效地管理物品。

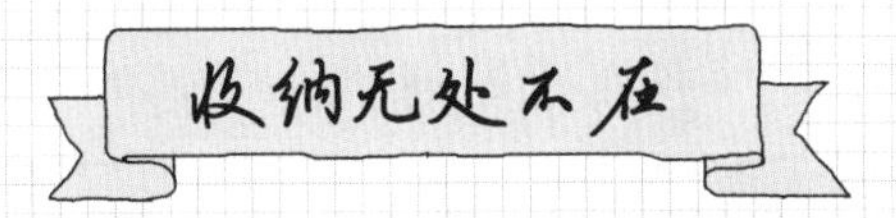

收纳无处不在

与收纳相关的“空间”，并不一定是建筑物内部，也可以是一个包包或一个文件夹。凡是由工具来归置物品的行为，包括数据等虚拟信息都可以归入“收纳”范畴。

旅行时，装好行李，
是“收纳”。
每天打开公文包
存放文件，
是“收纳”。
归纳数据信息，
也是“收纳”。

收纳，无处不在！

收纳很难很高深？
收纳总让人觉得很难？
其中很大一部分原因，大概是平日获取的收纳信息带来的误导。
比如，市场上流行的收纳书，它的目录往往是这样的：
超级收纳技巧
1，玄关收纳
2，客厅收纳
3，厨房收纳
4，冰箱收纳
5，衣柜收纳
6，书房收纳
分不同空间讲解，每个空间都有大量要点和技巧图示。
死记硬背题库？
好复杂，竟要记住这么多空间？
有好多收纳技巧啊！
这类书看似内容翔实，但若照着学起来，却容易令人退缩。
苦读不辍！

买了神器=解决问题？

再比如，当你逛网店或者商场时，
常看到这样的广告信息：

商家从细枝末节入手开发出的各种收纳商品，虽然本身都很不错，但它们只是“头痛医头、脚痛医脚”，并没有解决收纳的根本问题！

收纳，其实很简单！
记忆一堆技巧、买上一打神器，
都不如掌握核心原理！
用武功打比方的话，所有的拳法招式、刀枪棍棒都是外家功夫。唯有内功心法才是所有武侠小说男主角提升武功LEVEL的关键！
这位小兄弟，我看你骨骼清奇、本性纯洁，我这里有本神功秘籍，你拿去修炼吧。
融汇一本真经，胜过毕生苦学！
收纳九阴真经

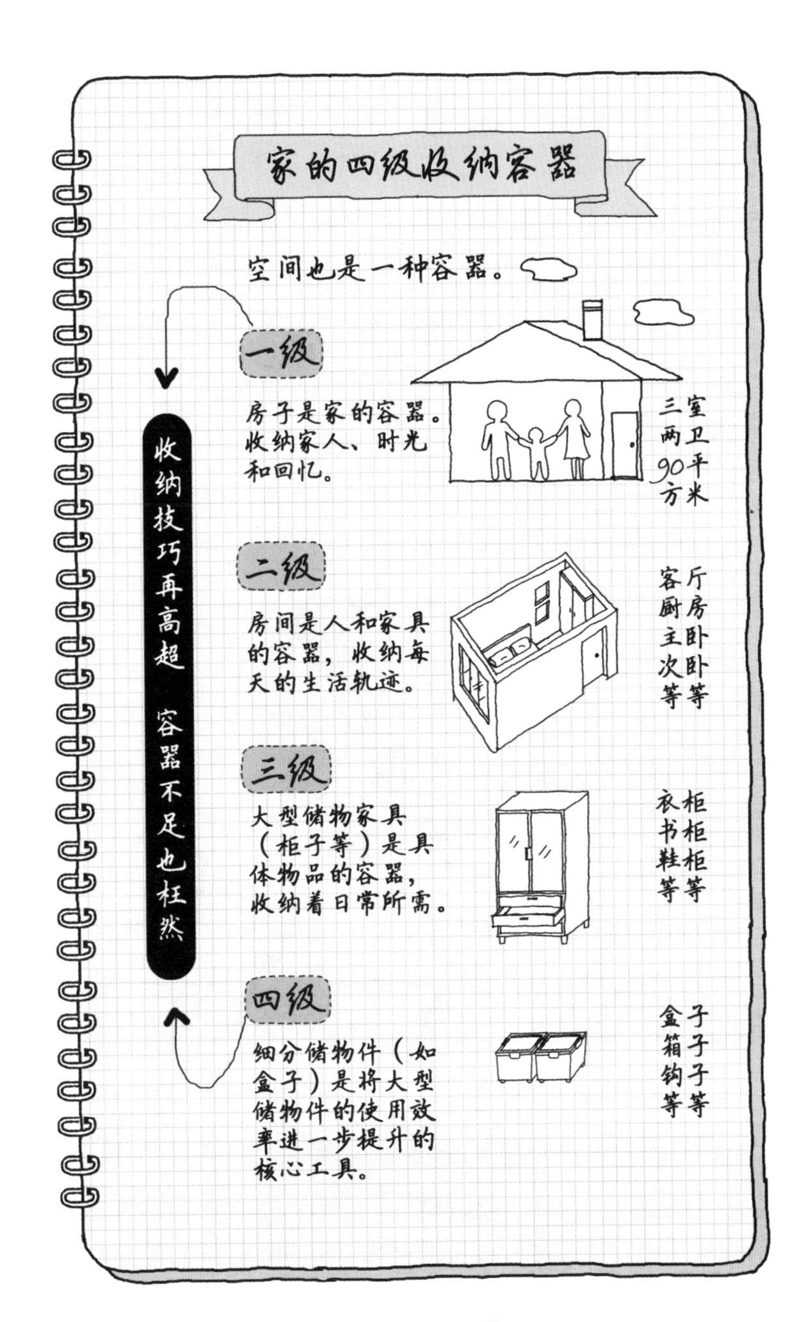
家的四级收纳容器
空间也是一种容器。
收纳技巧再高超
容器不足也枉然
一级
房子是家的容器。收纳家人、时光和回忆。
三室两卫90平方米
二级
房间是人和家具的容器，收纳每天的生活轨迹。
客厅厨房主卧次卧等等
三级
大型储物家具（柜子等）是具体物品的容器，收纳着日常所需。
衣柜书柜鞋柜等等
四级
细分储物件（如盒子）是将大型储物件的使用效率进一步提升的核心工具。
盒子箱子钩子等等

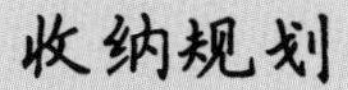

收纳规划

显然，前三级大型收纳容器——房屋、房间、储物柜，其配置高低是决定一个家收纳成败的基本条件。其实，即使房子不大，只要恰当地布置储物空间，也能实现充裕的收纳量。

合理配置的关键，就是**收纳规划**。

被这个专业的词汇吓到了？
别担心，其实你只需要
荧光笔和剪刀！

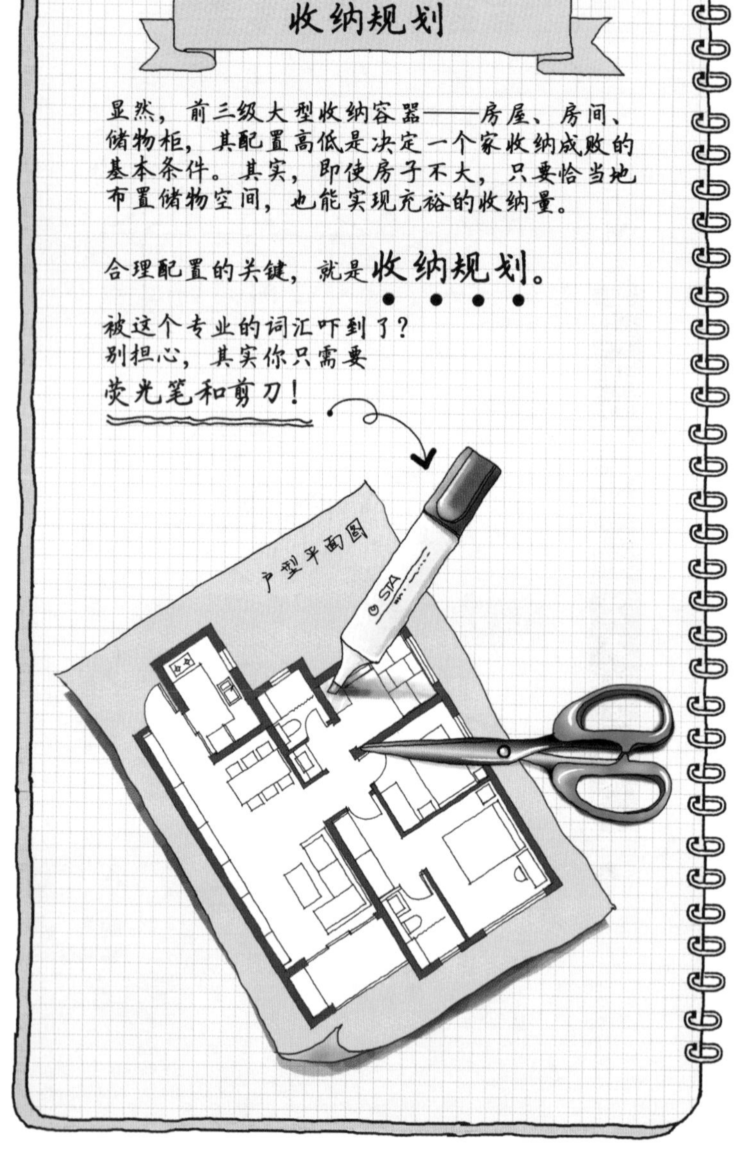

柜子们的填色游戏

用荧光笔将你家的平面图中所有的大中型柜子（固定的壁柜、厨房橱柜、榻榻米柜、浴室柜、大衣柜等）全部涂成黄色。小型低矮的活动家具（如茶几、床头柜等）不在此列。

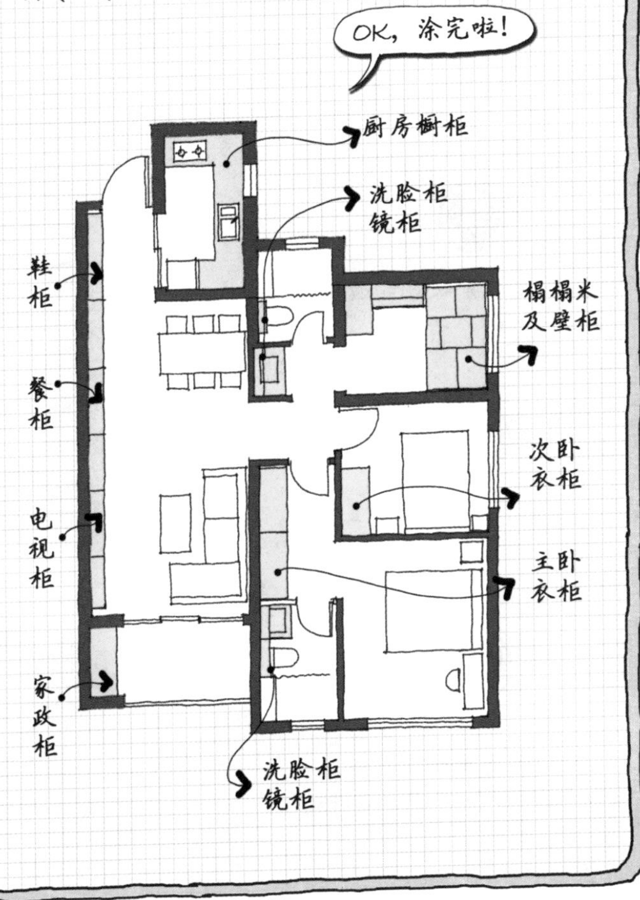

四条合格标准

然后，逐一判断以下四条是否合格。

1 各处均布： YES ☑ NO ☐

物品应就近收纳。任一空间内都应分布代表收纳的黄色块。

2 占地12%： YES ☑ NO ☐

代表收纳的黄色块，至少应该占到全屋地面面积12%以上。

3 立体集成： YES ☑ NO ☐

收纳家具不宜过多、零碎，应优先选择大型入墙式壁柜。

4 二八原则： YES ☑ NO ☐

收纳应有藏有露。展示的物品和隐藏的物品比例宜为2:8。

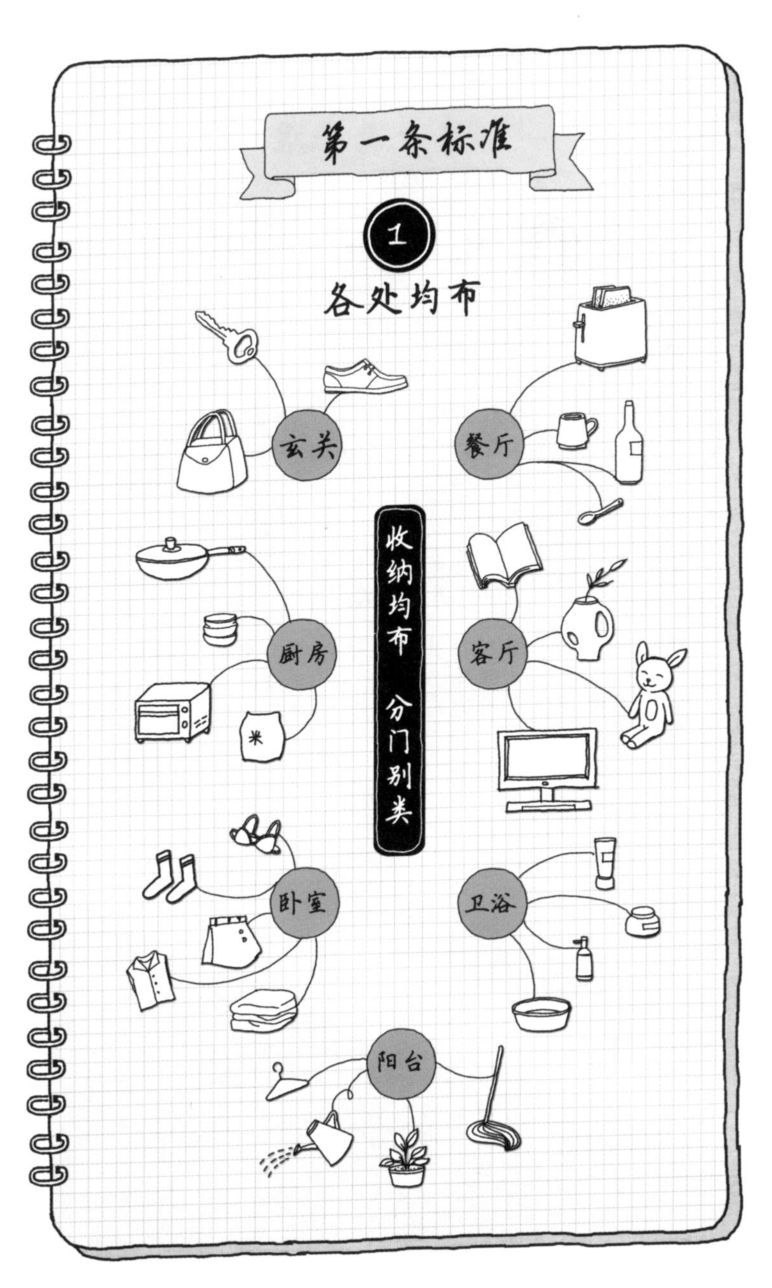
第一条标准
1
各处均布
玄关
餐厅
收纳均布 分门别类
厨房
客厅
米
卧室
卫浴
阳台

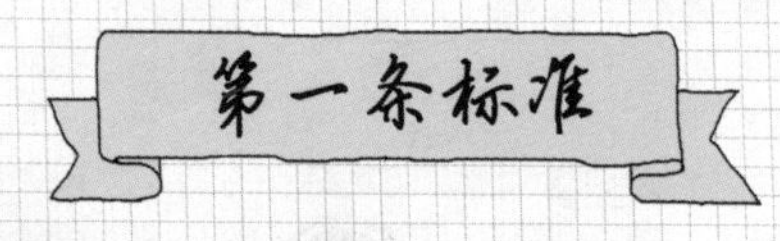

第一条标准

1 各处均布

第一条标准，听起来好像是废话。之所以强调它，是因为很容易产生误区。

举个例子，常听到有朋友抱怨说："家里收纳空间严重不足，如果能有个储物间就解决问题了！"嗯，能有个储物间，真真儿是极好的！不过呢，储物间只能解决一小部分收纳烦恼，绝不可能是全部！

即使有了储物间，你也不可能把每天穿的鞋子放进去、把厨房的食品放进去、把卫生间的脸盆放进去。

储物间虽好，但往往只能收纳大件闲置品而已。因为每个空间需要的物品不同，所以应遵循的原则应该是在使用位置附近就近收纳、均布收纳，而非全部集中于储物间。

YES

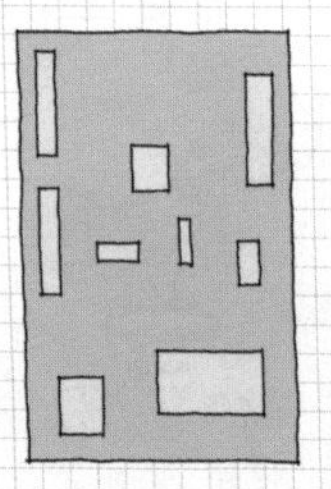

NO

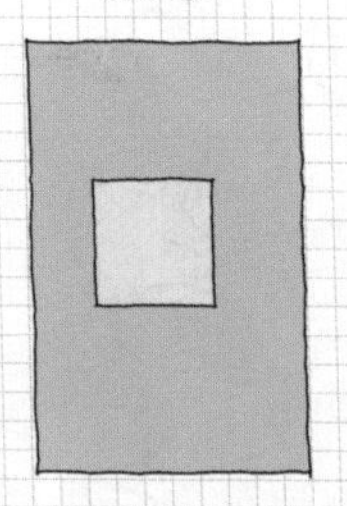

涂好色的"规划图"中，从玄关到阳台，从客厅到次卧，任一空间内都应分布代表收纳的黄色块。

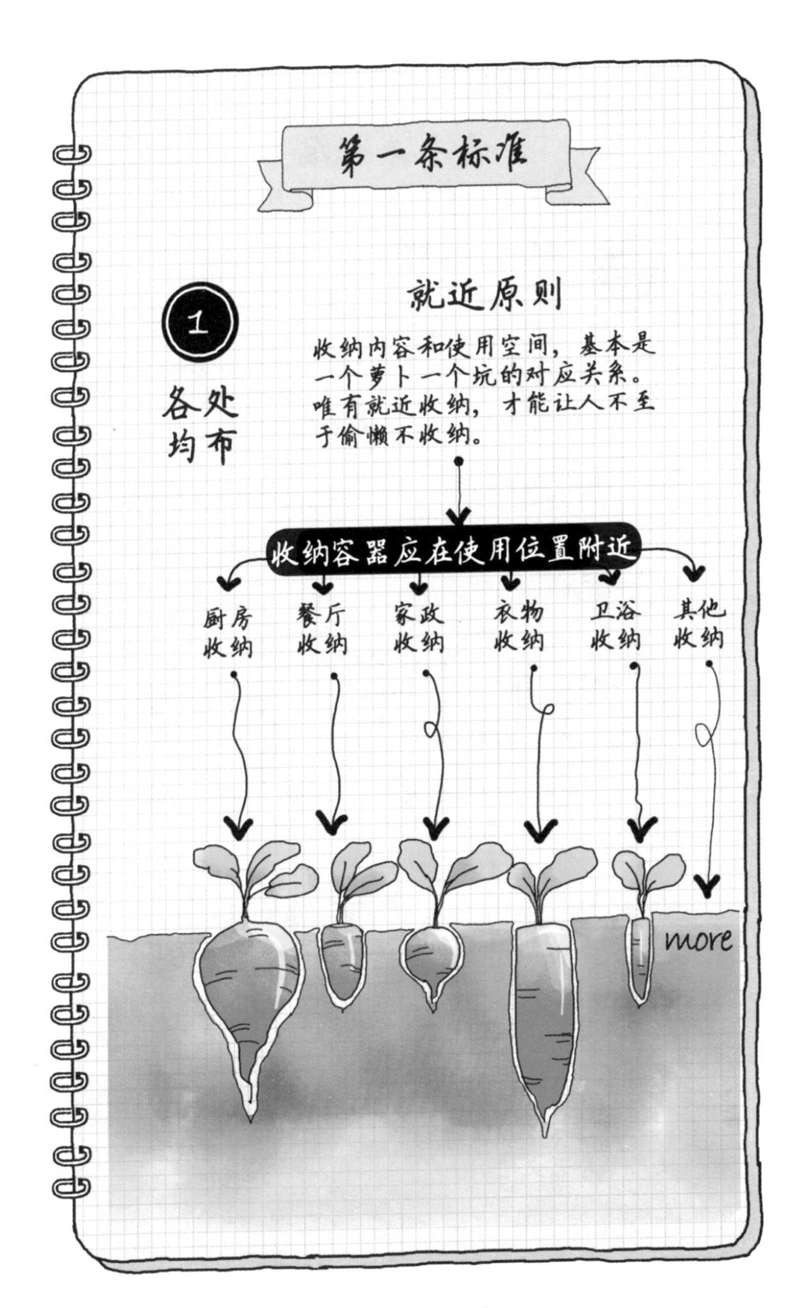
第一条标准
1
各处均布
就近原则
收纳内容和使用空间，基本是一个萝卜一个坑的对应关系。唯有就近收纳，才能让人不至于偷懒不收纳。
收纳容器应在使用位置附近
厨房收纳
餐厅收纳
家政收纳
衣物收纳
卫浴收纳
其他收纳
more

各处均布

就近原则

举个例子，我家只有我一个人习惯熨衣服，挂烫机过去是放在北阳台家务区的（考虑用水用电方便）。每次使用时都要把衣服在主卧和阳台间搬来搬去，总觉得很麻烦，也越来越懒得熨烫。

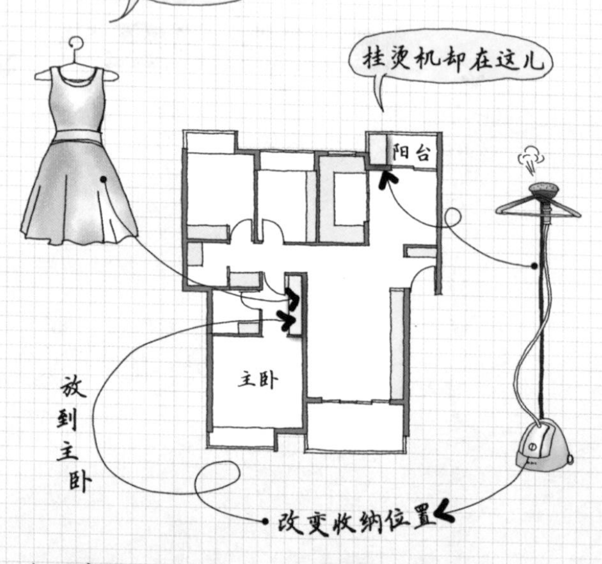

直到某一天忽然发觉，这种方式分明与就近原则相悖。于是就把挂烫机收纳在主卧室的衣柜，这下方便多了！平日顺手即可熨烫，使用频率大大增加。

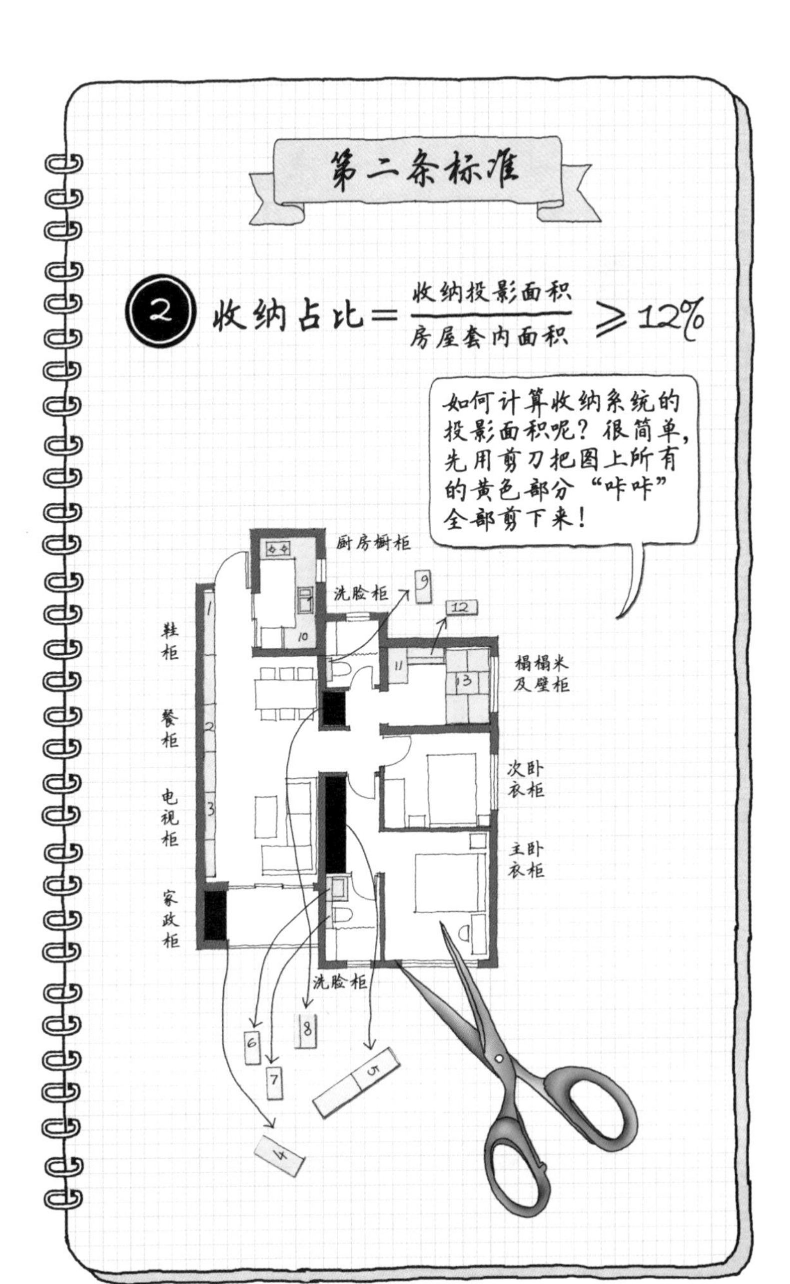
第二条标准
2 收纳占比＝收纳投影面积/房屋套内面积 ≥12%
如何计算收纳系统的投影面积呢？很简单，先用剪刀把图上所有的黄色部分“咔咔”全部剪下来！
厨房橱柜
洗脸柜
榻榻米及壁柜
鞋柜
餐柜
电视柜
次卧衣柜
主卧衣柜
家政柜
洗脸柜

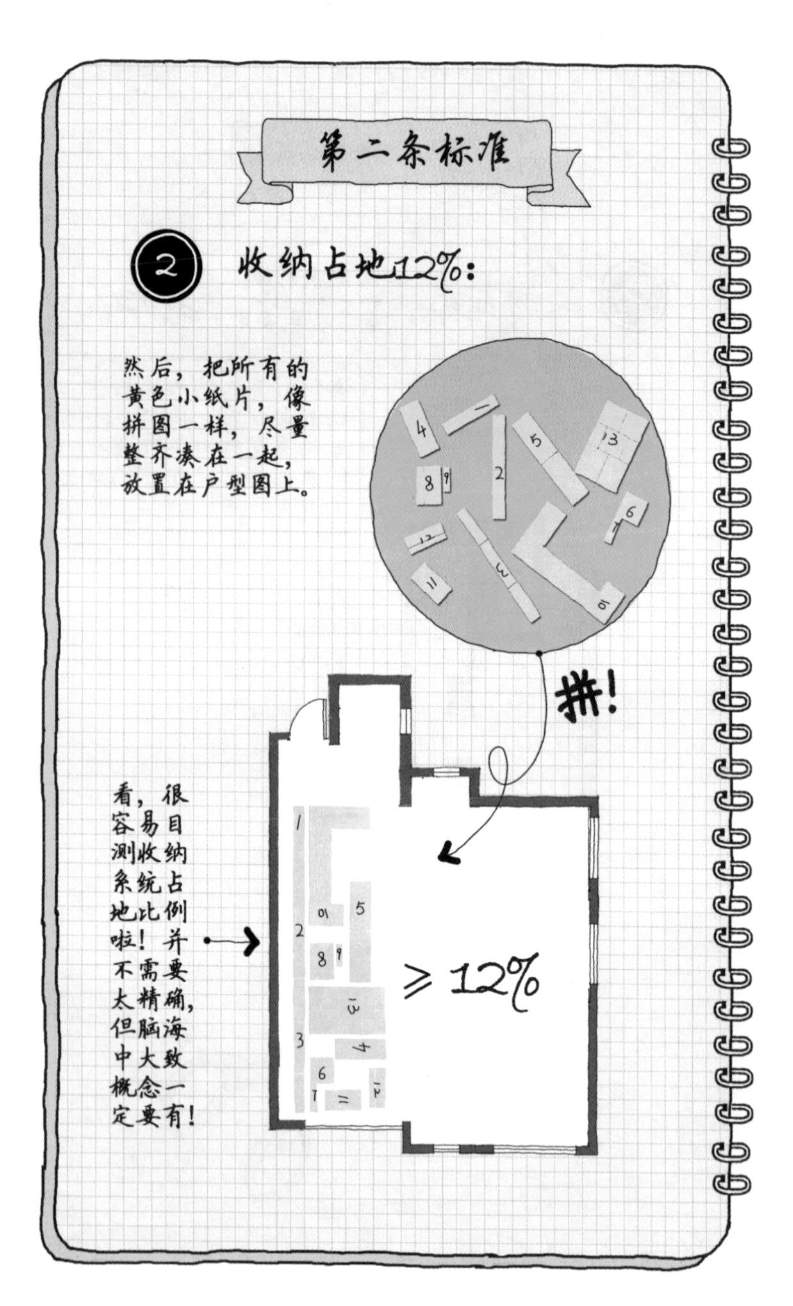
第二条标准
2 收纳占地12%：
然后，把所有的黄色小纸片，像拼图一样，尽量整齐凑在一起，放置在户型图上。
拼！
看，很容易目测收纳系统占地比例啦！并不需要太精确，但脑海中大致概念一定要有！
≥12%

第二条标准

收纳占地12%：

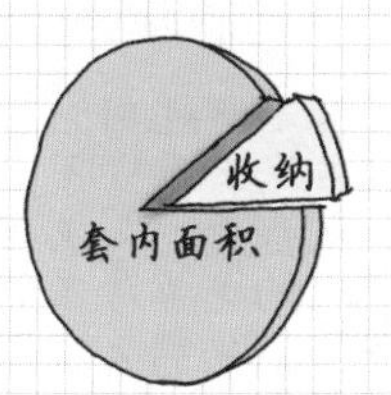

对于100平方米左右的中小户型，建议收纳系统的占地面积宜为房屋套内面积的12%，至少不能低于10%。

房屋面积**越小**，

收纳比例反该**越大**。

举个例子，右图是我早年设计的一个概念型小公寓产品，其收纳系统占地达到惊人的30%，且全部为入墙式壁柜或一体式地台。即使房屋套内面积只有38平米，但拥有如此巨大的容量，便可以供小两口安稳居住、舒适生活。

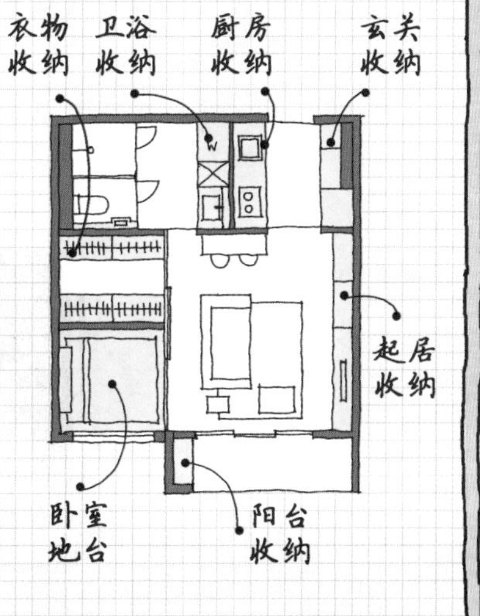

第二条标准

② 收纳占地12%：

收纳=内存

有人不解地问："收纳系统占这么多空间，会不会有点浪费？"其实，只要把收纳视为房屋的"内存条"，就能正确理解二者的关系。

无论电脑还是手机，内存都要与它的功能相匹配。如果希望电子设备使用一两年后仍能操作流畅，多花钱配置大内存是必须的。

住宅，亦是这样。

第二条标准

② 收纳占地12%：

日本是公认住宅精细化程度极高的国家，它的土地价格昂贵，经济发达。由于“全职主妇”这一家庭角色的普遍存在，收纳在日本住宅中极受重视。

左下图是一张典型的日式集合住宅户型平面图，其面积换算成国内的标准约100平方米（考虑读者习惯，此数值包含估算的公摊面积）。
从右下边的拼合图中，大家可以直观感受下，收纳系统占地的比例惊人。

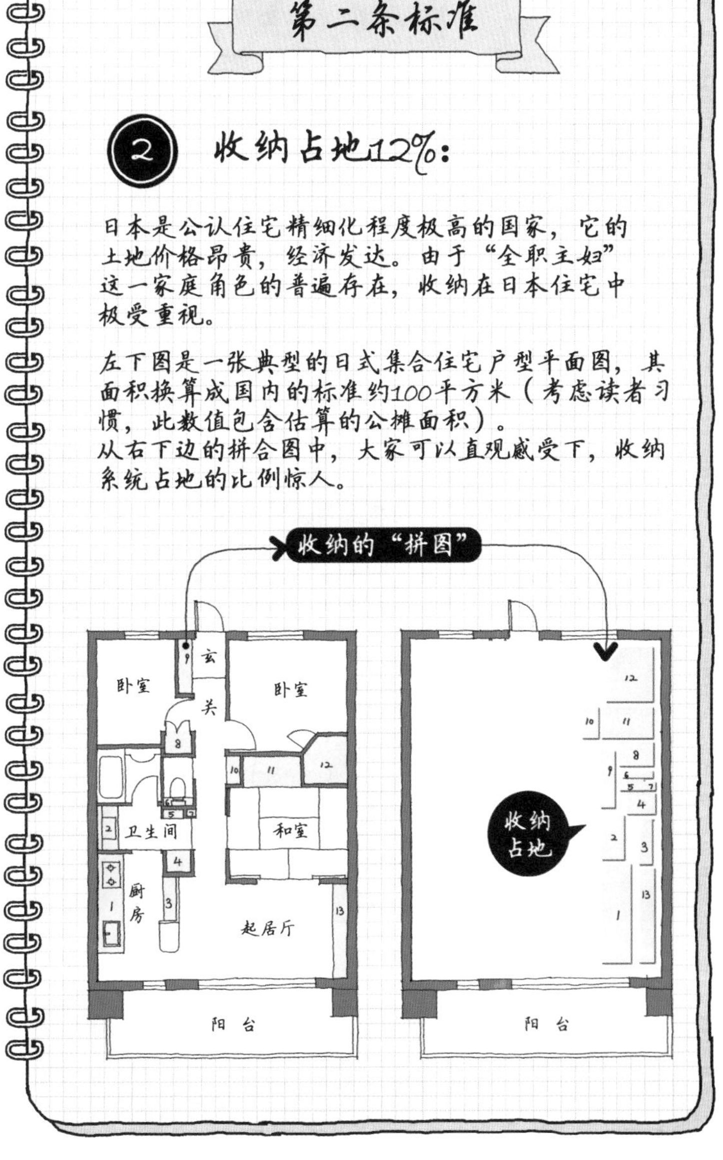

第二条标准

收纳占地12%：

反观国内的商品住宅，目前毛坯房交付仍然占多数。这是一个非常有中国特色的做法——全世界好像只有中国才这么做。

由于建筑设计、室内设计、收纳设计几个环节被人为地断开，这使得建筑师在最初的户型设计阶段很少会真正考虑收纳规划。而室内设计师和收纳设计师拿到的户型结构早已确定、不易修改，即使有心调整收纳，也往往力有不逮。

市场上的很多住宅（甚至精装修住宅），收纳量都少得可怜。户型图看起来如同“光板儿”一般。这样的房子，外表看似光鲜，实际住不了几天就会被塞得满满当当、乱七八糟！

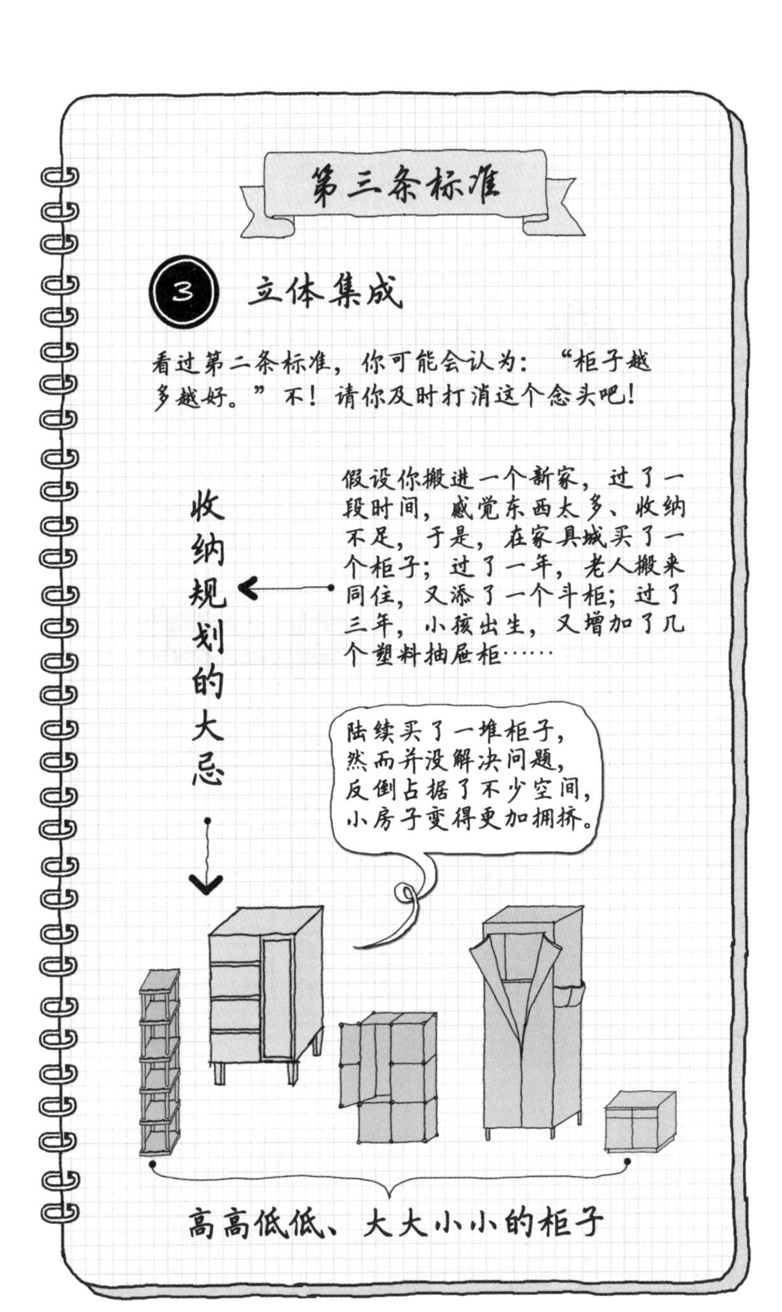
第三条标准
3 立体集成
看过第二条标准，你可能会认为：“柜子越多越好。”不！请你及时打消这个念头吧！
收纳规划的大忌
假设你搬进一个新家，过了一段时间，感觉东西太多、收纳不足，于是，在家具城买了一个柜子；过了一年，老人搬来同住，又添了一个斗柜；过了三年，小孩出生，又增加了几个塑料抽屉柜……
陆续买了一堆柜子，然而并没解决问题，反倒占据了不少空间，小房子变得更加拥挤。
高高低低、大大小小的柜子

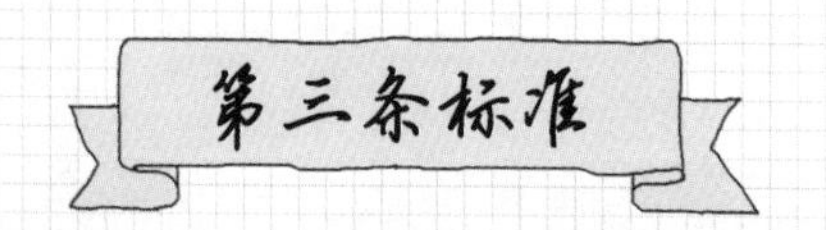

③ 立体集成

判断收纳规划的第三条标准：
柜子不是越“多”越好，
而是越“立体集成”越好。

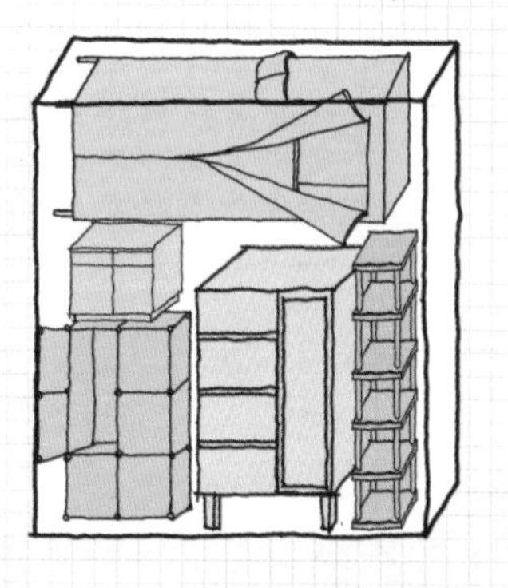

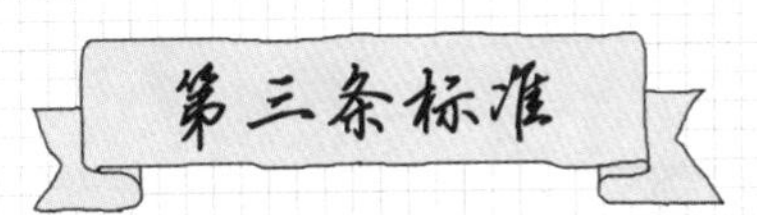

③ 立体集成

关键字1：立

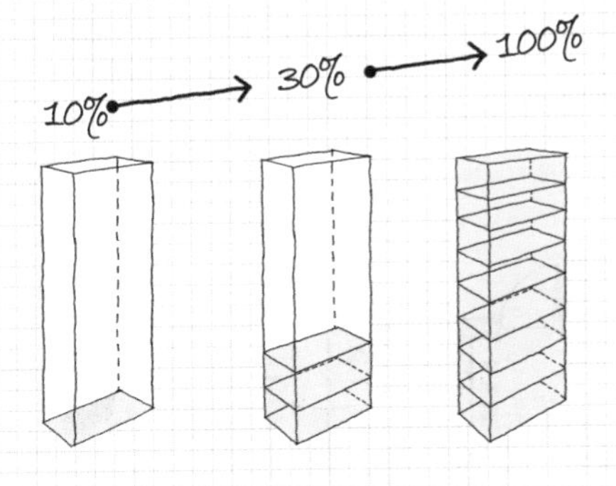

如果以建筑物来打比方的话，在同样一块土地上，盖平房、盖多层还是盖摩天楼能容纳居住的人数多？答案显而易见。

关键字2：集

收纳的“收”字本身就有聚集的含义。收纳的集中度越高、整体感越强，余下的空白区域越容易给人宽裕和整洁之感。

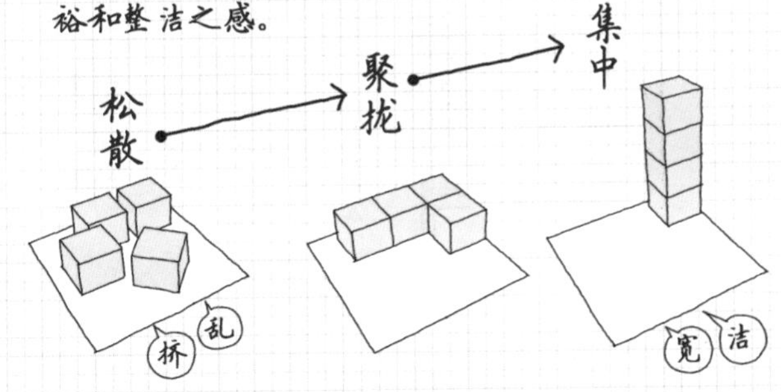

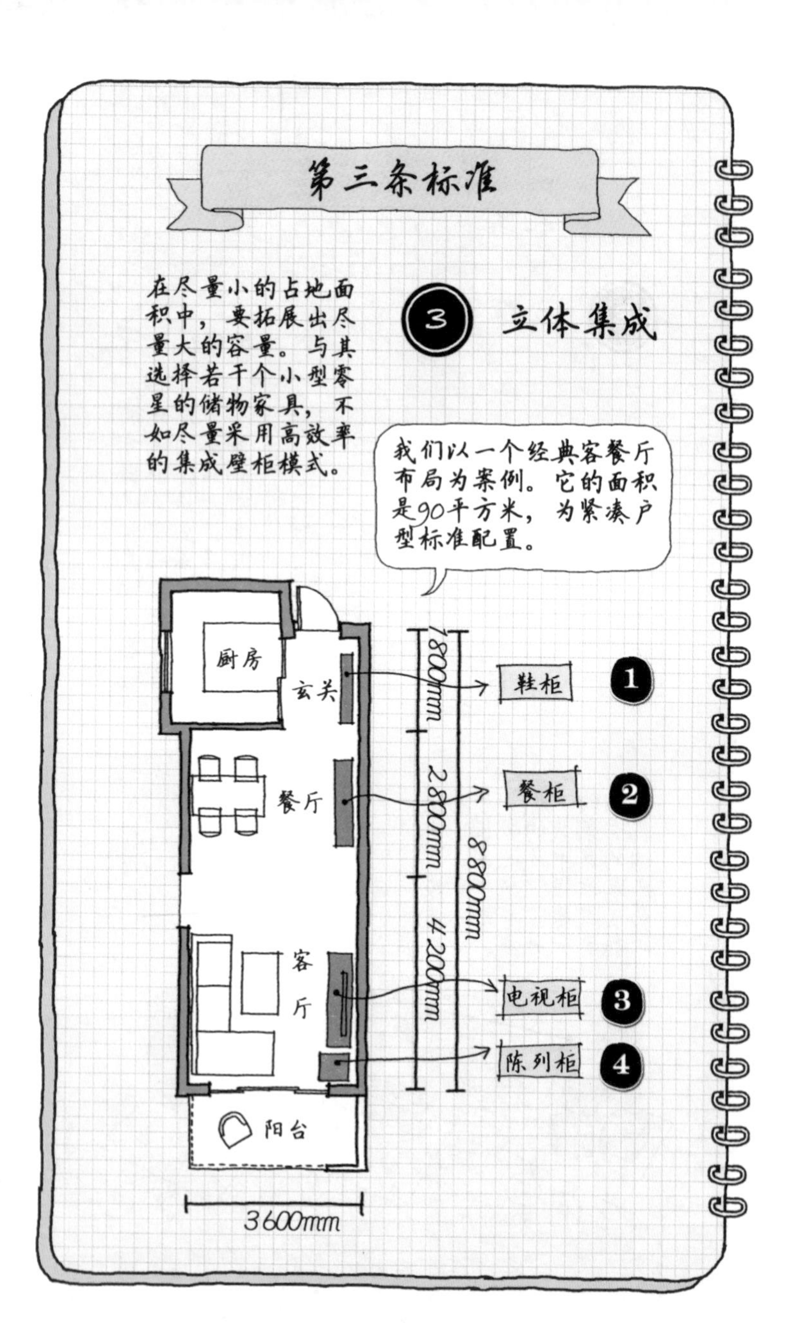
第三条标准
在尽量小的占地面积中，要拓展出尽量大的容量。与其选择若干个小型零星的储物家具，不如尽量采用高效率的集成壁柜模式。
3 立体集成
我们以一个经典客餐厅布局为案例。它的面积是90平方米，为紧凑户型标准配置。
厨房
玄关
餐厅
客厅
阳台
1800mm
2800mm
4200mm
8800mm
3600mm
鞋柜 1
餐柜 2
电视柜 3
陈列柜 4

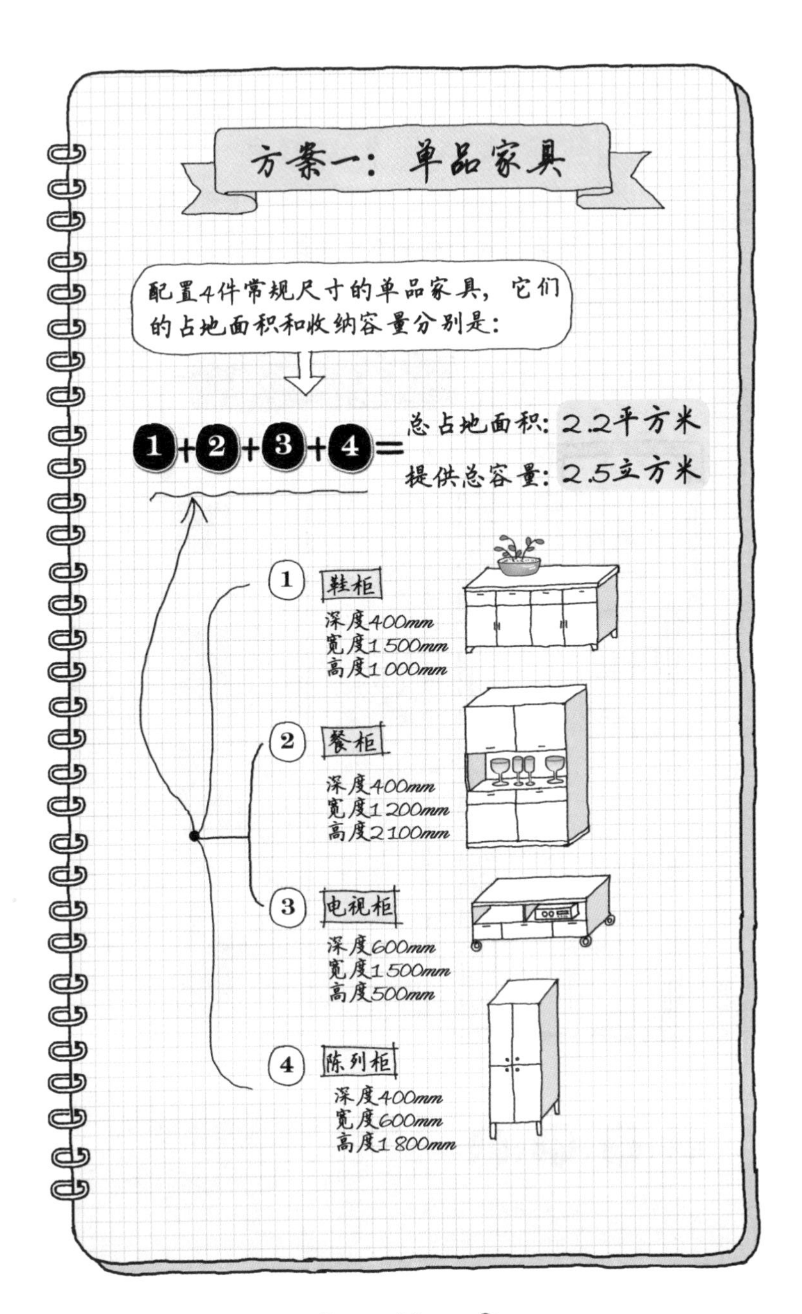
方案一：单品家具
配置4件常规尺寸的单品家具，它们的占地面积和收纳容量分别是：
1+2+3+4=
总占地面积：2.2平方米
提供总容量：2.5立方米
1 鞋柜
深度400mm
宽度1 500mm
高度1 000mm
2 餐柜
深度400mm
宽度1 200mm
高度2 100mm
3 电视柜
深度600mm
宽度1 500mm
高度500mm
4 陈列柜
深度400mm
宽度600mm
高度1 800mm

作为对比方案，我们改变常规思路，
沿着玄关、餐厅、客厅的墙面，
打造一整组大柜，从头到尾、顶天立地。

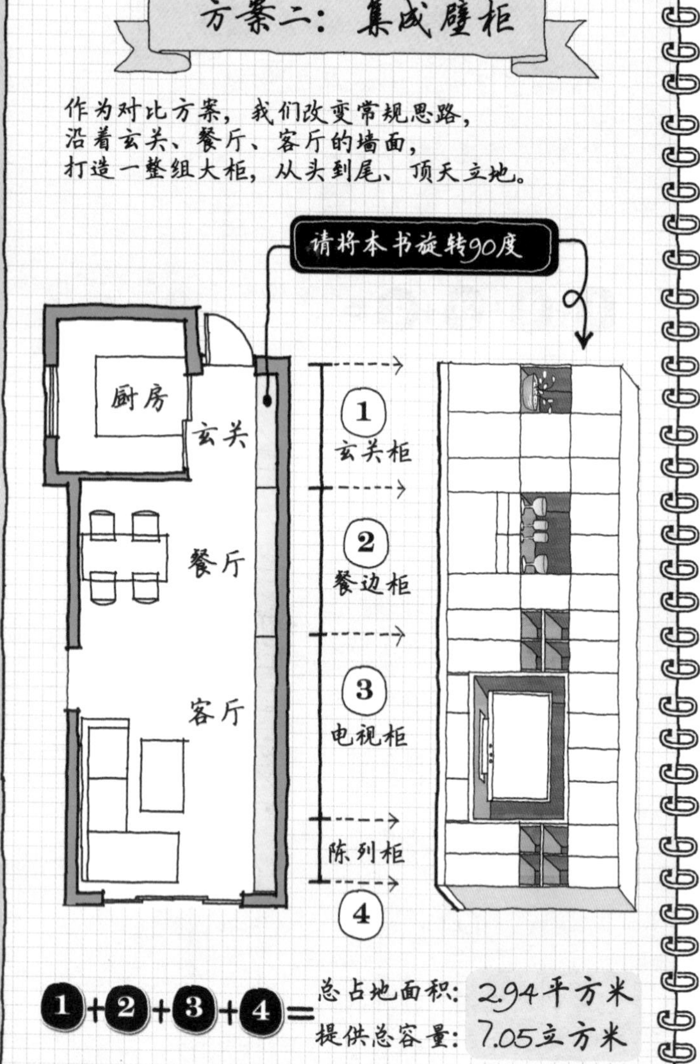

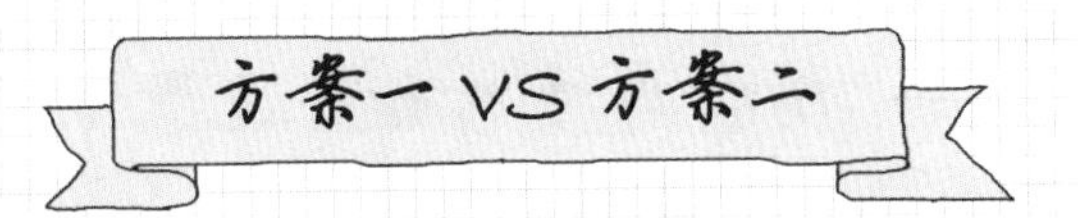

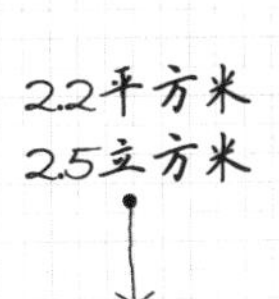

VS

2.94平方米
7.05立方米

家具占地面积 

34% ↑

提供收纳容积 

182% ↑↑↑

方案二实际等于把方案一在高度方向上所有未使用空间都充分利用了起来。
结果是，占地面积仅小幅增加，但收纳容量几乎扩大至原来的**三倍！**

这就是立体集成空间的惊人力量。

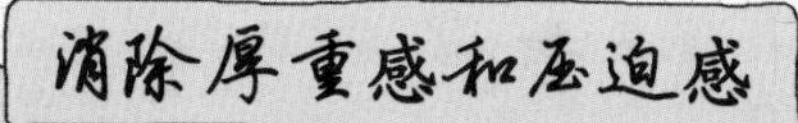
消除厚重感和压迫感

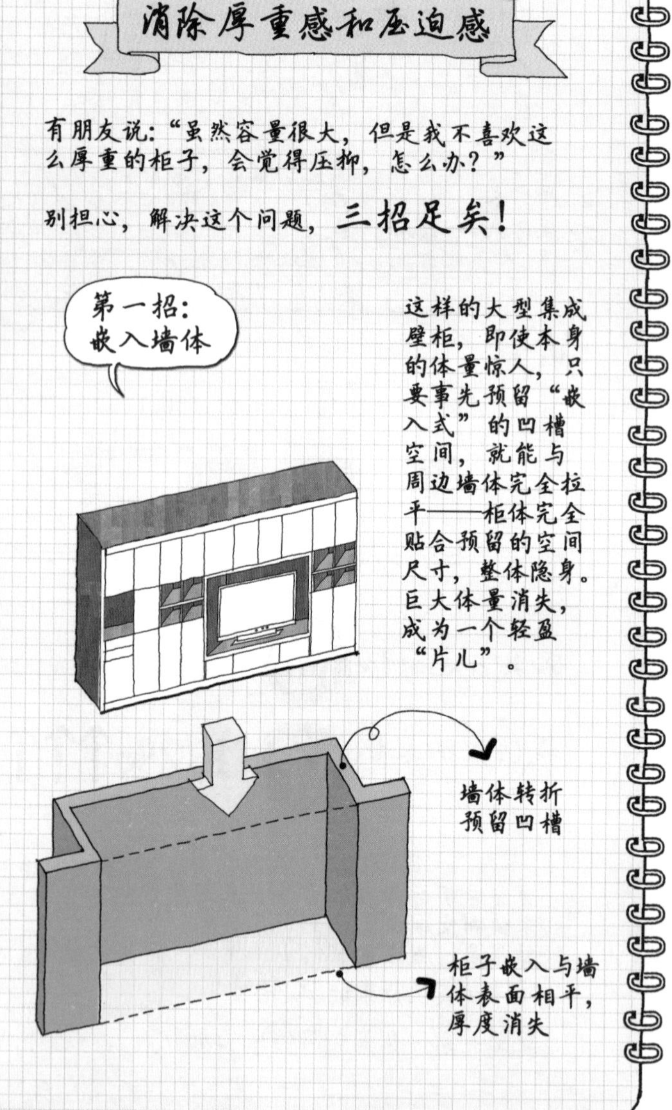
有朋友说："虽然容量很大，但是我不喜欢这么厚重的柜子，会觉得压抑，怎么办？"
别担心，解决这个问题，三招足矣！
第一招：
嵌入墙体
这样的大型集成壁柜，即使本身的体量惊人，只要事先预留"嵌入式"的凹槽空间，就能与周边墙体完全拉平——柜体完全贴合预留的空间尺寸，整体隐身。巨大体量消失，成为一个轻盈"片儿"。
墙体转折
预留凹槽
柜子嵌入与墙体表面相平，厚度消失

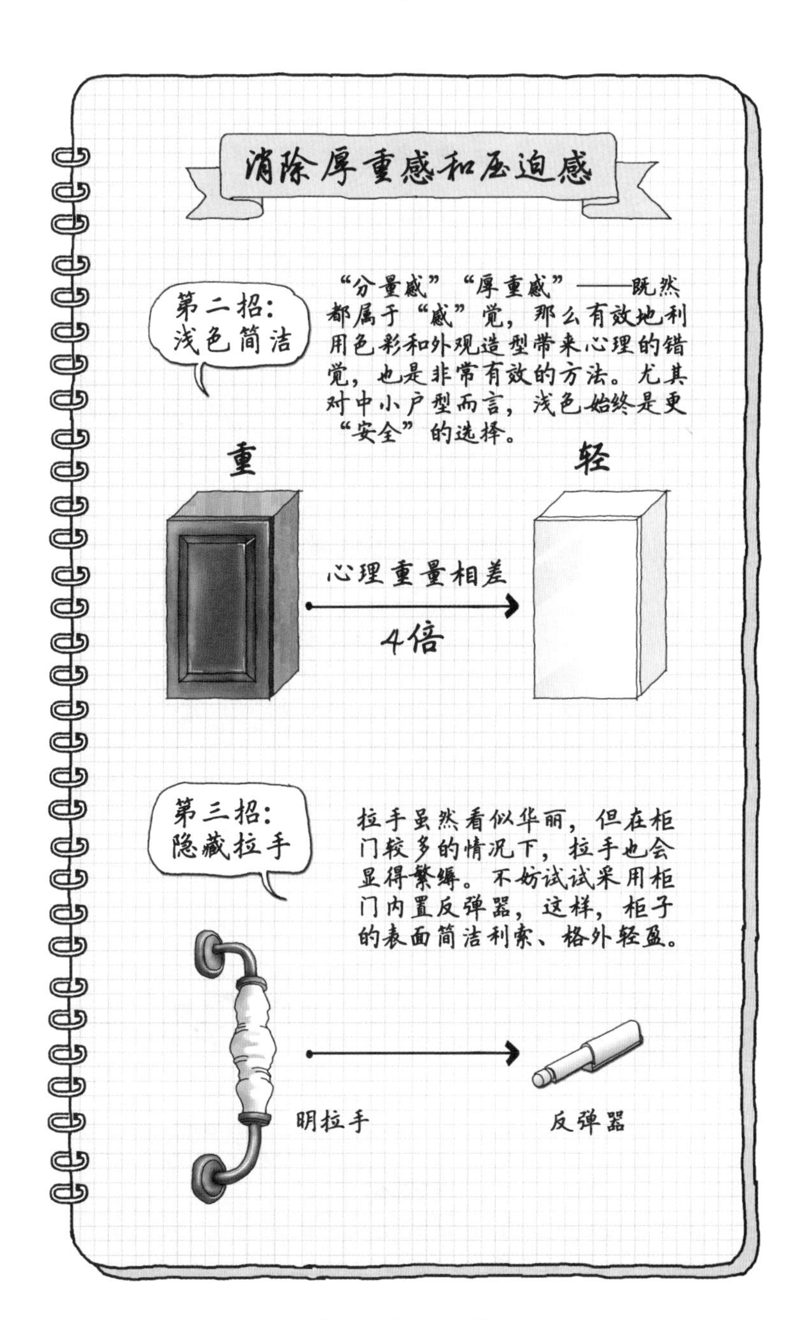
消除厚重感和压迫感
第二招：
浅色简洁
“分量感”“厚重感”——既然都属于“感”觉，那么有效地利用色彩和外观造型带来心理的错觉，也是非常有效的方法。尤其对中小户型而言，浅色始终是更“安全”的选择。
重
轻
心理重量相差
4倍
第三招：
隐藏拉手
拉手虽然看似华丽，但在柜门较多的情况下，拉手也会显得繁缛。不妨试试采用柜门内置反弹器，这样，柜子的表面简洁利索、格外轻盈。
明拉手
反弹器

如同隐身的巨人

我个人不太喜欢把柜子本身做得过于华丽烦琐，最推崇的样式就是纯白、无把手（柜门用反弹器）、大平板门的大型嵌入式壁柜。

收纳柜，对于居室而言，应该只留下低调的背影，而不要当聒噪的主角。它给予你的是居住的正能量，给予你轻松和整洁，却不喧宾夺主、过分强调自己的存在。

如同阿拉丁神灯里的巨人，需要时才会出现，完成任务后便“砰”的一声消失。

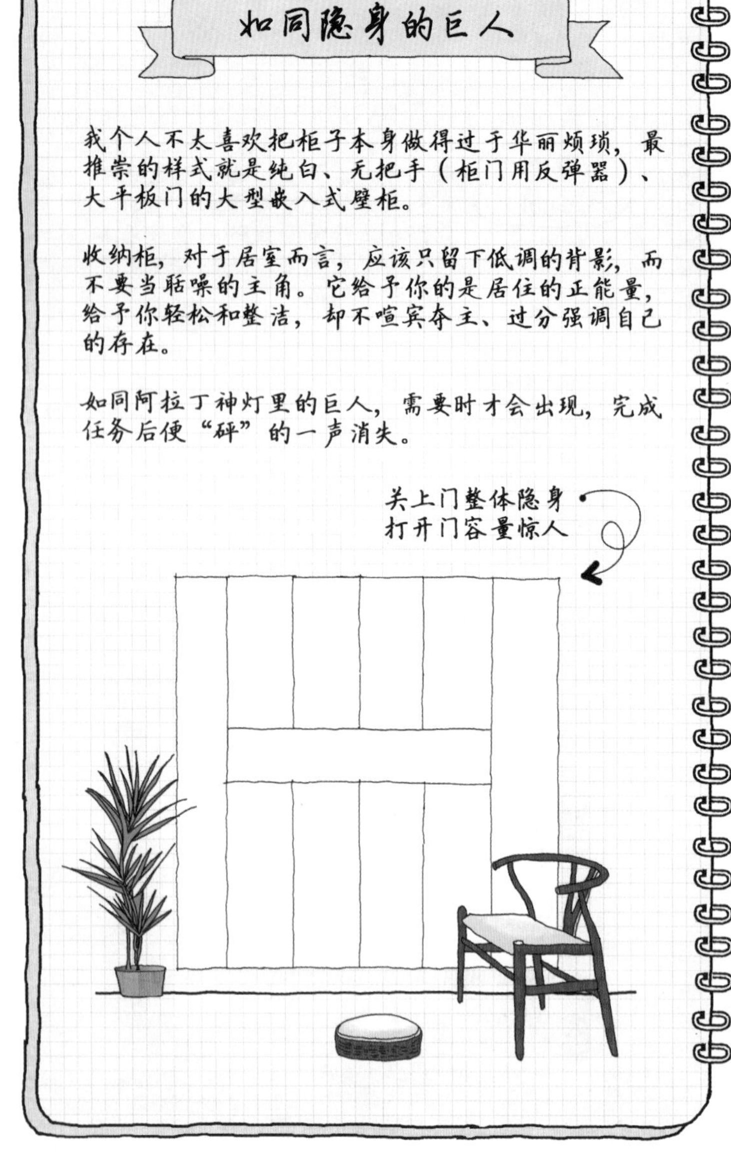

第四条标准

有藏有露，“二八原则”

有的朋友会抱怨：“我已经很努力地去布置居室了，为什么我的家总觉得不够好看？”

其实，问题或许就出在没有用“二八原则”布置你的家。客厅放眼望去满眼都是鸡零狗碎的小物品——孩子的玩具、旧拖鞋、堆在茶几上的纸巾、茶杯和遥控器、沙发靠背上的外套……即使有美丽的陈设摆放在其中，也早已被凌乱的杂物无情淹没，无法给人带来愉悦。

换个思路，不妨把家想象成一个音乐厅。为了确保音乐的效果，音乐厅的空间隔声设计是非常独特的。倘若室外大马路上轰隆隆的车轮声、前厅里孩子们的吵闹声、后勤区拖动道具的刺耳声，全部声声入耳，那无论演奏多么美妙的乐曲，也只会成为噪声的一部分。

“收纳”，就是为了给你想要打造的美丽的家，一个干净的背景、一张纯白的画纸、一处不被干扰的安静的演奏空间……供你发挥。

隐藏80%乱，才能展露20%美。

第四条标准
4 有藏有露，二八原则
藏
露
80%
20%
易乱的日用品
无美感的物品
不常使用的物品
季节性物品
装饰品或藏品
最常使用的物品
(frequently used things)

第四条标准

4 有藏有露，二八原则

杂乱或者清爽，
是由进入视线的物品的信息量决定的。
信息越多，越容易形成“凌乱”；
信息越少，越倾向印证“整洁”。

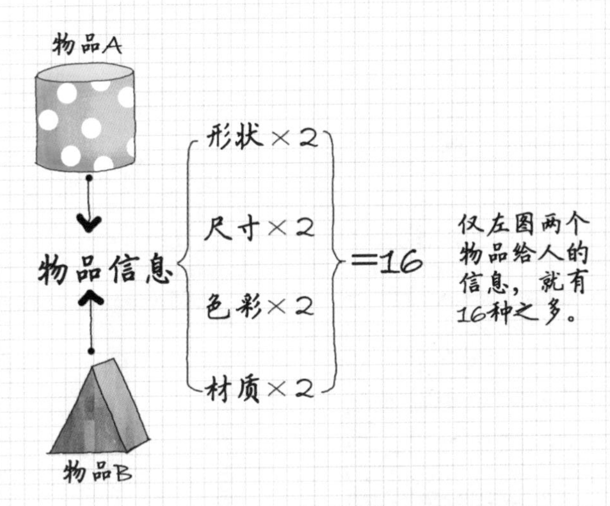

减少进入视线的信息

进入视线的信息越少，大脑越容易得到“清爽”的信号。比如通过加个柜门或将物品装进盒子，容器内物品所携带的杂乱信息自然就被阻隔干净了。

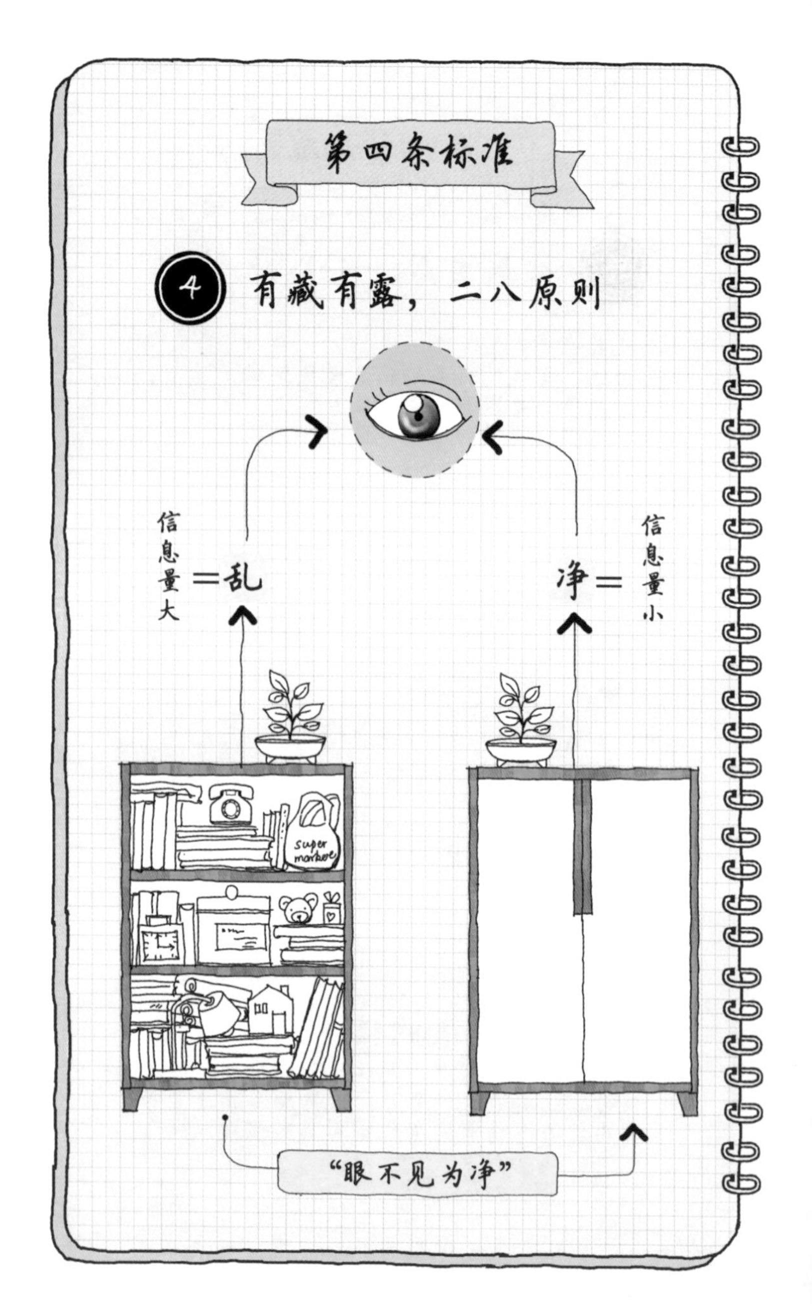
第四条标准
4 有藏有露，二八原则
信息量大＝乱
净＝信息量小
super market
“眼不见为净”

全露收纳，华而不实

在样板间或者高级酒店看到这样的壁架，会怦然心动的人应该不少吧？

全明露＝全展示

虽然我也非常喜欢全敞开式壁架摆满书的视觉效果，但是我们的家毕竟不是样板间，也不是五星级酒店——在真实的生活中，每天都不断有新的杂物增加，很难保证新增杂物各个都如样板间饰品般简洁美丽。

假如你一定要选择这种全明露的收纳柜，那就要时刻整理，把它当作展示架来使用。凡是不美的物品，绝不能放上去。否则，落灰不过是小麻烦，显乱才是真正的大问题！

虚实结合，少即是多

藏起大部分杂物之后，整个空间干净得如同一张白纸，于是便容易作画了。

20%的展示空间，留给你心爱的藏品和装饰品一个恰当的位置。

藏露相间的大壁柜，兼具超强的实用性与夺目的展示性。关键是掌握好“藏”和“露”的比例。

只展露最美的部分

展示的关键在于：
将少量物品郑重其事地布置在视觉中心。

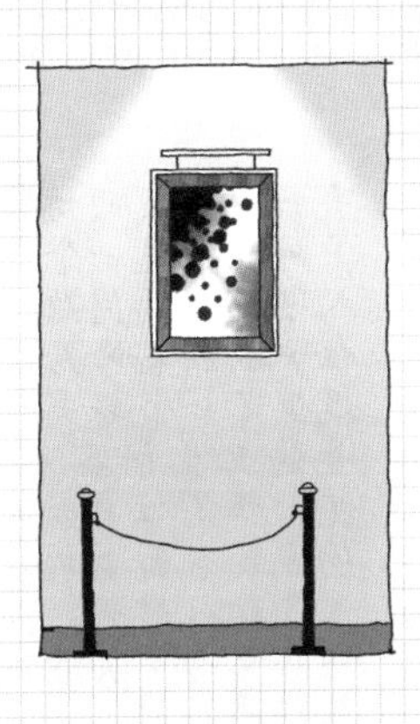

美术馆空旷的大厅尽头，纯白的墙面上一幅小小画作，才会最大限度吸引人去细致欣赏它的美，而不会被其他因素分去注意力。

当你走进奢侈品店，偌大的店内为数不多的几个包如同艺术品般展示着，在美妙的灯光下熠熠生辉，似乎天文数字般的价格也因此合情合理了。

如果你的各种藏品、饰品特别多，那么不妨学习美术馆和博物馆的做法，只陈设其中一部分，过段时间更换一批，就可以时不时让家耳目一新。千万不要一股脑儿全部摆出来——越多反而越显得廉价！

全部隐藏，亦有不便

在某些强功能的空间，如果所有物品都被藏了起来，反而会给使用带来不便。毕竟人都是懒惰的，对于高频使用的物品，每次都要从柜子里拿出来再放回去实在麻烦。此时，不如明露出一部分更便利。

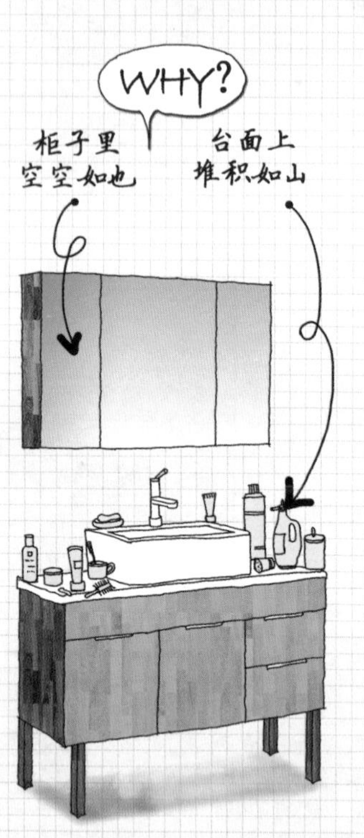

有一年，我回访客户时，发现一个令人很困惑的问题：住户的精装修房已提供了一个超大容量的卫生间浴室柜，但是住户家里的洗漱台面上仍放满了瓶瓶罐罐，而柜子里却有大量闲置空间。

受访者对此的回答是："每次洗脸都要打开镜箱门取东西，太麻烦了。"

类似的问题，在玄关和厨房也同样存在。人们更在意伸手可得的便利，而将整洁排在第二位。

强功能空间的收纳

找到问题根源之后，我便开始依据二八原则设计厨房、卫生间、玄关和家务区这4个强功能空间。

强功能空间的一大特点就是需要同时进行多种操作。因此，设计预留一定比例无柜门的明露收纳区，放置那些每天都在使用的物品，可以省去反复开关柜门的麻烦，也可以一边进行手中操作、一边取放物品，更加顺手和高效。

浴室柜：

中间的镜箱为隐藏收纳，两侧开放格为明露收纳。

鞋柜：

上层为隐藏收纳，下层为明露收纳，放置常用鞋和拖鞋。

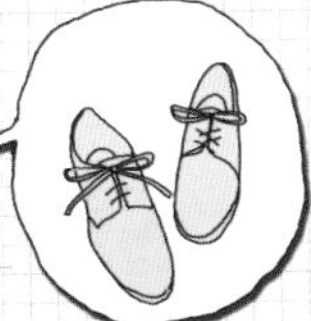

二八原则的普适性

露与藏的二八原则，不仅对于壁柜之类的大型收纳装置有效，对于活动家具也完全适用。

以茶几为例：

对于客厅而言，茶几有着“交通环岛”一般的枢纽意义。无论是看电视、休憩还是喝茶，用的大部分杂物都放在茶几上。

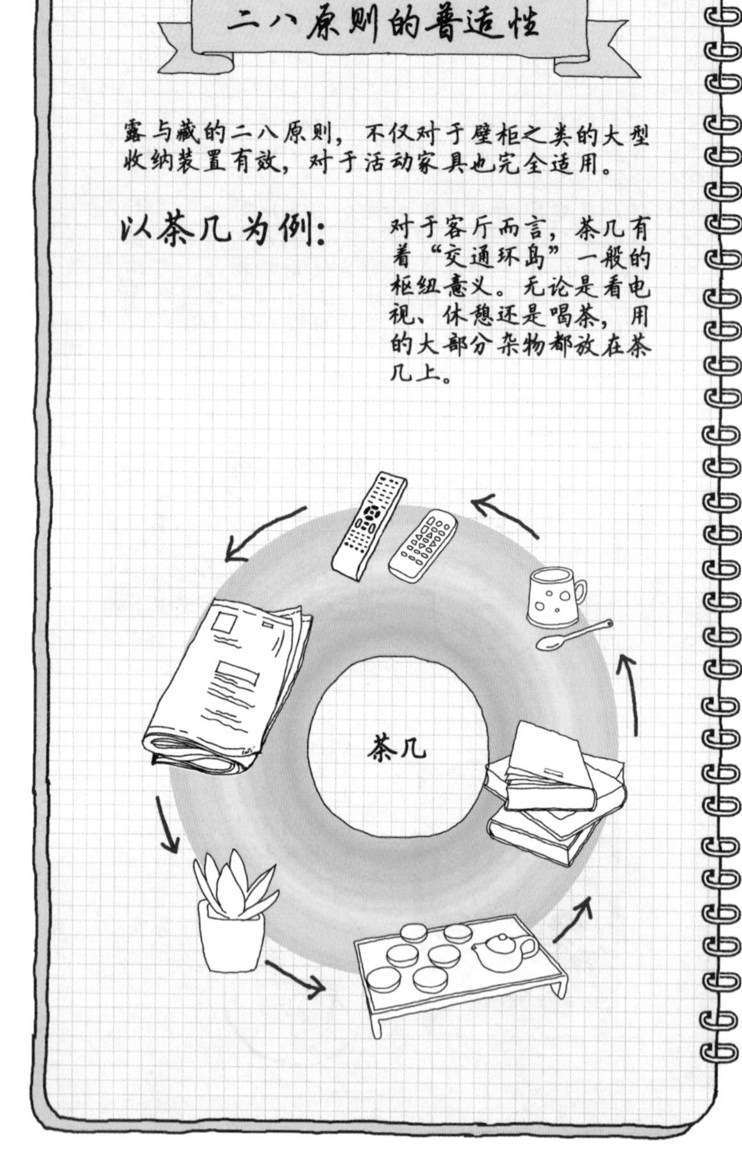

客厅最易凌乱的地方

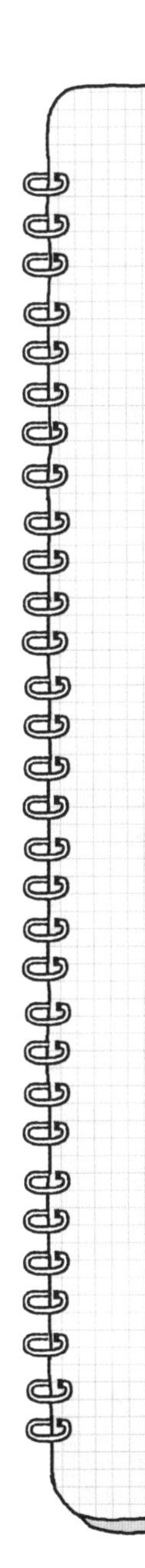

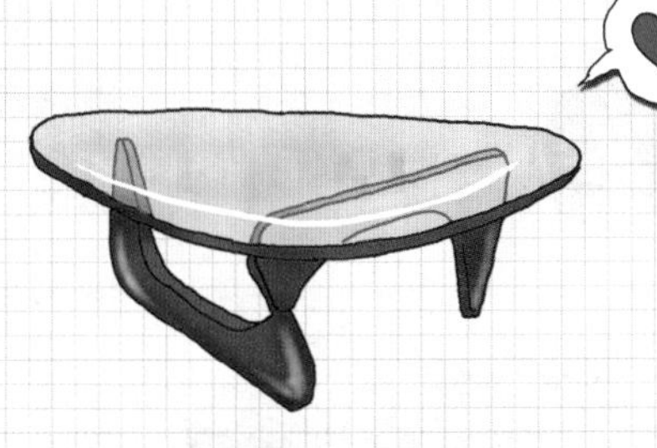

在家居卖场或网店选购茶几这类小型活动家具时，人们关注的点往往是价格、款式、风格、做工，很少将收纳功能作为必要考虑因素。
轻盈的玻璃茶几，刚买回家时很漂亮，可用不了几天就变成……

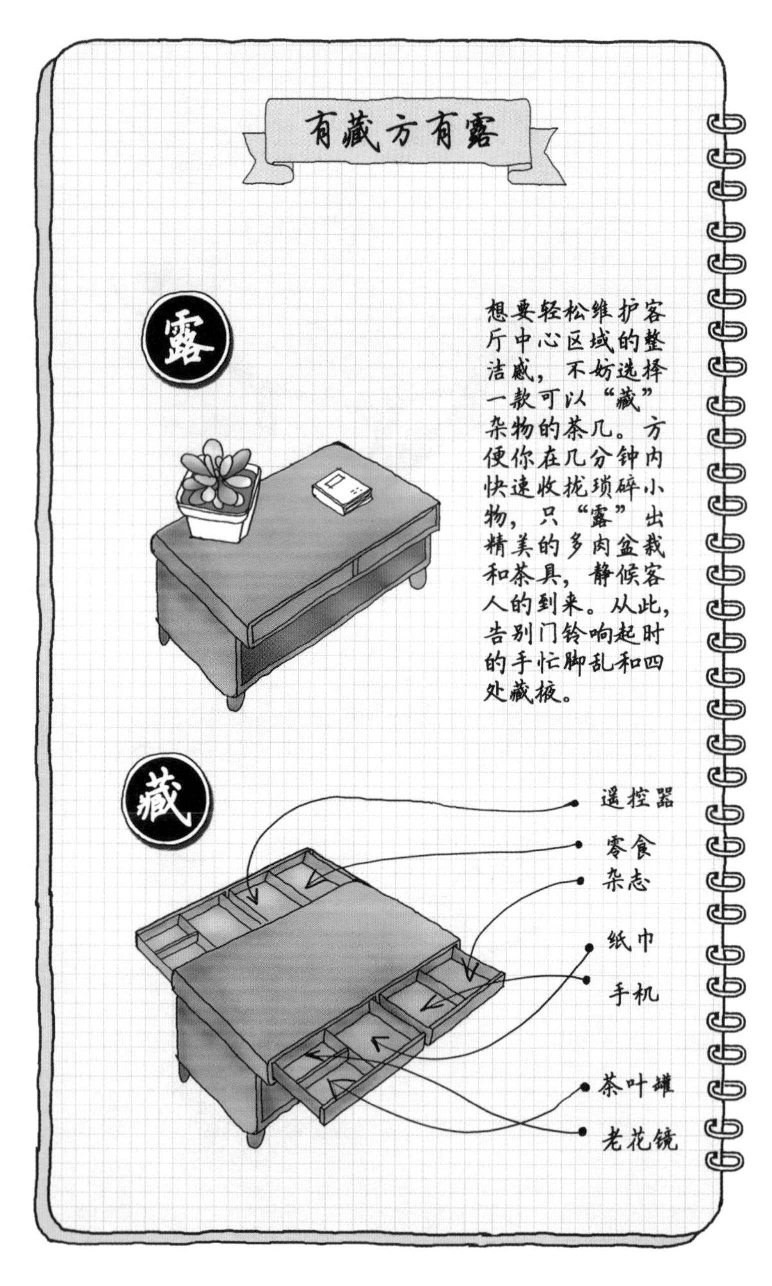
有藏方有露
露
想要轻松维护客厅中心区域的整洁感，不妨选择一款可以“藏”杂物的茶几。方便你在几分钟内快速收拢琐碎小物，只“露”出精美的多肉盆栽和茶具，静候客人的到来。从此，告别门铃响起时的手忙脚乱和四处藏掖。
藏
遥控器
零食
杂志
纸巾
手机
茶叶罐
老花镜

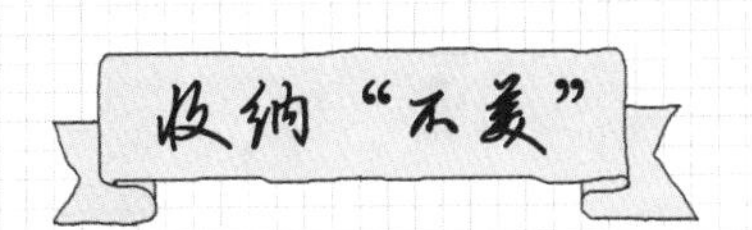

收纳“不美”

继续深入来说，
如果你想要把一个普通的家，变得精致、美好、令人赞叹，

那首先你必须：

展露“美”

得到一张干干净净的画布之后，
花心思摆上一瓶花、精心挑选一盏台灯、
买几个刺绣的抱枕、铺一块细麻织的地毯。
——看，你的家可以如此美好！

展露20%的美好陈设

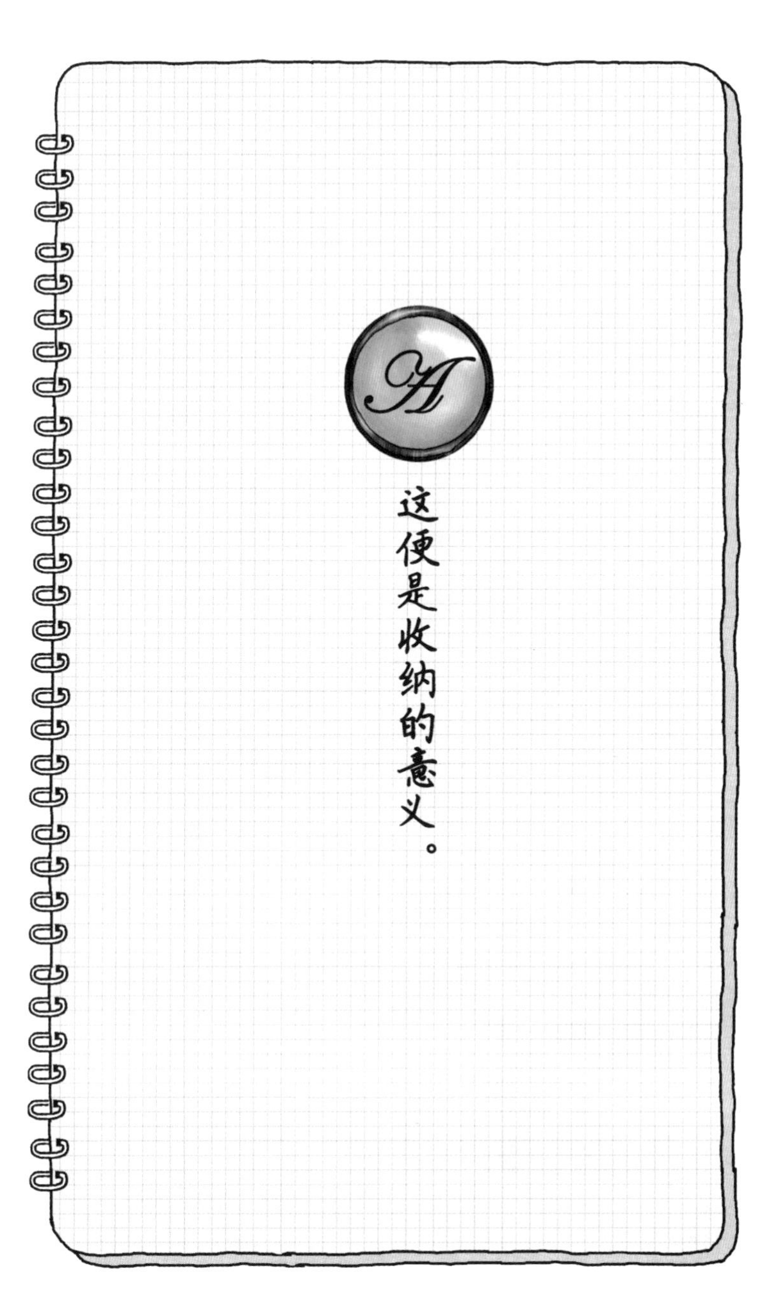
A
这便是收纳的意义。

小容器，大智慧

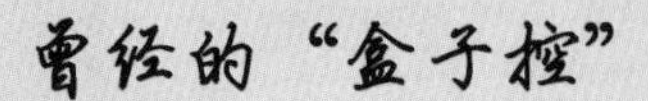

曾经的“盒子控”

曾经我非常着迷于精致的包装盒。

《买椟还珠》的寓言教育我们，不可像“郑人”那样轻重不分。我却在心中暗暗不服气：“郑人喜欢盒子有什么错？”

从小到大，每次见到漂亮的包装盒，我都会忍不住保留下来。一直以为是自己的怪癖，直到大学时才发觉，原来身边的女孩子竟人人都是“盒子控”！

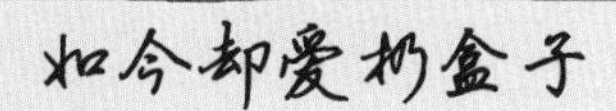

与过去截然不同，如今的我，拿到任何有包装的物品，大到一袋米，小到一枚胸针，要做的第一件事情，居然是

坚决丢掉原包装！

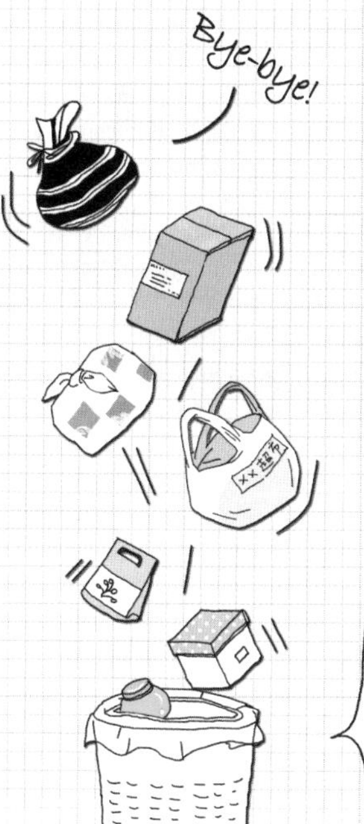

为什么会发生如此大的惊人转变呢？

秘密就在

下一页！

让小家变得如家居杂志图片般清爽的

秘密公式！

请大家牢记这个公式！家里几乎每个乱糟糟的角落，都能从这个公式推演出收纳难题的解决之道。

统一容器的小测试

我曾在朋友圈里做过一个小测试，
向大约200个朋友展示了下面两张图，
并提了三个问题：

请用三个词描述这张图

Q1:

Q2:

请用三个词描述这张图

Q3:

如果这是你房间的一角，
你觉得哪种情况比较容易打扫？

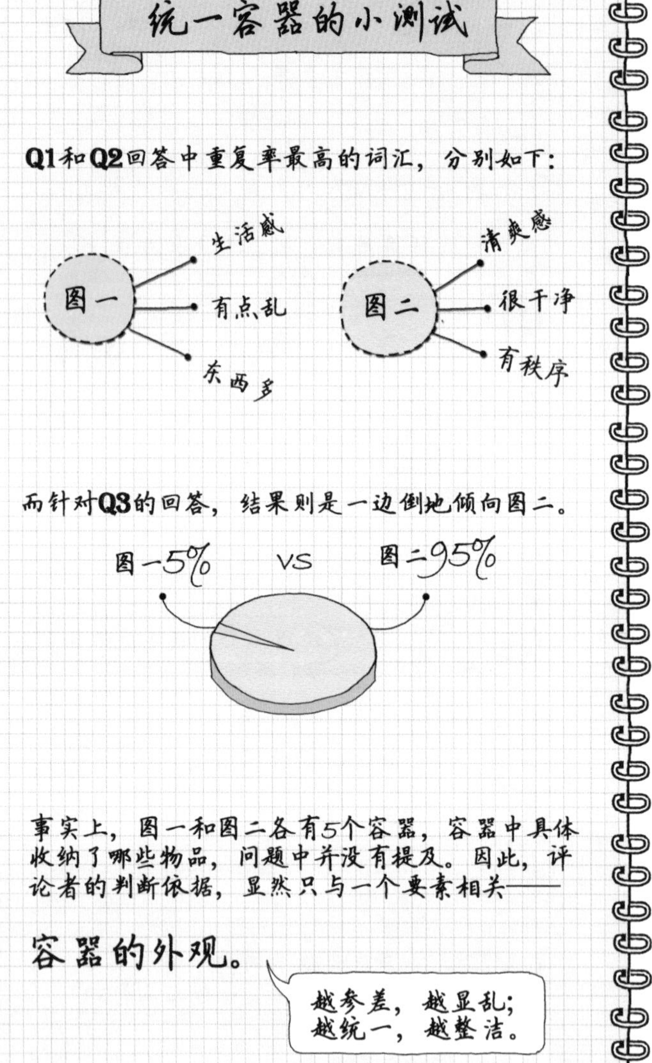

统一容器的小测试

Q1和**Q2**回答中重复率最高的词汇，分别如下：

图一：生活感、有点乱、东西多

图二：清爽感、很干净、有秩序

而针对**Q3**的回答，结果则是一边倒地倾向图二。

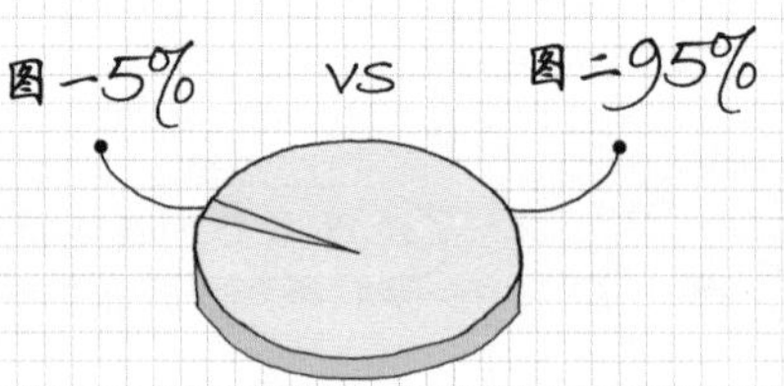

事实上，图一和图二各有5个容器，容器中具体收纳了哪些物品，问题中并没有提及。因此，评论者的判断依据，显然只与一个要素相关——

容器的外观。

越参差，越显乱；
越统一，越整洁。

收纳的捷径

如果说收纳有捷径的话，
“统一容器”必是其中**最迅捷的一条！**

无论多么混乱的杂物，只要齐刷刷装进外观统一的容器，就能瞬间释放出清爽整洁的正能量。

无论有多么令人困扰的收纳难题，只要活用这条秘密公式，都有可能迎刃而解。

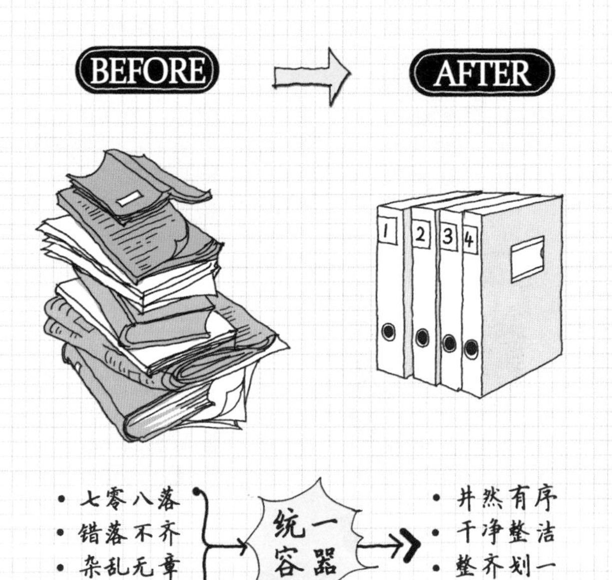

- 七零八落
- 错落不齐
- 杂乱无章
- 千头万绪

→ 统一容器 →

- 井然有序
- 干净整洁
- 整齐划一
- 一目了然

难题一：鞋子收纳

“原鞋配原盒！鞋盒不要扔！”
“鞋盒收纳法——拍照片贴在盒外”
你是不是也曾被这些说法打动过？
现在是时候改变一下啦！

BEFORE 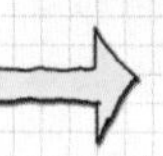 AFTER

颜色混乱
大小不一
堆叠易倒
占用空间
不可视

外观统一
简洁清爽
紧凑高效
易于摆放
视窗透明

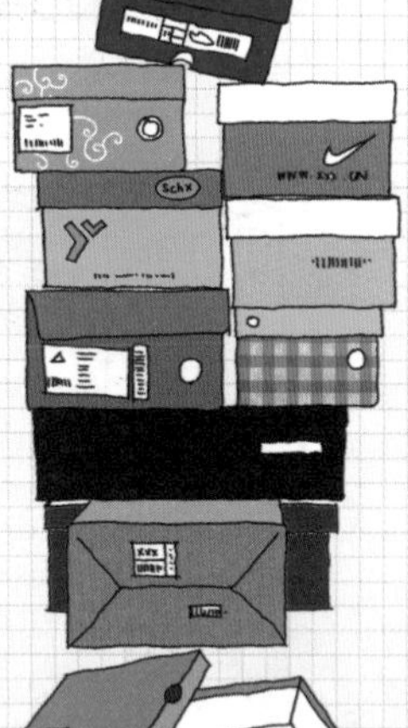

翻盖式：
想要拿出下面的盒子
必须先移开上面的

抽屉式：
每个鞋盒均可
独立轻松抽出

难题二：浴室收纳

卫生间总感觉收拾得不干净？
瓶瓶罐罐老大难？

BEFORE

瓶子单独看很美丽，但好多种瓶子堆积在一起，眼前就变成了大混乱！

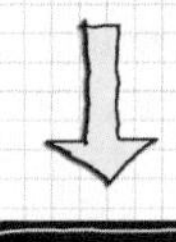

AFTER

花点小钱买一组高品质“替换瓶”，统一容器，卫生间瞬间清爽到难以置信！

采用统一换装瓶后，画面中的“信息”变少，瓶子的存在感减弱、压迫感消失，眼前瞬间清净。

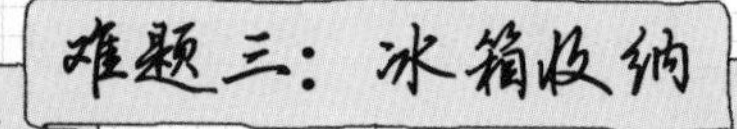

难题三：冰箱收纳

家用冰箱实际容量一般在300升左右，采用塑料袋+碗盘裹保鲜膜方式收纳，看似塞满了，实际使用空间不足一半。

皱巴巴、软趴趴的塑料袋，简直是整洁的死敌！不仅难看凌乱，而且密封性差且无法整齐摆放，空间效率超低（这一条适用于所有空间）。

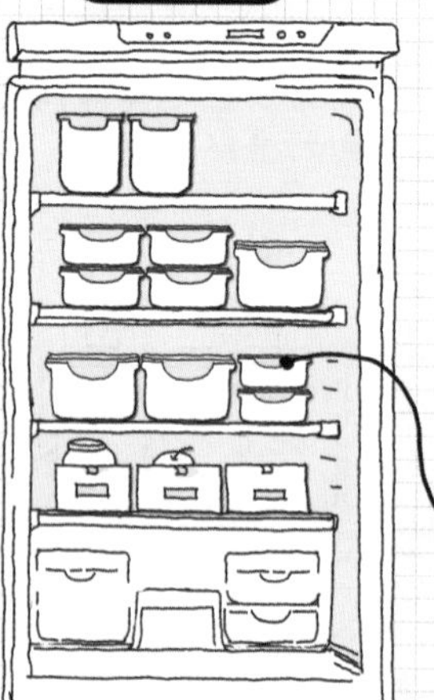

扔掉塑料袋，换成透明保鲜盒，冰箱一下子显得空了！

最值得推荐的是耐热玻璃质地的。不仅密封性好，可以直接盛剩饭菜进微波炉加热，还能用于烤箱做菜，或者装上蔬菜沙拉上桌也非常漂亮。

“统一”的标准是？

所谓的统一，当然若是能一模一样最好。

简单来说就是，文件夹选用同一款式的；衣服收纳袋选用同一规格的；食品收纳罐购买同一系列的……

如果由于各种原因不能采用完全一样的容器，那么，至少要在尺寸、色彩、形制、材质等维度上尽量近似。

听起来很简单？做起来可并没那么容易！

右边的场景是我在一个朋友家中看到的，房间小角落里的6个塑料衣箱，竟然就有5种不同的色彩、款式和高度。

这位朋友抱怨说：“总觉得屋里乱乱的。”是呀，因为光是容器本身看起来就已经让人眼花缭乱了！

易补货才易统一

这种混乱感是由于你多次随机购买导致的。
最简单的应对方法，就是一口气买上数个一模一样的。但是，我们往往不能准确判断到底需要几个，也不能真正预测以后是否还有需求，所以我对基础收纳容器的挑选原则就是：

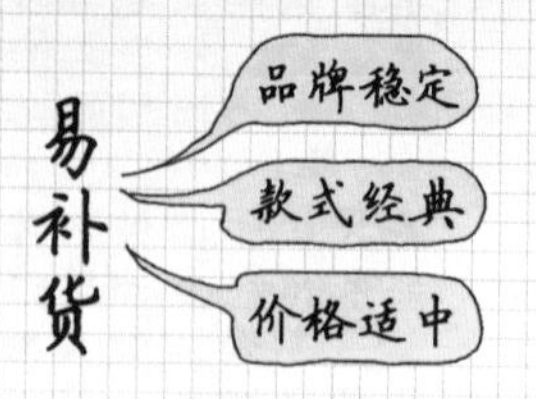

比如，固定选择家居大品牌的产品，它们的经典产品设计稳定，即使时隔若干年，也仍能再次购买同款产品。而网店和超市贩售的收纳容器，进货渠道不一，上下架随机性很大。如果用了一段时间想补货，同款是否还在售往往难判断。

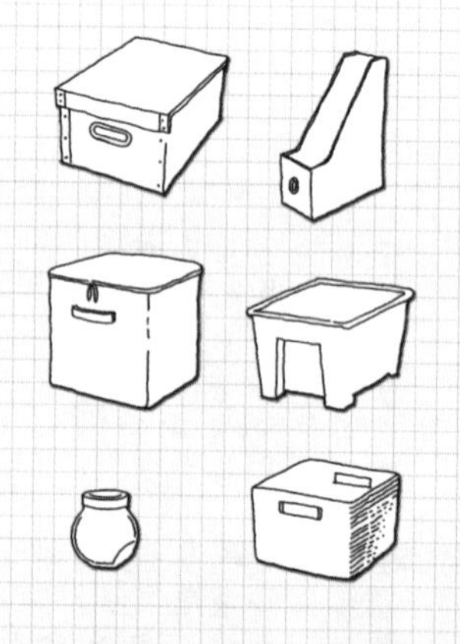

有朋友说品牌的收纳件有点贵，其实以我数年的使用体验看，这些容器大多十分耐用。贵还是有道理的，会令你更爱惜它。

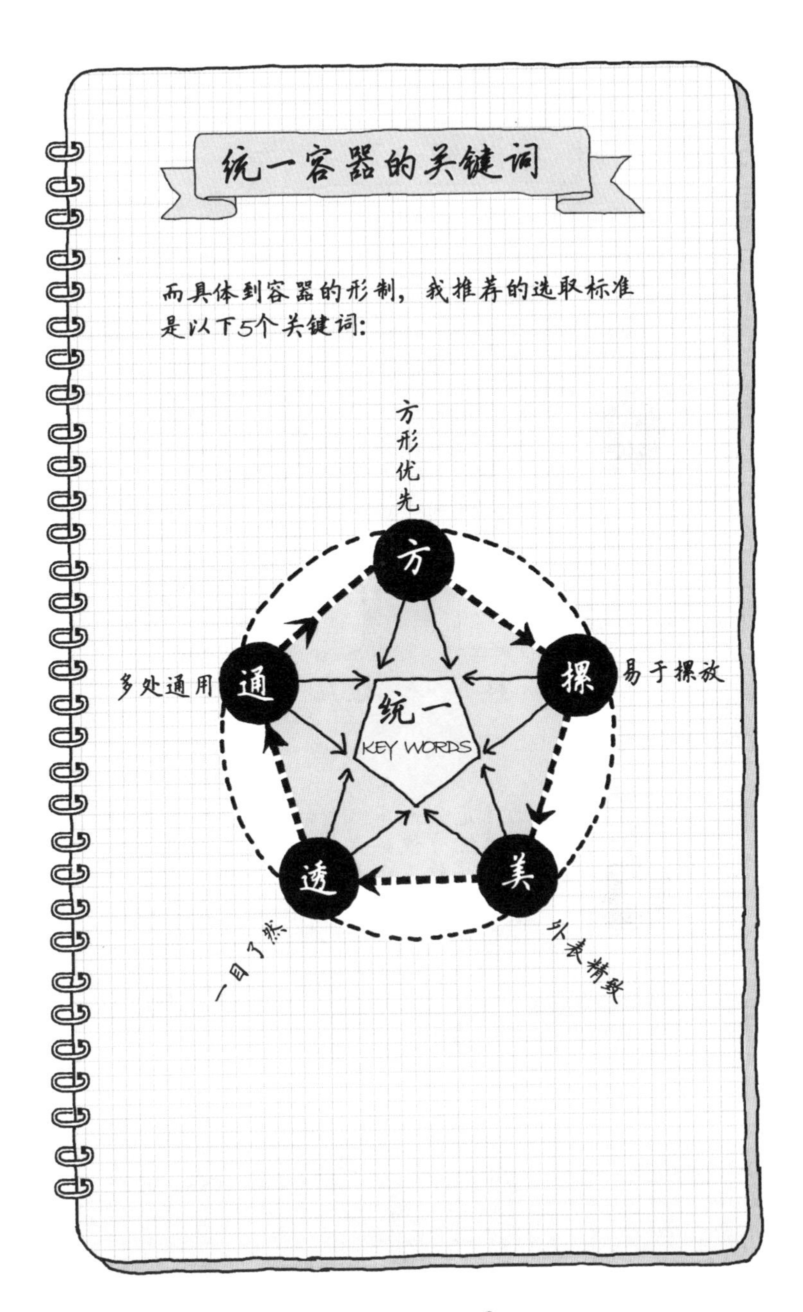
统一容器的关键词
而具体到容器的形制，我推荐的选取标准是以下5个关键词：
方形优先
方
易于摞放
摞
多处通用
通
统一
KEY WORDS
透
美
一目了然
外表精致

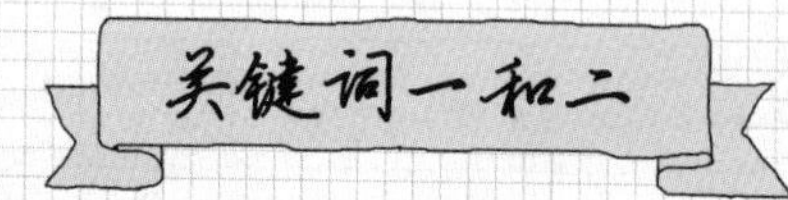

KEY WORD 1

选择容器时，不要轻易爱上那些外观独特、造型华丽的，实用高效仍应该放在第一位。

从空间有效利用角度看，容器的外观应首选简洁朴素的立方体，因为它的容量比同样规格的圆柱形和异形容器大得多。

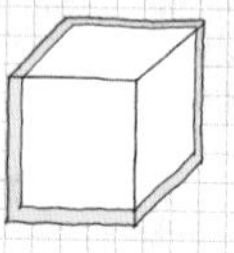
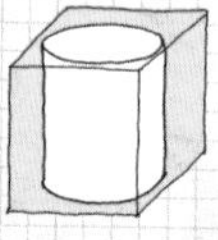

1L ＞ 0.7L ＞ 0.5L

KEY WORD 2

摞

为了充分利用纵向的空间，容器需要选择方便摞放款。如果容器材质过于绵软（比如塑料、布艺）或者顶面窄小、盖子有凸起，显然就与可摞放节约空间无缘了。

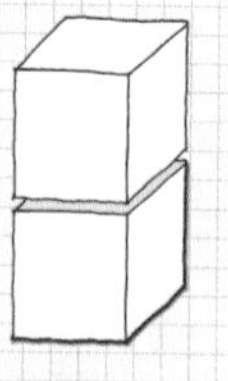
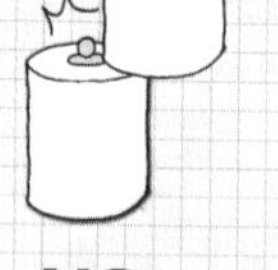

YES ✓ NO ✕ NO ✕

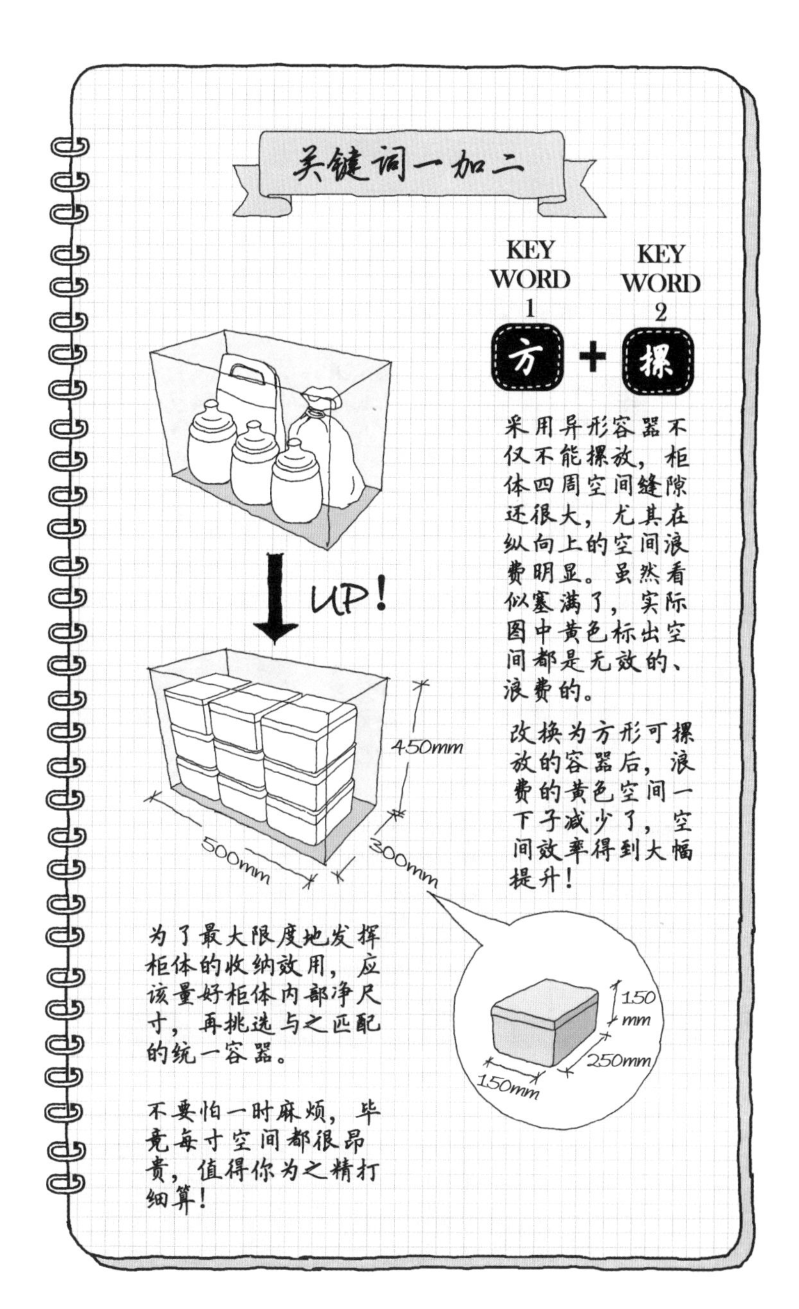
关键词一加二
KEY WORD 1
方
+
KEY WORD 2
摞
采用异形容器不仅不能摞放，柜体四周空间缝隙还很大，尤其在纵向上的空间浪费明显。虽然看似塞满了，实际图中黄色标出空间都是无效的、浪费的。
UP!
改换为方形可摞放的容器后，浪费的黄色空间一下子减少了，空间效率得到大幅提升！
450mm
500mm
300mm
为了最大限度地发挥柜体的收纳效用，应该量好柜体内部净尺寸，再挑选与之匹配的统一容器。
150 mm
250mm
150mm
不要怕一时麻烦，毕竟每寸空间都很昂贵，值得你为之精打细算！

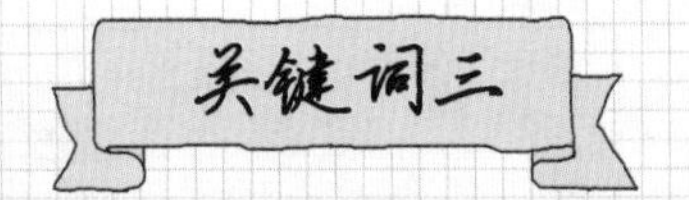

关键词三

选择容器之前，首先要判断这个容器是会展示出来的，还是放在柜子里面纯粹收纳杂物用的，因为二者的选择标准截然相反！

KEY WORD 3

明露在外的容器，它本身就是家中美好细节的一部分，需要花点钱或小心思，挑有品质、与家中装饰风格相匹配的，外形美观耐看又不会太突兀。藤编、铁皮、玻璃、纸艺的材质都是不错的选择。

这些为家特别挑选的美丽容器，低调却有质感，处处体现着主人的品位和对细节的追求。

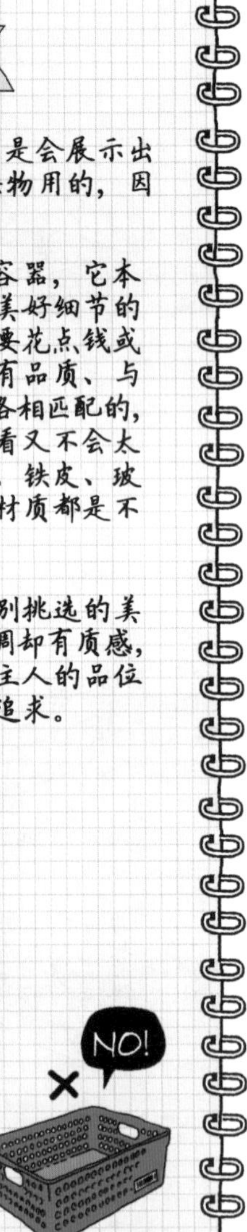

廉价塑料质感的容器，尽量不要外露。

关键词四

KEY WORD 4

如果挑选在柜子里面盛放杂物用的容器，那么透明的塑料箱非常合适。它的好处在于即使不打开盖子，也能一目了然。所谓的“杂物”，经常无法准确分类，时常忘记存放于何处，若能透过容器一览无余，寻找起来就方便多了。

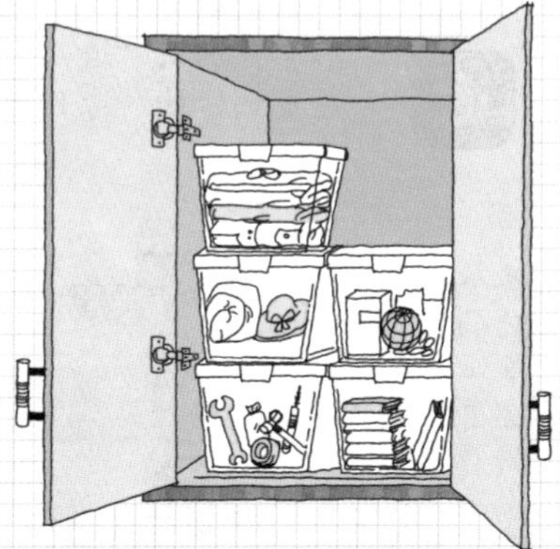

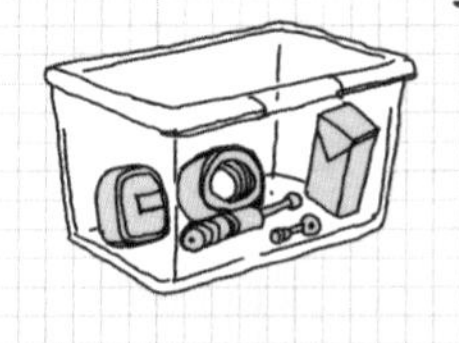

无论什么杂物，只要用统一透明的盒子装起来，界面都是整洁划一的。若是换成花花绿绿的塑料袋，画面就成灾难现场啦。

纸箱并不是理想的选择，因为需要一一打开才知道里面是什么。时常有些物品被遗忘在柜子深处，再也不会被用到。

关键词五

KEY WORD 5

通

我的另一点心得是：
以整个家为单位来考虑收纳容器的购买，尽量多采用“通用型容器”，避免配置过度细分的“专用型容器”。

举个例子，我家的备用药品很多，但我并没有购买专门的药品箱，而是采用标准的透明塑料收纳盒。我还用这种收纳盒来装针线布料、五金工具、厨房杂粮等。

如果药品某段时间少了或者突然增多，只需在同类容器中互相借用下即可，充分发挥“统一容器”的便利性。

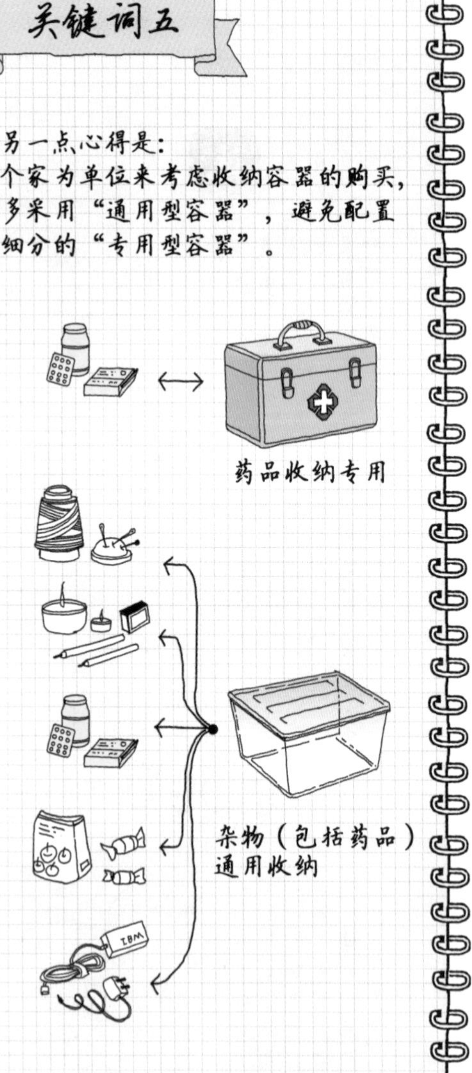

关键词五

KEY WORD 5

通

我爱用的另一种“通用型容器”是自封口塑胶袋。它比A4纸大一些，配自封口拉链。我会一次性购买50个（约4角钱一个），大约够用一整年。

这种塑胶袋几乎可以装一切！
比如在行李箱里装衣服、装跑鞋、装洗漱用品；带小朋友出门时装汗巾、装尿片、装玩具；游泳时装干净内衣、泳镜耳塞、湿泳装。或者，夏天用它装一条大披肩放在包包里，空调房里随时打开拿出或叠放回去。

如此，就不必单独再去购买旅行箱用袋、抽绳杂物袋等，可省下不少钱呢。

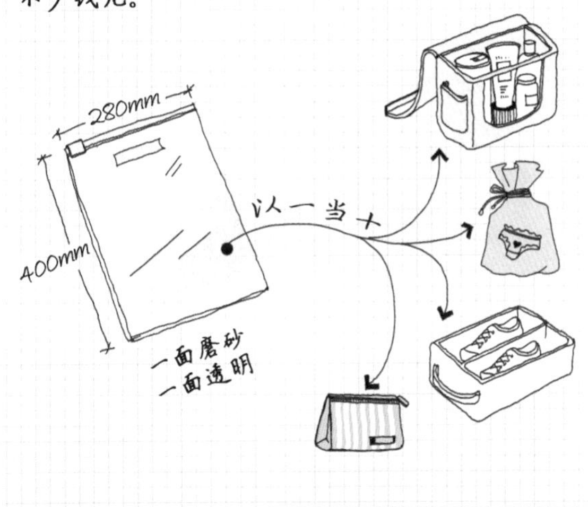

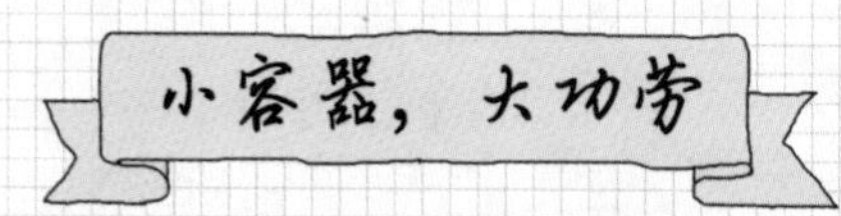

小容器，大功劳

有些朋友说："那些盒子包装都可以凑合用，没必要另外花钱去买。某些品牌储物盒，一个几十块，简直是抢钱。"

但真正用过就知道，专业的收纳容器被研发制造出来，本身就包含了智慧与便利，而且大多都非常耐用，使用五六年时间是绝对没问题的。它值得你为之付出一点钱，带来的却是高效使用的空间以及多年整洁如新、轻松易打理的家。

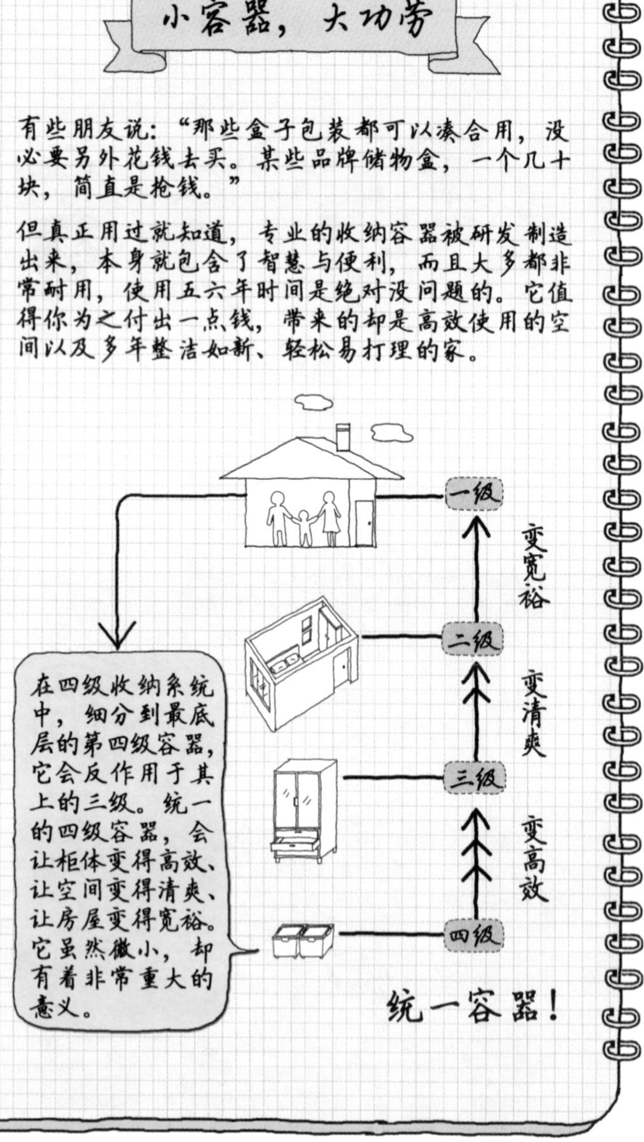

用容器管理物品

习惯使用统一容器后，我学会了用容器来管理新增物品，而不是新增了物品再购买容器。

比如，淋浴区一共6个替换瓶，盛放着我平日使用的洗漱用品。过去很容易冲动购买发膜、洗面奶一类的新商品回来试试，现在则会冷静地想一想“家中有没有多余容器可以换装”。冲动购物的念头瞬间就打消了。

如果轻易带回家，就显得太不合群啦！

给自己设定标准：如果鞋盒全部塞满，想买新的，必须先扔旧的。

鞋子的管理也是一样。我曾经和大多数女孩一样很爱买鞋子，一季买10双。但因为荷包不丰，自然会以便宜货为主。现在家里一共只有15个统一鞋盒。这便成了我四季所有鞋子数量的上限。鞋子买得少，自然就愿意花多一点钱买更好的，每买一双都如投资般慎重。

不知不觉间，我很少会无目的地去购物，钱也省下了不少，身边的物品也慢慢变得少而精。家里的用品数量变得可控，打扫和收纳工作自然不会无止境增多，做起来非常轻松。

统一容器难区别?
假如容器都一模一样，找东西时如何具体分辨出来?
家人经常用完了东西忘记放回去，然后要用的时候总找不到怎么办?
收纳书上总说物品收纳要固定在一个地方，可是生活中慢慢就乱了，咋整?
三个问题的答案是一致的:
贴标签

文字是种催眠术

做个小实验，
你能快速说出下方每个字的**颜色**吗？

黄 绿 紫 红

舌头打结了对吗？

这个小测试想要说的是：
颜色信息本是物品携带的最客观强烈的信息之一，然而对于接受过阅读教育的现代人而言，文字的重要性已超越了颜色，成为第一顺位信息。

基于此，只要在固定的收纳位置贴上一枚小小的“文字标签”，就会对人产生强大心理暗示，使人乖乖按照标签内容去取用和归位。

比如你在图书馆开架区，无论取阅还是归还图书，都会按照文字标签的提示进行。哪怕馆中藏书几百万册，这个码放书的逻辑也不会改变。

“文字标签”简直可称为
收纳催眠术。

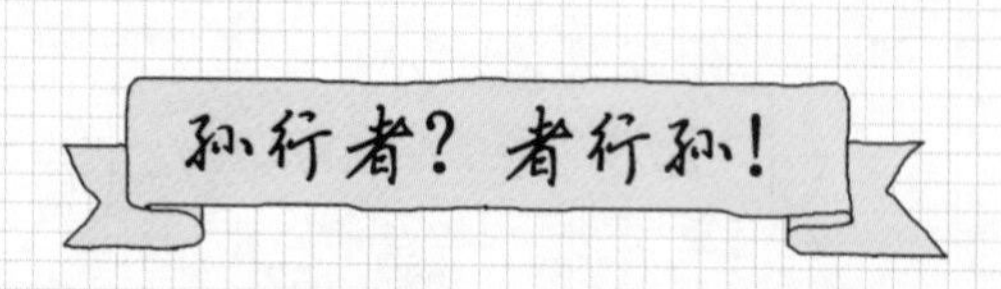

确定物品的收纳位置后，在容器的表面贴上文字标签，便如同人、物品、容器这三者之间签署了“归属关系契约”。

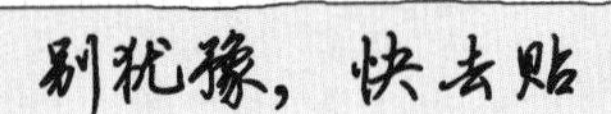

别犹豫，快去贴

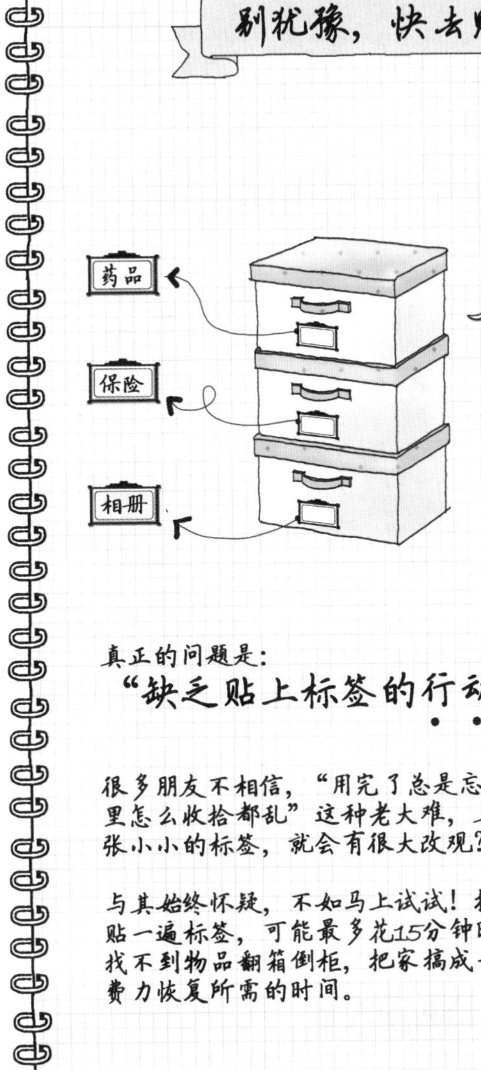

真正的问题是：

“缺乏贴上标签的**行动力**。”

很多朋友不相信，“用完了总是忘记放回去、家里怎么收拾都乱”这种老大难，真的只需要一张小小的标签，就会有很大改观？

与其始终怀疑，不如马上试试！把家里的容器贴一遍标签，可能最多花15分钟时间，远少于找不到物品翻箱倒柜，把家搞成一锅八宝粥再费力恢复所需的时间。

越简单，越易懂

标签内容，并不只是提醒贴标签的人遵守，更是全家人的一致约定。

因此，标签的信息，应该**简单直白**。

文字标签 > 图形标签 > 序号标签 > 没有标签

文字标签是首选。文字的表达最直白有力，大脑对其解读速度远胜于其他信息携带方式。

图形对于不识字的儿童而言很理想，但对于成人而言，大脑的反应速度逊于文字。

需要大脑“翻译”并记忆。不熟悉的人无法正确翻译代码含义，没有约束作用。

用完了总忘记放回去，总是找不到东西。家里很快就乱啦。

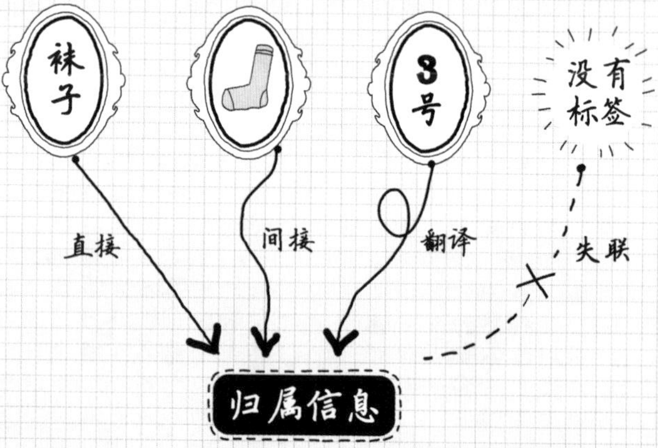

袜子 —直接→ 归属信息

（袜子图形）—间接→ 归属信息

3号 —翻译→ 归属信息

没有标签 —失联→ 归属信息

爱上一枚枚标签

标签的选择，亦可当作一种生活乐趣。

我自己最常用的就是简单的白色长方形不干胶标签。它的好处是通用，跟任何形式的容器都能够搭配。无论贴在柜子上还是罐子上，或者CD封套上，都不会有违和感。

画龙点睛

如果你不喜欢这种“办公室味道”的标签，现在网店里很容易就可以买到各种有设计感的优雅标签，贴上后更加精致！

或者，动手能力强的朋友，可以试试用螺丝或胶水固定金属标签卡位，给容器增添一分时光的味道。

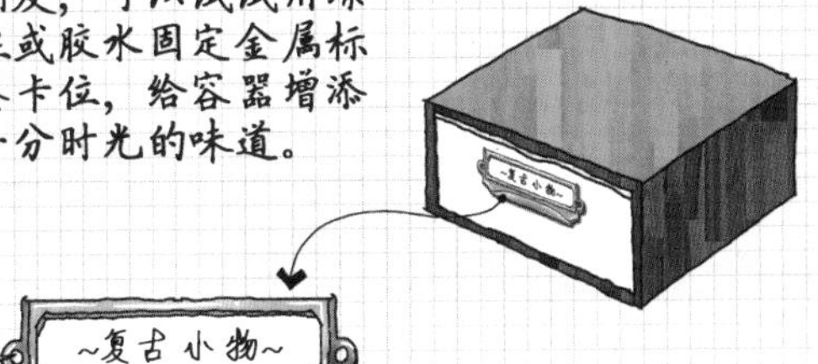

注意：
字不能写得太小，否则标签的提示作用会减弱！

小容器，大智慧

将杂乱的原始包装更换为统一的容器，为家中的收纳用具贴上简单的标签，很困难吗？

有人说：“不难，但是我觉得麻烦……”

但仔细想想，我们为什么拼命赚钱去租房或买房呢？不就是为了给自己一个“容”身之“器”吗？

在房子中，小小的盒子、罐子是杂物的容器；在社会中，小小的房子则是家庭和生活的容器。

每天在外奔波疲惫，
只有回到这个容器中时，
才能真正放下紧张和戒备。
这里所收纳之物，既是身，也是心。

这小小的容器，也需要你以大大的智慧来维系。

手把手教你搞定玄关

Q：一个家最脏的地方是哪儿？
Dirty?
让我想想看，
卫生间？厨房？生活阳台？
这些地方，确实容易脏，
但可能并不是“最脏”的。
咦？难道还有比这些
地方更容易脏的吗？
我怎么没留意过？
其实，出乎大部分人意
料，大多数家庭最脏的
地方往往是——玄关。
/⊙ω⊙/“玄关”是啥？
简单地说，就是门厅，
或者家的门脸啦。

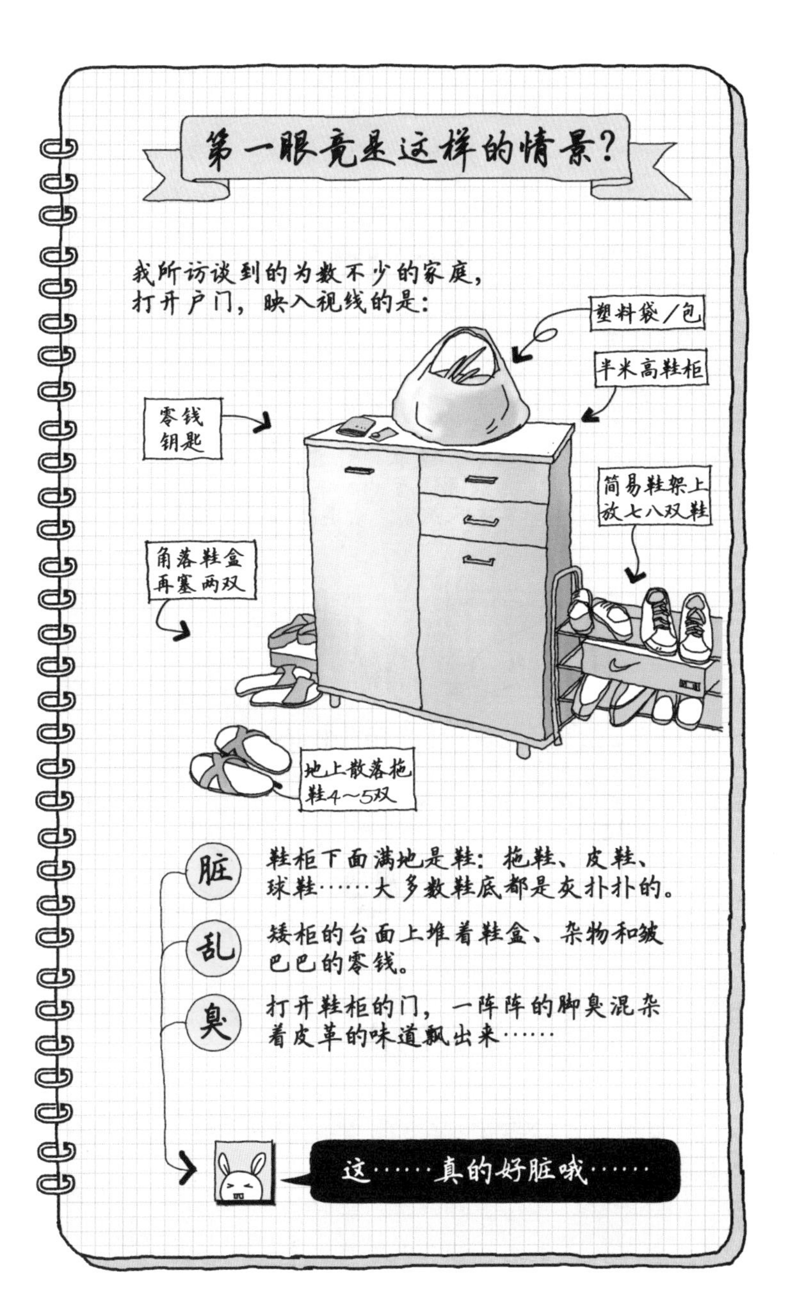
第一眼竟是这样的情景？
我所访谈到的为数不少的家庭，
打开户门，映入视线的是：
塑料袋／包
半米高鞋柜
零钱
钥匙
简易鞋架上
放七八双鞋
角落鞋盒
再塞两双
地上散落拖
鞋4～5双
脏
鞋柜下面满地是鞋：拖鞋、皮鞋、
球鞋……大多数鞋底都是灰扑扑的。
乱
矮柜的台面上堆着鞋盒、杂物和皱
巴巴的零钱。
臭
打开鞋柜的门，一阵阵的脚臭混杂
着皮革的味道飘出来……
这……真的好脏哦……

玄关的双重意义

中国人对“玄关”二字开始产生普遍认知，其实也不过是最近十多年的事。这个词时常被误认为是日语的舶来品，其实，它原本就出自中国。

早在《道德经》中就有记载：“玄之又玄，众妙之门。”这里的“玄”后被道教借指内炼中的一个关口，道教内炼首先突破之方能进入正室。后被用在室内建筑名称上，指通过此过道才算进入正室。玄关之意由此而来。

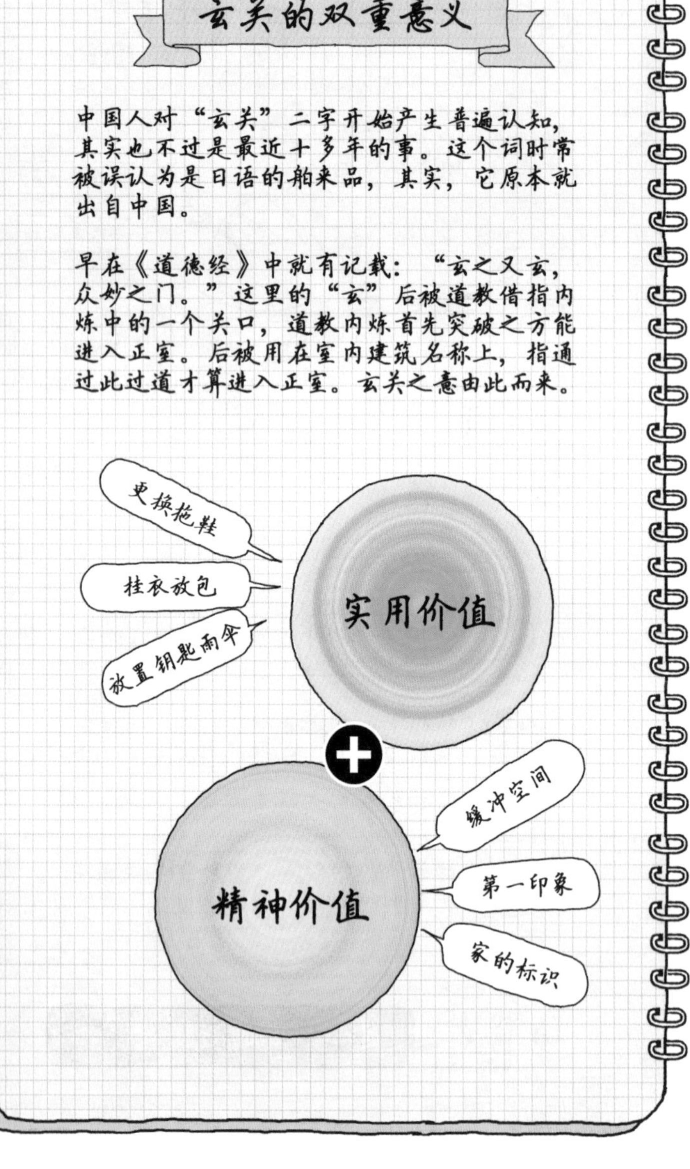

基本功能是第一位

从实用角度看，玄关的首要角色是“放鞋柜的门厅”。

小时候住平房时，家人都不换鞋直接进到屋内，无须鞋柜；后来搬进楼房，客厅铺了地砖，才开始有了换室内拖鞋的生活习惯。当时的家，门厅过道狭窄，根本没法儿放置鞋架，只能放在客厅沙发背后的缝隙里。而家里开始用真正意义上的鞋柜，已是1995年前后的事了。

如今，从外面回到家里，脱下室外鞋、换上室内拖鞋、放下手里的东西、挂起外套……这一系列动作，每天都自然地在玄关的位置进行。我们已经默认了“玄关”的这些强大的功能。

玄关的常见布局

无论采用哪种形式，设计玄关的关键都在于建立“明确的过渡空间”，并且给鞋柜预留合适的位置。

中小面积住宅常见的玄关类型如下，

我个人的喜好排序是：A>B>C>D。

A

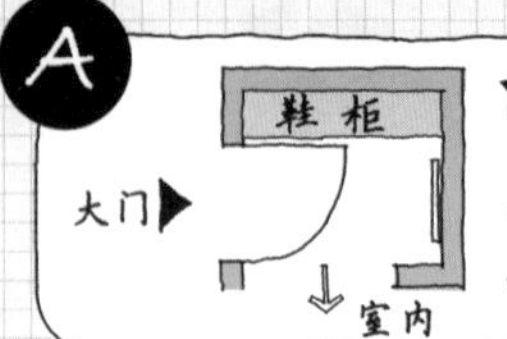

☆☆☆☆☆ **门厅型**

开门后对景是墙壁，可用壁画等元素装饰。鞋柜在侧面。

B

大门 鞋柜 室内

☆☆☆☆ **影壁型**

开门后正对鞋柜，可在柜体设计上预留饰品位置。

C

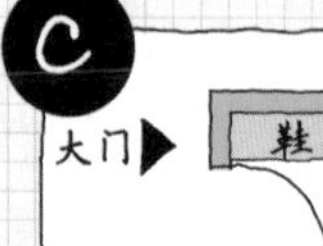

☆☆☆ **走廊型**

直穿式玄关，比较节约面积，所以最常见。

D

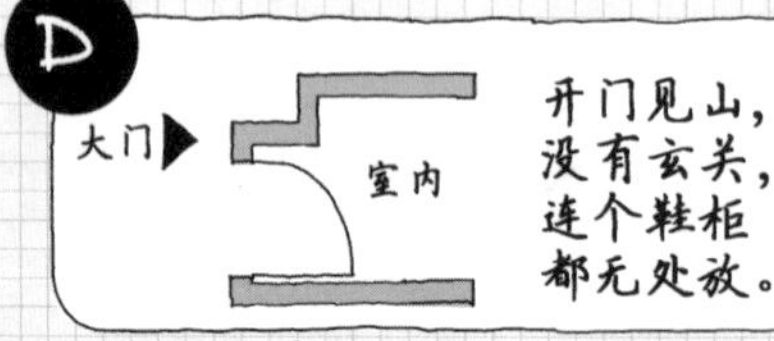

悲催型

开门见山，
没有玄关，
连个鞋柜
都无处放。

毛坯房？精装房？

Q “只看户型图，怎么区分精装房和毛坯房？”

A: “看看门口走道，就一目了然啦！”

毛坯房

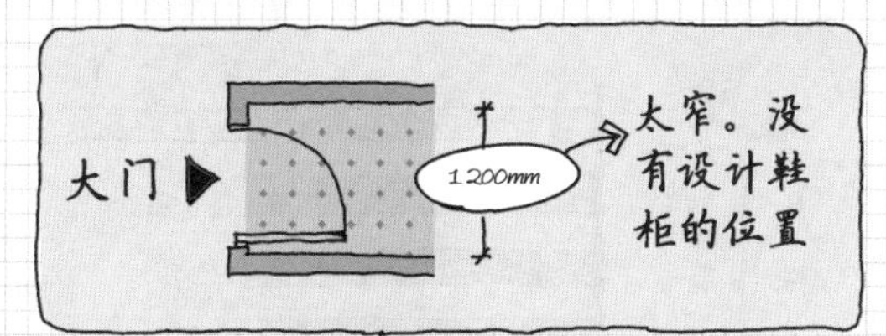

VS

精装房

看起来简单到不值一提？
10年前的我，参与第一个精装修户型设计时，为了做出这个修改，不知画过多少版户型、熬过多少个通宵……

玄关，是我真正学习住宅精细化设计的起点。

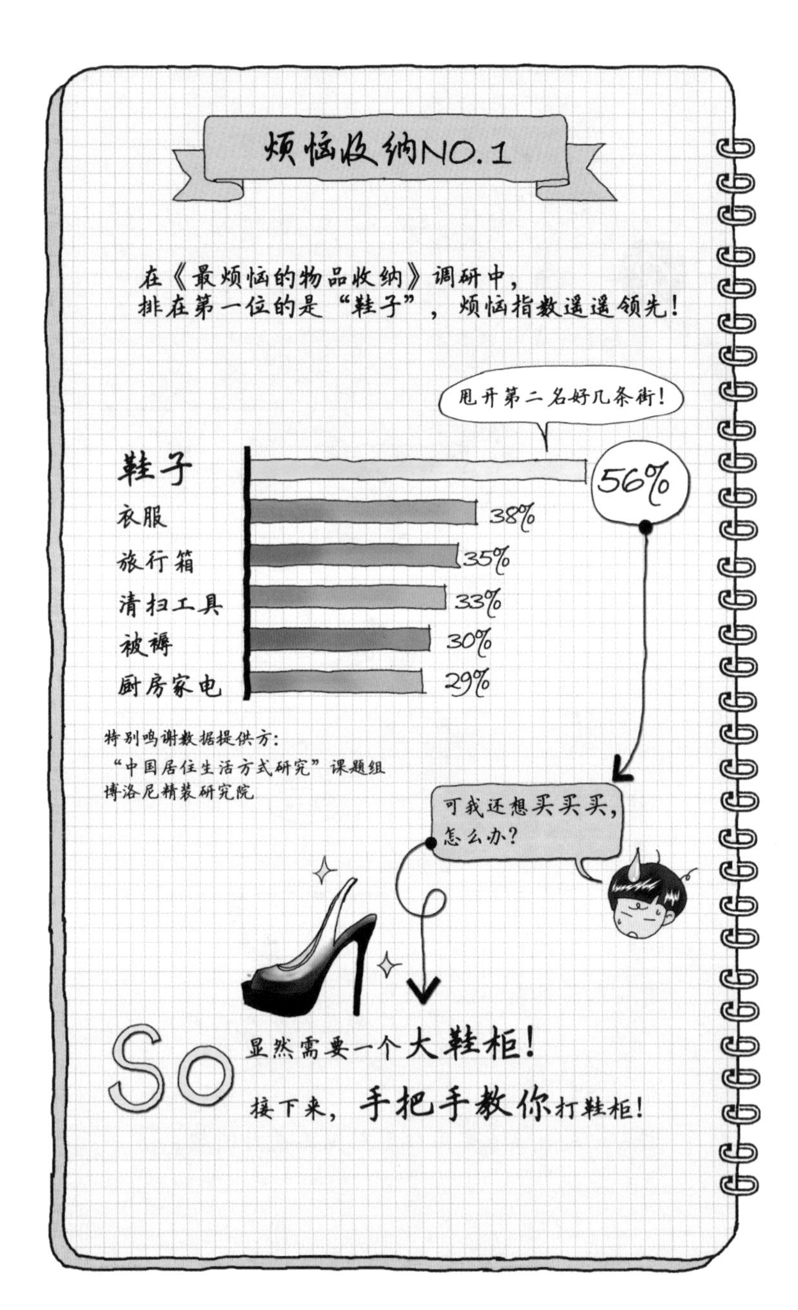

烦恼收纳NO.1
在《最烦恼的物品收纳》调研中，
排在第一位的是“鞋子”，烦恼指数遥遥领先！
甩开第二名好几条街！
鞋子 56%
衣服 38%
旅行箱 35%
清扫工具 33%
被褥 30%
厨房家电 29%
特别鸣谢数据提供方：
“中国居住生活方式研究”课题组
博洛尼精装研究院
可我还想买买买，
怎么办？
So 显然需要一个大鞋柜！
接下来，手把手教你打鞋柜！

鞋子，真的相当多！

记得小时候，自己一个季度大概只有两三双鞋，轮换着穿。当时即使全家的鞋加起来，一个鞋架也够了。

现在呢？一方面，社会整体生活水准远胜往昔；另一方面，鞋子又被标榜为衡量时尚的重要标准，再加上各种运动细分的鞋子、秋冬必备的靴子……

今天，一个家庭鞋子的总数量，

约是20世纪80年代的5~10倍。

手把手教你打鞋柜
STEP 1
确定深度
脚
D
35 36 37 38 39 40 41 42 43 44 45
225mm
285mm
女鞋基本长度
250mm
男鞋最大长度
320mm
鞋
柜
标准层板深度350mm
（可平放45码以内的鞋）

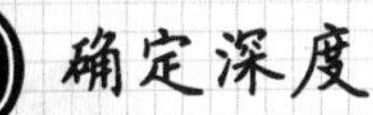

250mm

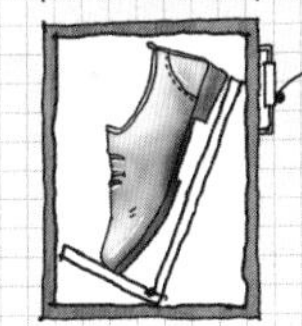

容量受限250mm

超薄，无法平放鞋子，常做成翻斗型或者横放型。实际容量往往有限。

350mm

高效节地350mm

标准款鞋柜，可正常平放鞋子。但如果要放置鞋盒则偏浅。

400mm

平放鞋子尺寸略有宽裕。可利用柜门背后挂小物件。放置鞋盒OK。

错误浪费600mm

600mm

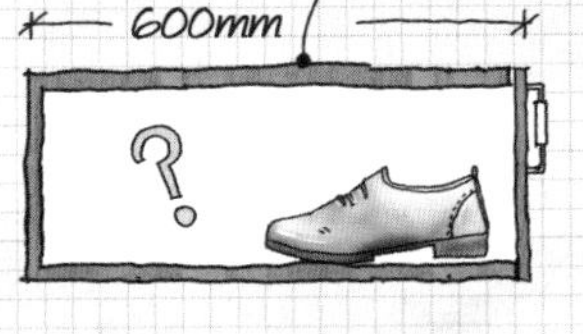

明显太深、浪费空间且使用不便。但令人意外的是，在调研时我发现这种错误很普遍。特此提醒注意。

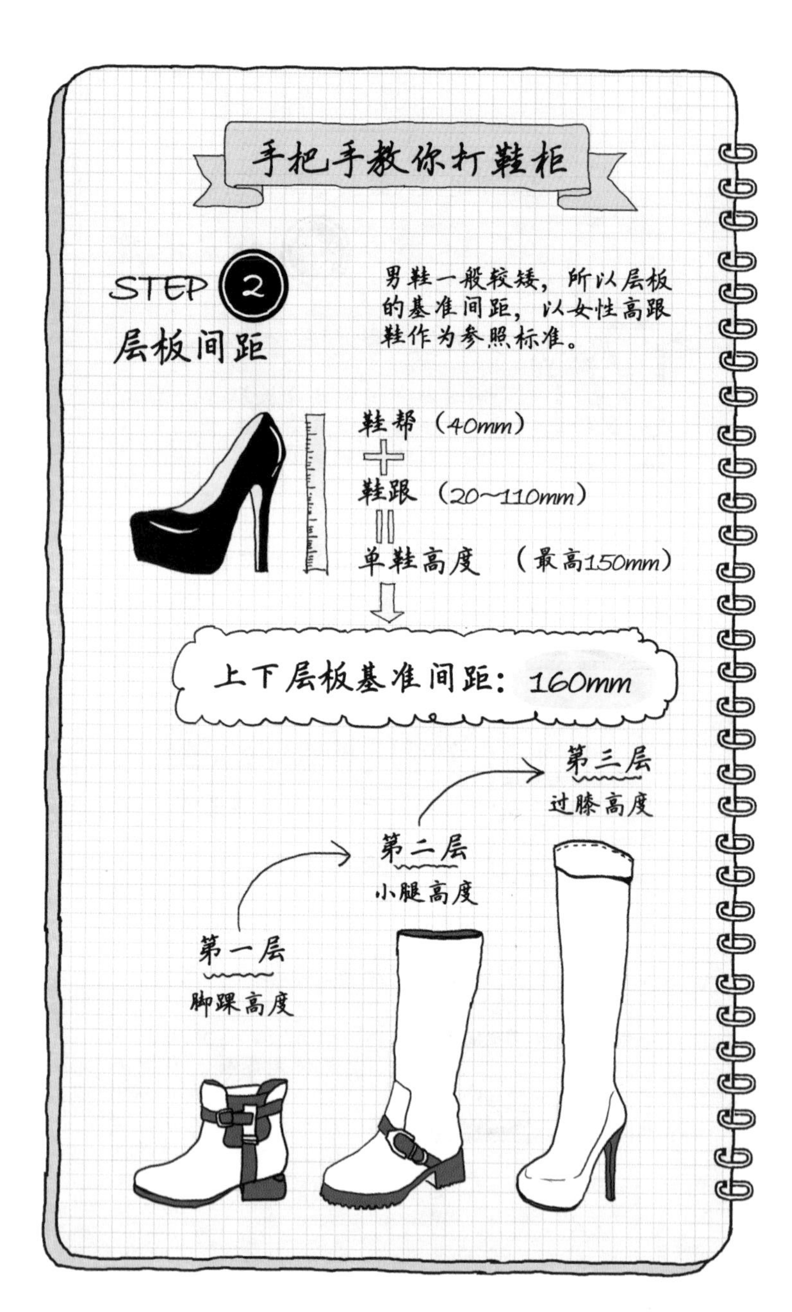
手把手教你打鞋柜
STEP 2
层板间距
男鞋一般较矮，所以层板的基准间距，以女性高跟鞋作为参照标准。
鞋帮（40mm）
+
鞋跟（20~110mm）
=
单鞋高度　（最高150mm）
上下层板基准间距：160mm
第三层
过膝高度
第二层
小腿高度
第一层
脚踝高度

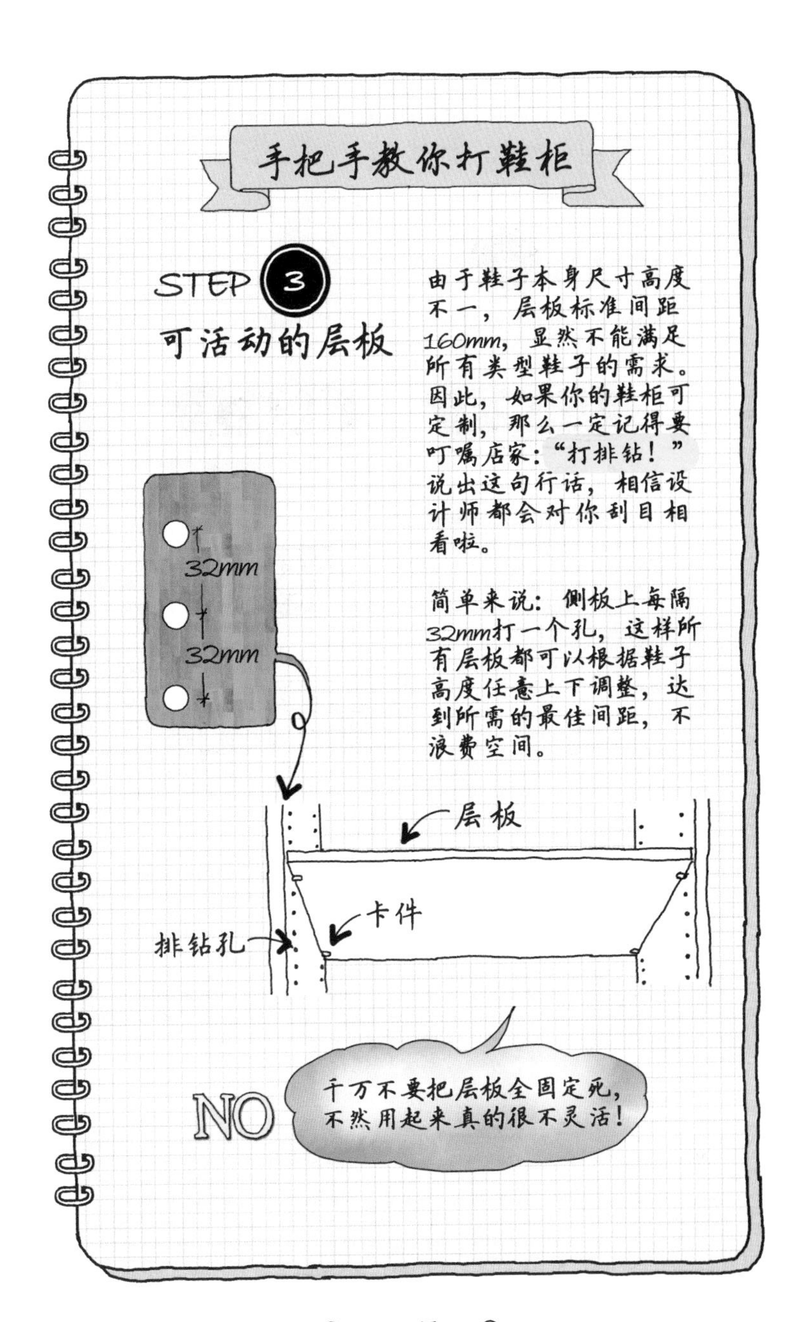
手把手教你打鞋柜
STEP 3
可活动的层板
由于鞋子本身尺寸高度不一，层板标准间距160mm，显然不能满足所有类型鞋子的需求。因此，如果你的鞋柜可定制，那么一定记得要叮嘱店家："打排钻！"说出这句行话，相信设计师都会对你刮目相看啦。
简单来说：侧板上每隔32mm打一个孔，这样所有层板都可以根据鞋子高度任意上下调整，达到所需的最佳间距，不浪费空间。
32mm
32mm
层板
卡件
排钻孔
NO
千万不要把层板全固定死，
不然用起来真的很不灵活！

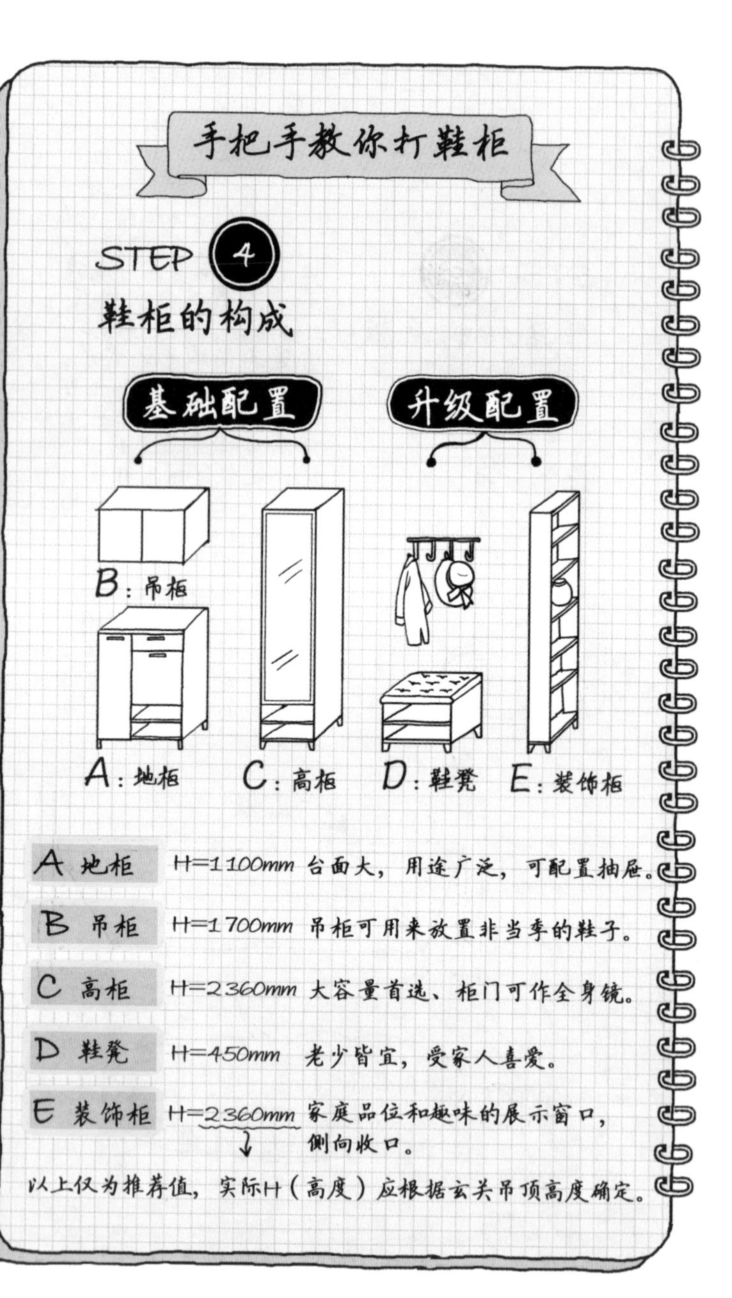
手把手教你打鞋柜
STEP 4
鞋柜的构成
基础配置
升级配置
B：吊柜
A：地柜
C：高柜
D：鞋凳
E：装饰柜
A 地柜 H=1100mm 台面大，用途广泛，可配置抽屉。
B 吊柜 H=1700mm 吊柜可用来放置非当季的鞋子。
C 高柜 H=2360mm 大容量首选、柜门可作全身镜。
D 鞋凳 H=450mm 老少皆宜，受家人喜爱。
E 装饰柜 H=2360mm 家庭品位和趣味的展示窗口，
侧向收口。
以上仅为推荐值，实际H（高度）应根据玄关吊顶高度确定。

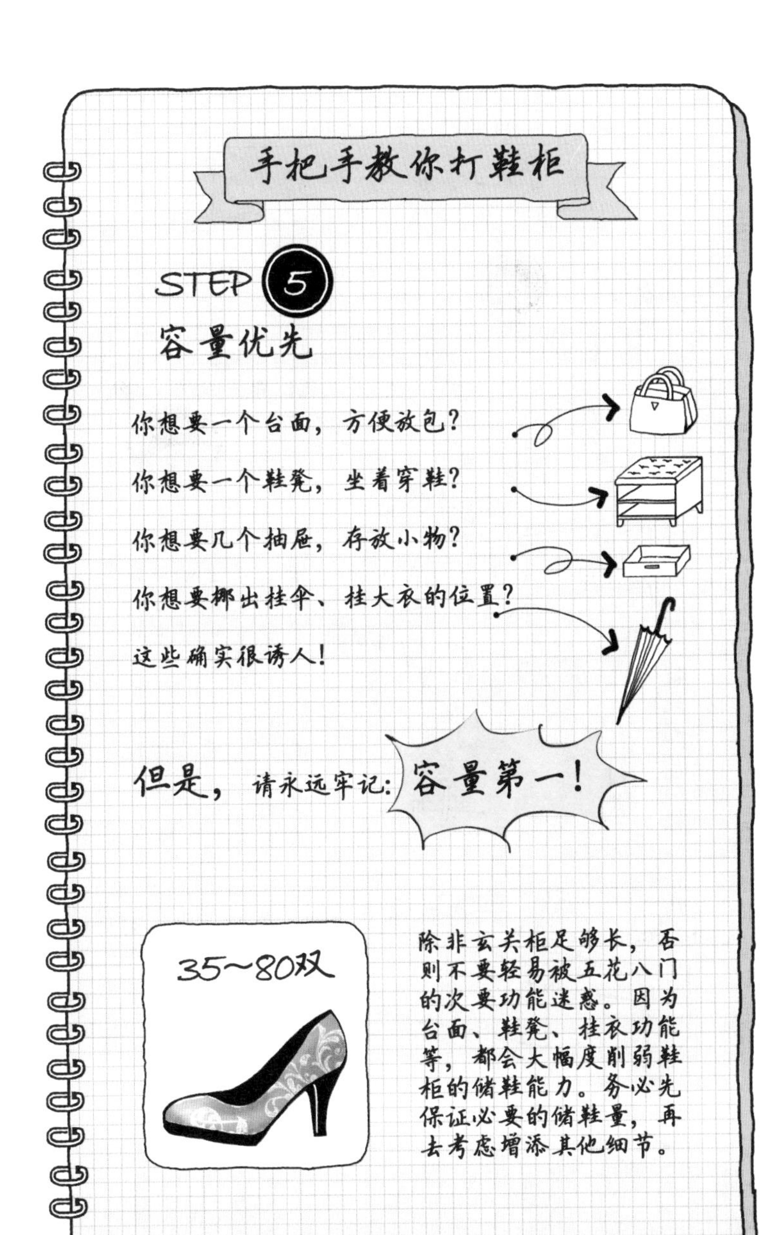
手把手教你打鞋柜
STEP 5
容量优先
你想要一个台面，方便放包？
你想要一个鞋凳，坐着穿鞋？
你想要几个抽屉，存放小物？
你想要挪出挂伞、挂大衣的位置？
这些确实很诱人！
但是，请永远牢记：容量第一！
35~80双
除非玄关柜足够长，否则不要轻易被五花八门的次要功能迷惑。因为台面、鞋凳、挂衣功能等，都会大幅度削弱鞋柜的储鞋能力。务必先保证必要的储鞋量，再去考虑增添其他细节。

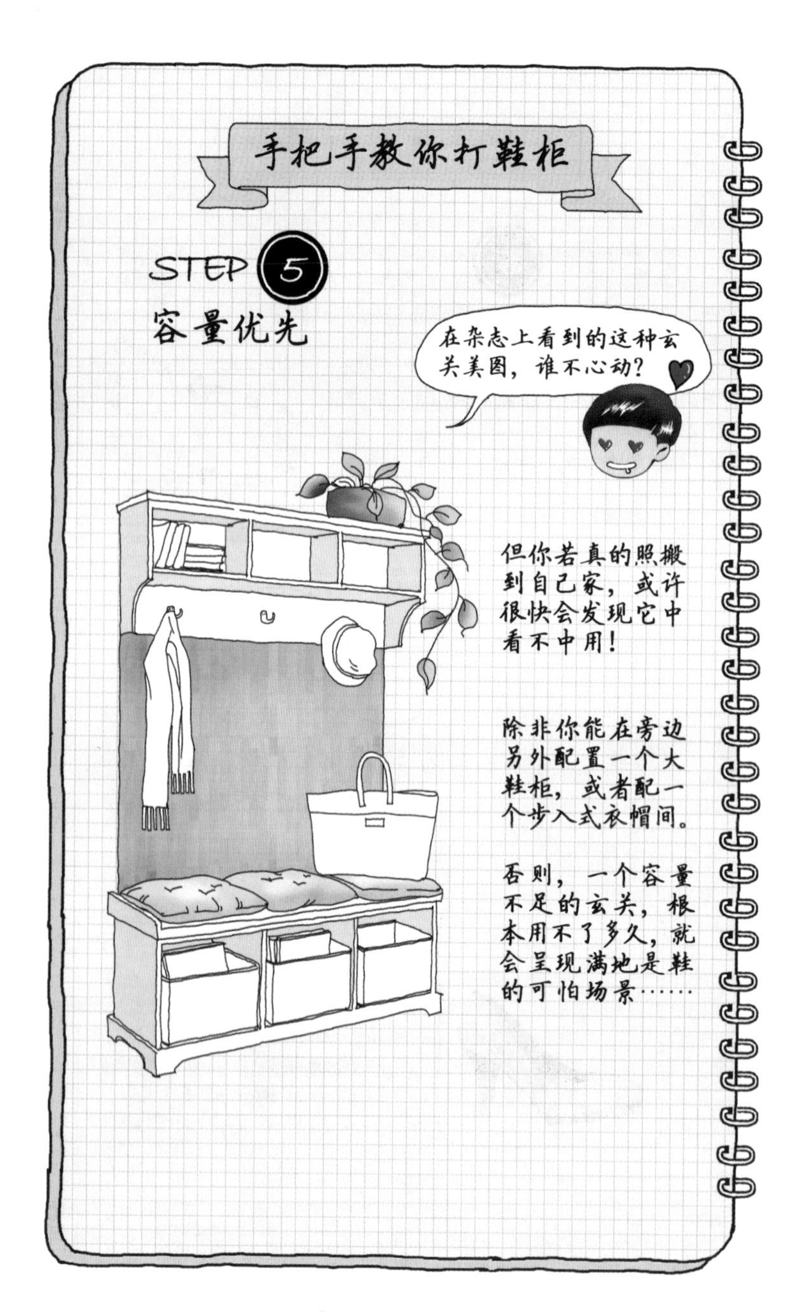
手把手教你打鞋柜
STEP 5
容量优先
在杂志上看到的这种玄关美图，谁不心动？
但你若真的照搬到自己家，或许很快会发现它中看不中用！
除非你能在旁边另外配置一个大鞋柜，或者配一个步入式衣帽间。
否则，一个容量不足的玄关，根本用不了多久，就会呈现满地是鞋的可怕场景……

手把手教你打鞋柜

STEP 6

开敞"常鞋位"

在过去几年的入户访谈中，有个现象令我很费解：有些住宅项目精装修提供的鞋柜本身容量其实足够大，打开柜门尚有空置部分，地面却仍摊了一堆鞋。

与客户深入沟通后，我们发现了问题所在：
地面上的鞋子，都是"常用鞋"，即当天穿的外出鞋以及家用拖鞋。这些鞋子因为居住者怕脏、怕麻烦、想散味，并不想立即收入鞋柜。

于是，我将鞋柜局部设计做了如下图的改进：

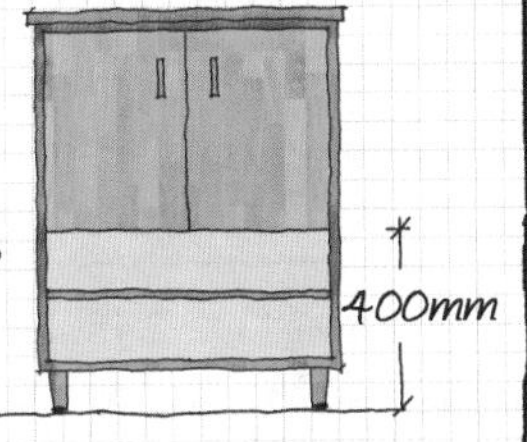

传统鞋柜一般底层架空100mm放置常用鞋。看似合理，实际位置不足，且底层太矮不便。

改良模式：底部两层为敞开式隔板，不设柜门。常用鞋位置充裕，高度适中，取放自如。

我的常用推荐款

絮絮叨叨半天，有朋友觉得要点太多记不住，建议我直接推荐一款“通杀型”的鞋柜，大家都省时省事。

好吧，我自己的御用款式是这样的：

鞋盒，留之？弃之？

很多人有保留原盒的习惯，理由是换季的时候好收纳、防落灰。我以前也曾坚持过这种方式，但保留下来的鞋盒，实在大小参差、摆放不齐，高矮不一。而且时间长了，常忘记到底哪双在哪个盒里，反而觉得更麻烦。至于给鞋子拍照贴盒上之类的方法，偶尔为之还好，坚持起来确实也有难度。

后来，偶尔淘到一款**防尘鞋袋**，用起来实在顺手，之前保留鞋盒的各种不便轻松消除！

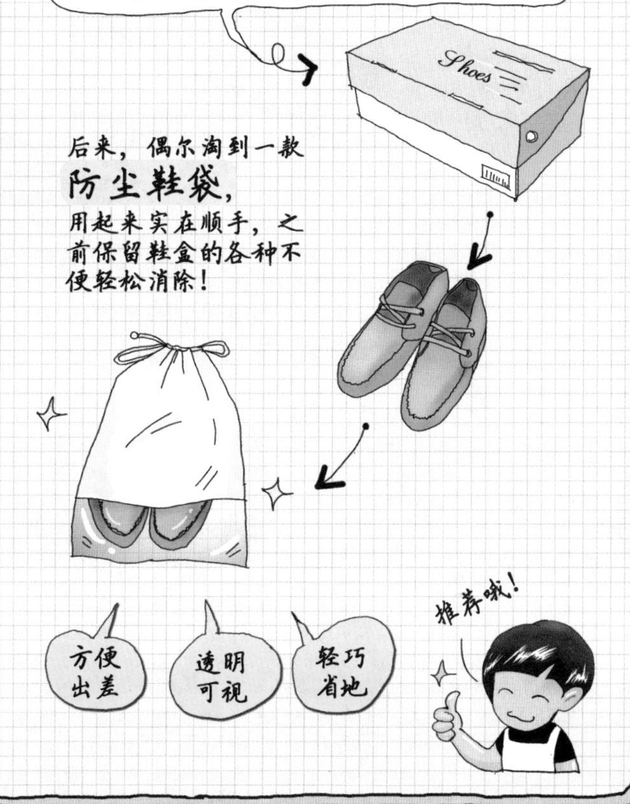

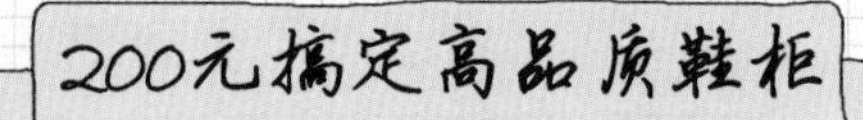

200元搞定高品质鞋柜

很多时候，受种种条件限制（比如租房一族），很难能有个现成的大容量鞋柜。怎么办？

试试**动手DIY**吧！自己搞定超赞大鞋柜！

捡一块木板，
自行裁切
——免费

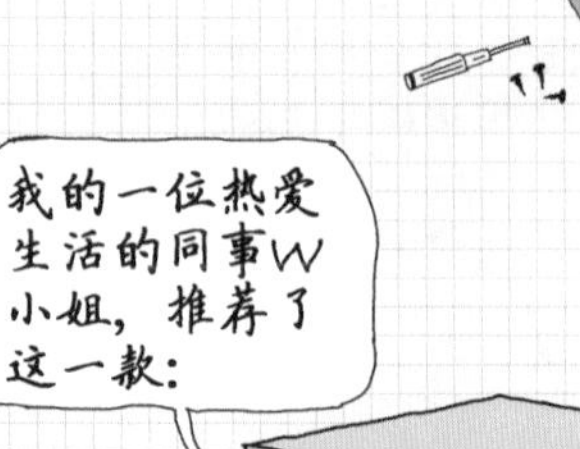

五金店买4个
支脚或者脚轮
——20元

上网买纸鞋盒若干
——3~10元/个

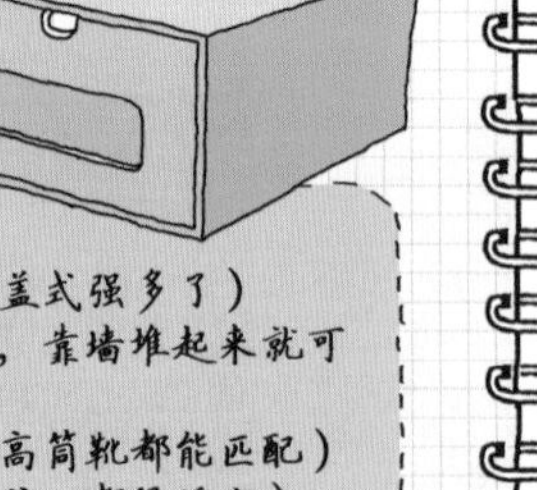

优点一：便宜！（几块钱一个）
优点二：抽屉式（拿取超方便，比翻盖式强多了）
优点三：可裸放（根本不需要鞋柜了，靠墙堆起来就可以，想堆多高堆多高！）
优点四：尺寸类型齐全（从高跟鞋到高筒靴都能匹配）
优点五：适用性强（不管租房还是自住，都很适宜）

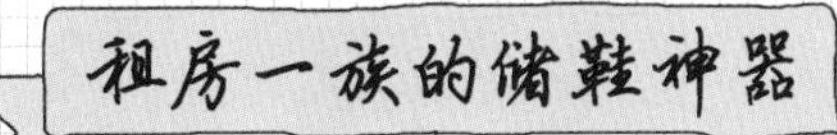

租房一族的储鞋神器

花一点小钱，购买统一规格的专用鞋盒，你很快会发现，它远比保留原盒好用得多；

花一点心思，自己动手做一个大容量鞋柜，每天早晨抽出一双双美鞋时，满心都是快乐！

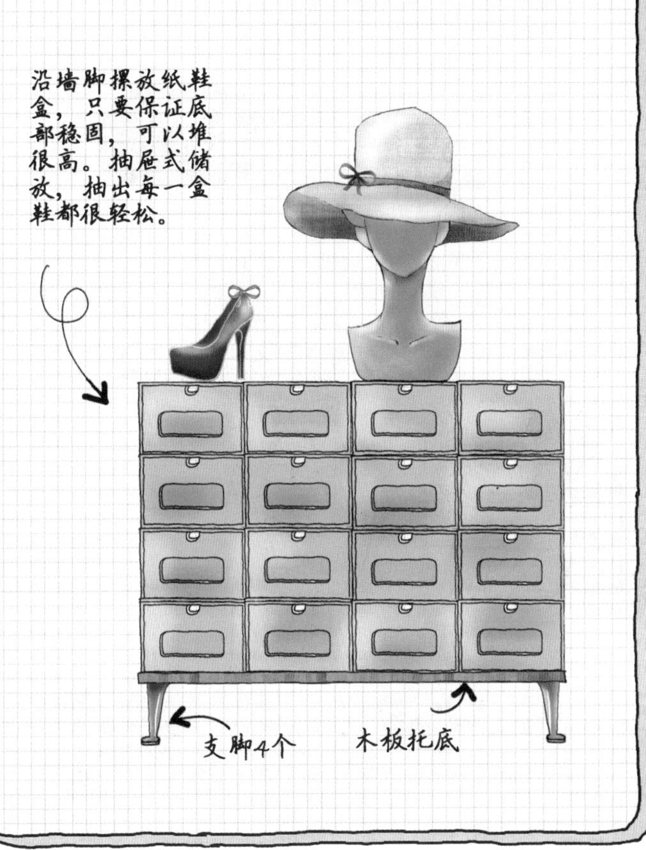

家的风水之门

终于说完“鞋柜”的内容，
该聊聊真正的“玄关”了！

玄关绝不仅仅只是个换鞋的门厅，
它在风水学上有非常重要的意义，
是家的聚气之所、财运之门。

如果玄关昏暗、凌乱甚至鞋臭四溢，
每天经由这样的玄关出门，仿佛一整天都会
随身携带灰暗的负能量。

想象下“财神”他老人家
已经走到了您门口，看到
一堆臭鞋，真的会愿意进
屋吗？

家的待客之道

玄关是家的迎宾空间，是留给客人的第一印象，更是一个家庭生活态度的缩影。

说一个细节，我每次去别人家做客，最害怕的一件事就是主人在鞋柜里摸索半天，却拿出一双有明显污迹的男式大号塑料拖鞋给我。

你是不是遇到过同样的尴尬？此时，若坚持不穿，未免显得礼数不周，但勉强穿上，心里真的有些许不爽……

这双脏兮兮的塑料拖鞋向客人传达的无声信号是："你或许并不受主人欢迎。"

我家是这样做的：从网上购买四星级酒店标准的白色布制拖鞋，一次买10双，用完再买。压缩叠放在一起很省空间，10双鞋占的位置，还不到平放一双普通鞋的空间。而且非一次性，可机洗，丰俭由人。

这双纯白崭新的拖鞋，便是我家的待客之道。

家人的归所

每一天，玄关都会迎候家人的归来。

或许是出差归来，
风尘仆仆的母亲；

或许是加班到深夜，
凌晨才归来的父亲；

或许是考试大捷，
步伐雀跃的孩子……

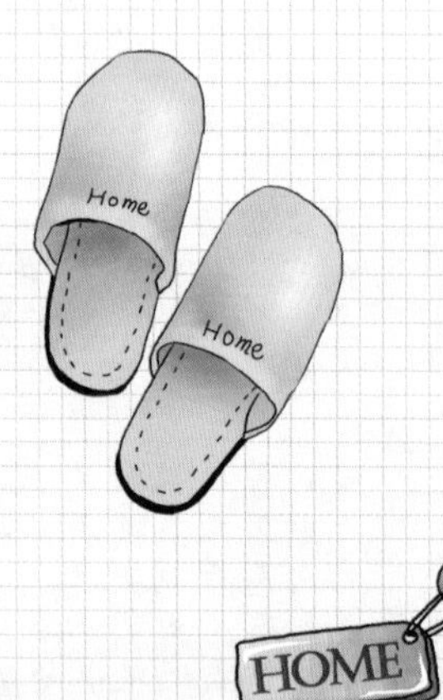

即使是独居的人，劳累一天回到自己的家，掏出钥匙打开门，放下沉重的皮包，卸下精神的盔甲，也会在心里对自己说一声：
“我回来了。”

整洁的玄关，如同美好的笑颜，
温柔地等着你回家。

玄关是家的守望者。

你如何对待玄关，
就等于如何看待“回家”这件事。

灯塔的守护者，
会常常擦亮航标探灯；

爱家的居住者，
请时时擦亮“肮脏的玄关”。

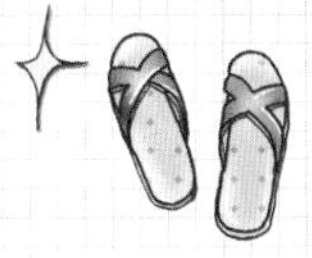

永远不怕乱的客厅

我家最得意的设计

“身为住宅设计师，你家最令你得意的设计是什么？”

这个问题，无论问我还是问我的家人，我们都会不经思考、异口同声地答道：“就是客厅咯！”

我的客厅，不算阔绰，更不算奢华，
但它有一个值得骄傲的优点：

永不会乱。

尽管在100平米的房子里住了老小六口人，但是时时刻刻，我的客厅都如样板间一样清爽整洁，完全不需要花费过多时间收拾，便能轻松保持。

即使有朋友突然登门拜访，我也会从容不迫地迎接他，不至于手忙脚乱拾掇客厅。

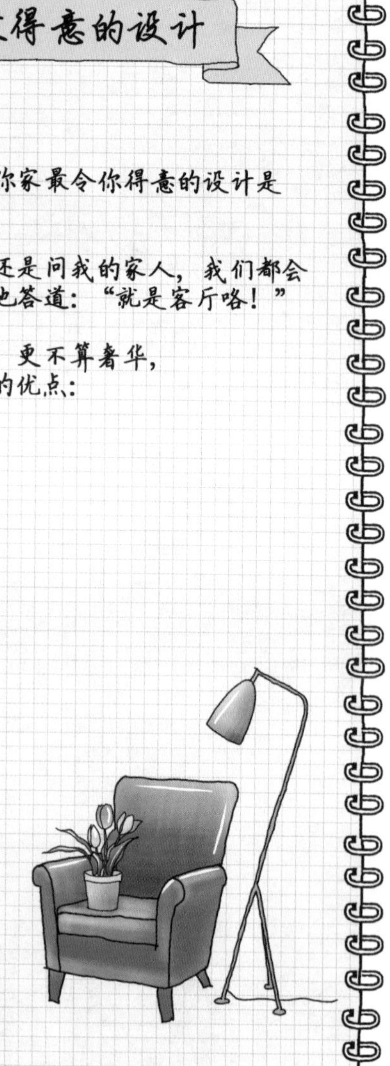

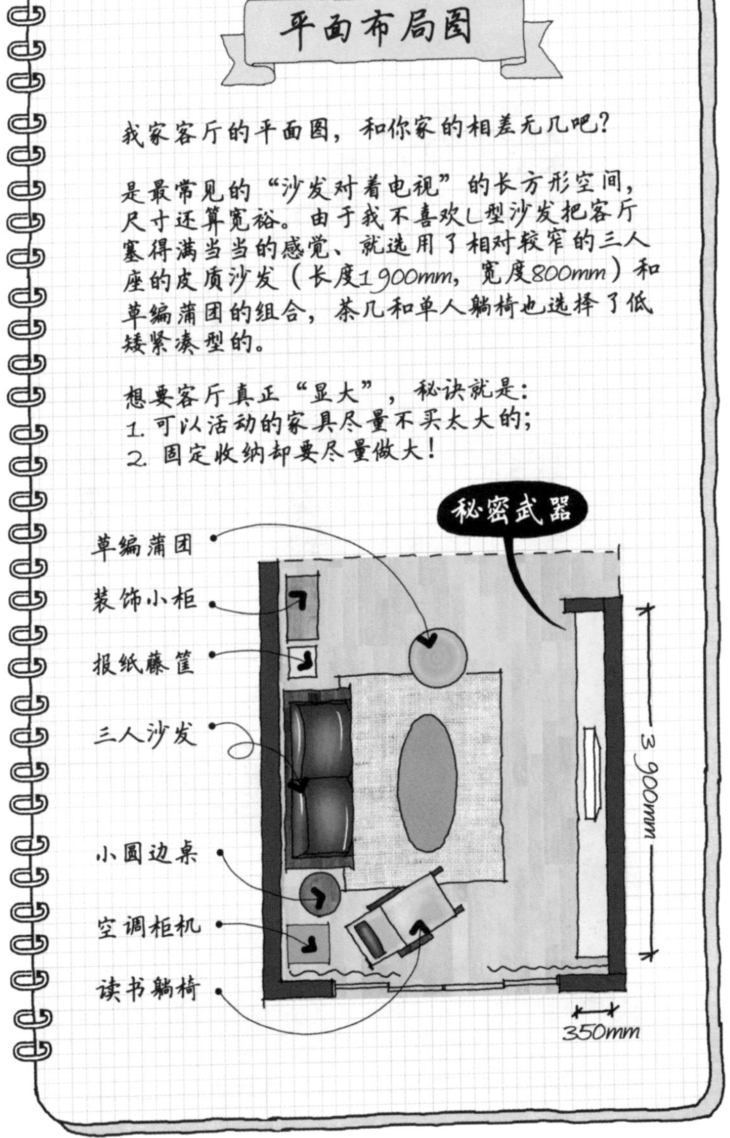
平面布局图
我家客厅的平面图，和你家的相差无几吧？
是最常见的“沙发对着电视”的长方形空间，尺寸还算宽裕。由于我不喜欢L型沙发把客厅塞得满当当的感觉，就选用了相对较窄的三人座的皮质沙发（长度1900mm，宽度800mm）和草编蒲团的组合，茶几和单人躺椅也选择了低矮紧凑型的。
想要客厅真正“显大”，秘诀就是：
1. 可以活动的家具尽量不买太大的；
2. 固定收纳却要尽量做大！
秘密武器
草编蒲团
装饰小柜
报纸藤筐
三人沙发
小圆边桌
空调柜机
读书躺椅
3900mm
350mm

能时刻维持客厅整洁的
秘密武器，就是这组
无敌收纳柜！
永

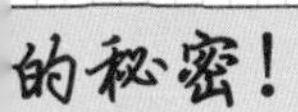

哪怕来了一群小朋友玩得乱糟糟，最多只要两分钟，就能恢复到如图状态！

超超超级大柜

所有第一次到我家的客人，都会说：
“哇，你这个柜子好大啊！”

容量=3.3立方米=100个登机箱

如果仅仅是用数学推算容积，
连我自己都觉得不靠谱。

到底，这柜子的真实容量有多大？
于是乎，我做了**现场验证**。

结果，
连我自己**都惊呆了**……

容量到底有多大？

1 打开所有柜门

2 陆续把物品拿出来（此处的辛苦省略一万字……）

总算完成了！
3
经历了难以想象的一个多小时艰苦卓绝的劳动之后，终于清空了，啊啊啊……
这实在是一个惊人的大工程，
中途几次恨不得放弃，累得差点昏过去。
这个柜子，我虽然知道它很能“装”，
但显然我还是低估了它的真正实力！
呜~

＝100个登机箱的容量！

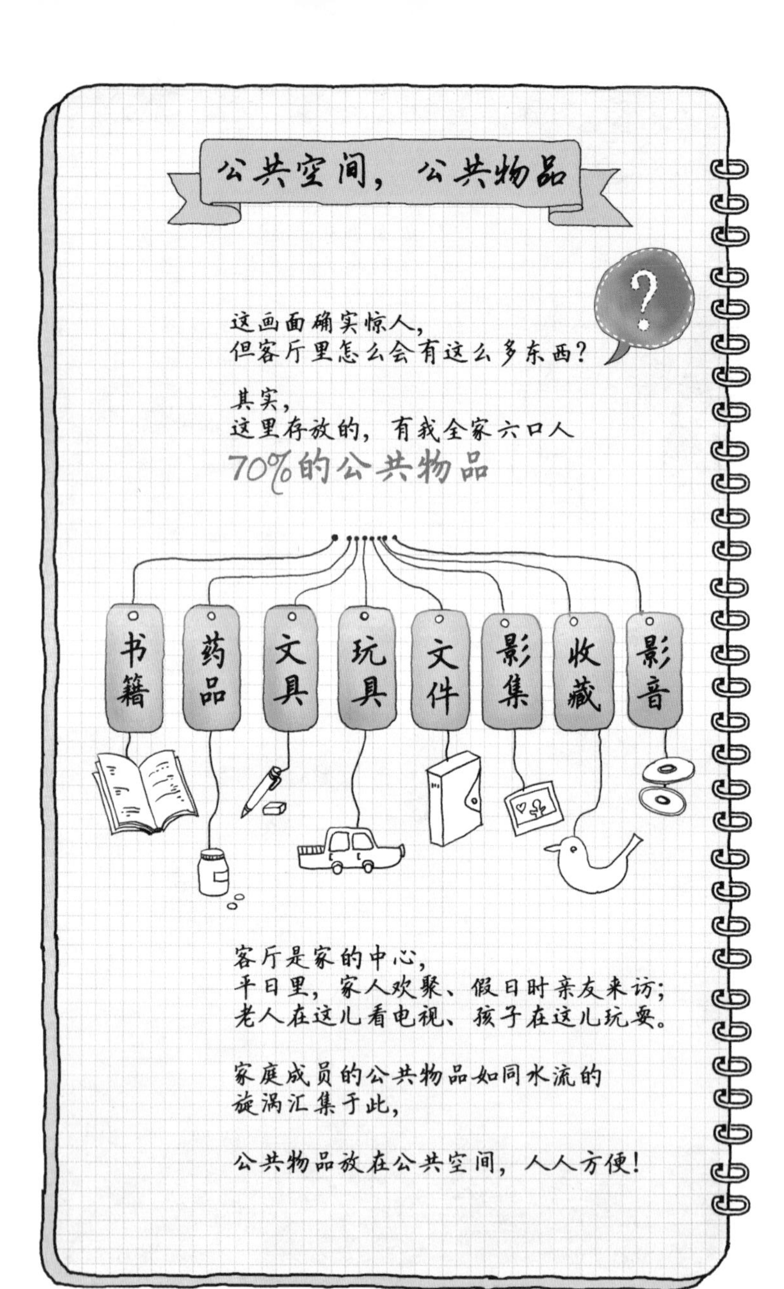
公共空间，公共物品
这画面确实惊人，
但客厅里怎么会有这么多东西？
其实，
这里存放的，有我全家六口人
70%的公共物品
书籍
药品
文具
玩具
文件
影集
收藏
影音
客厅是家的中心，
平日里，家人欢聚、假日时亲友来访；
老人在这儿看电视、孩子在这儿玩耍。
家庭成员的公共物品如同水流的
旋涡汇集于此，
公共物品放在公共空间，人人方便！

客厅即是书房

我家没有设置单独的书房，客厅本身兼具书房功能。我大约每周读一本新书，阅读量不算大，但日积月累下来，书的收纳也成了大问题。

反复在看并且不会丢弃的书，大约只有500本。

受到日本知名料理生活家门仓多仁亚女士文章的启发，我以“只保留能放进客厅大柜的书”作为原则，只留下最爱的书。而塞不下的，就按照阅读的喜好排序，逐渐处理掉排在末尾的——经过几年这样的操作后，大柜中的书籍，只剩下我最爱的人文类、绘本类和设计类，而一时兴起买来的财经类、励志类书籍大多已经消失不见。搞清楚这一点之后，我会更谨慎地购买后者。毕竟，每个人有自己阅读的偏好，不必勉强自己看不爱看的书。

夜深后，打开一盏阅读灯，点亮只属于自己的安静时光。

各归其位，有藏有露

家是过日子的地方，和样板间毕竟不同。客厅需要收纳的物品种类非常多，其中既有毫无美感的日用品，也有代表生活品位的精致陈设。二者的藏露选择，必须控制好。

以视线高度为基准，凡是美丽的物品，一律放在上部开敞格中；凡是“不美”的物品，一律隐藏在下方带门的储物格中。这样，视线所及之处，没有皱巴巴的纸袋、塑料质感的玩具，只有吸引眼球的工艺品和干净的柜门。

家，自然就很美啦。

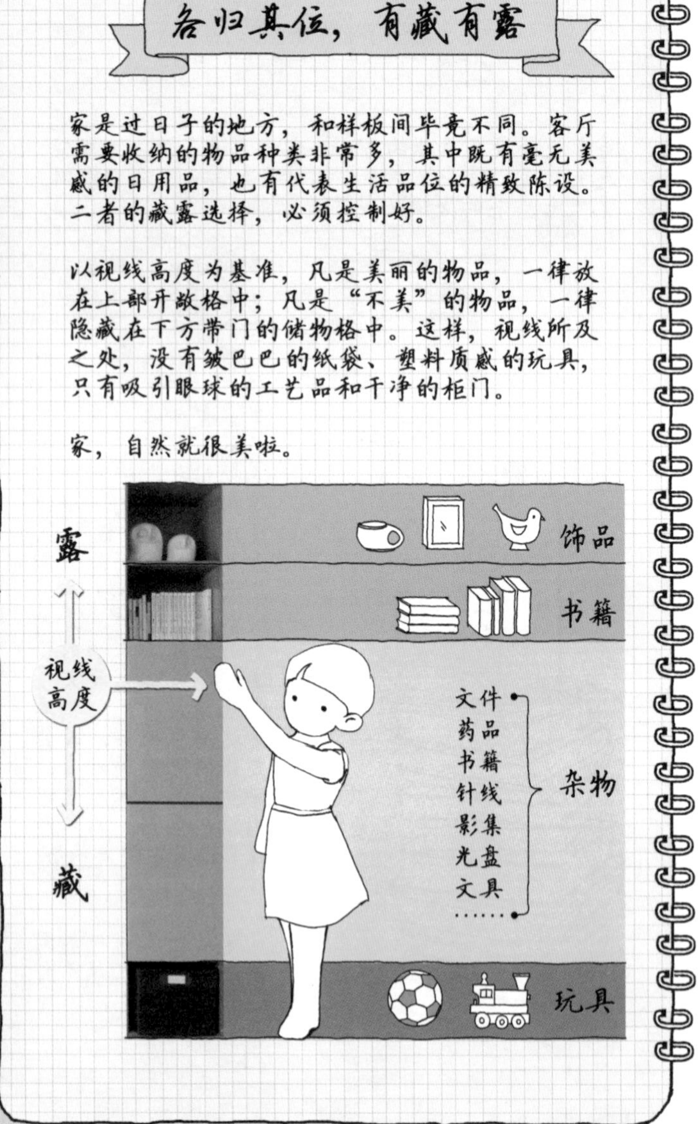

眼不见为净

“以视线高度选择藏露物品”，听起来很简单，但我在弄懂这个道理之前，其实也走过不少弯路。

比如说，电视两侧最初是没有柜子四扇门的，属于局部开放的层板。

本来是用来摆放装饰物的。但它的高度很方便，于是大家常无意识地顺手放东西上去：玩具、卡片、保温杯……

结果，这个没有门的局部空间，总是凌乱不堪。每天都要花不少时间把物品收拾归位。

终于有一天我忍不住，从网店订购了新的四扇门，自己安好。情况立马改善！

装上柜门

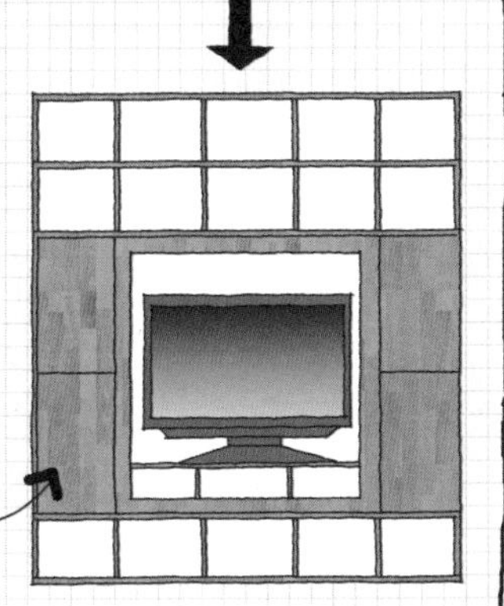

得到的教训是：想要家里干净清爽，视线遮蔽真的很重要。再乱的地方，只要加个柜门、安个挂帘，瞬间眼前就清净无物。：）

“藏”的容器

有柜门的“隐藏收纳”空间里，存放了大量的杂物。这些小零碎如果直接堆放在层板上必然非常凌乱，寻找或拿取十分不便。

所以，要用“统一容器”予以归拢。

我最爱用的杂物收纳神器是宜家的透明收纳盒。记住一定要买盖子哦~

透明可视、长方高效、自然摞放

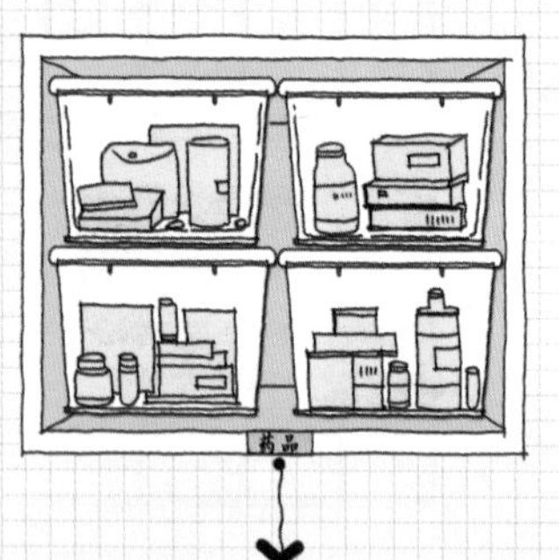

每格柜子的净尺寸宽400mm，高350mm。

刚好放进去4个收纳盒，严丝合缝，尺寸完美匹配。

层板贴上文字标签，家人用完东西就会自动归位、不四处乱放。

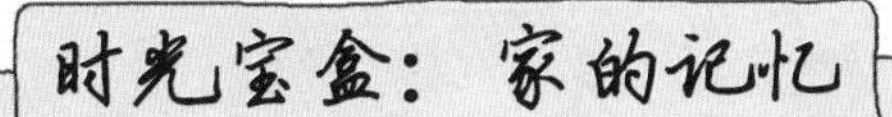

客厅的大柜中，还有一些很特别的纸质储物盒，我叫它“时光宝盒”。

这些标着年份的储物盒，每年一个。简洁统一的纸盒，与客厅的整体氛围默契相融。

我会时不时存一些小东西进去。里面有宝宝的第一个奶嘴、全家出游的门票、使用多年已经破旧的钱包……

许多小物件当时看来不过平常，但或许过了多年后，会成为弥足珍贵的回忆。伴随着家的成长，默默记录着人生的点滴。

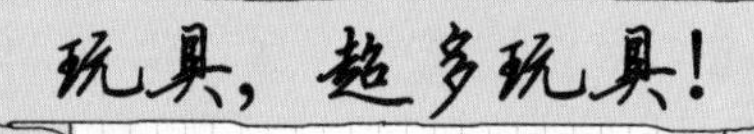

玩具，超多玩具！

第一次来我家的朋友，常常问我：“怎么见不到你娃的**玩具？**”

你猜，
我家的玩具
藏在哪里？

说真的，对于有宝宝的家庭而言，玩具收纳绝对是个超令人头痛的问题。一方面，现在的宝宝玩具数量，比我们这代人小时候多10倍甚至百倍，另一方面，这些玩具大多花花绿绿、塑料材质，再美丽的客厅只要堆出个玩具小山，美感也尽失！

最初设计这组大收纳柜时，就已考虑预留出收纳玩具的足量空间。

玩具在这里！

契合整体的玩具箱

大部分家庭为宝宝购置的玩具箱都是塑料材质有卡通图案的，因为儿童更喜欢缤纷的色彩。但这种花里胡哨的玩具箱，无论怎么收纳，放在客厅一角都会显得突兀且廉价，破坏整体的美感。

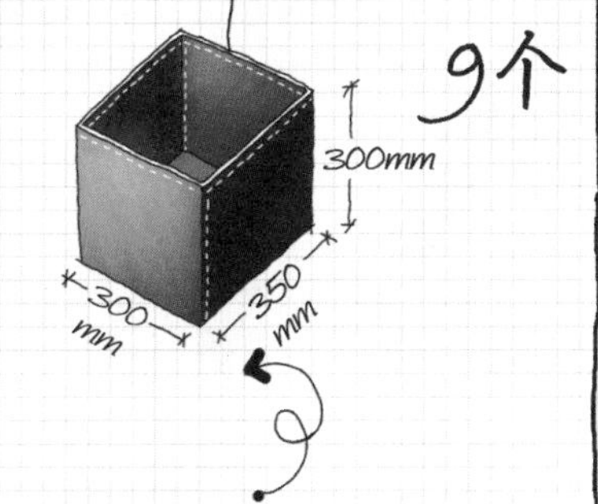

我选择了宜家的布制衣箱，略做加工，改成契合柜体的尺寸。全黑色涤纶面料，容量大、外观低调，与大柜十分契合。

本身非常轻，即使装满玩具，宝宝仍可以轻松拉动。耐脏、易清洁。

玩具箱标签DIY

为了让小朋友学会自己整理玩具、玩好放回去，需要给每个箱子贴上内容标签。

比较过各种标签材质，我最后选择了“皮革布贴”

玩好，自己放回去

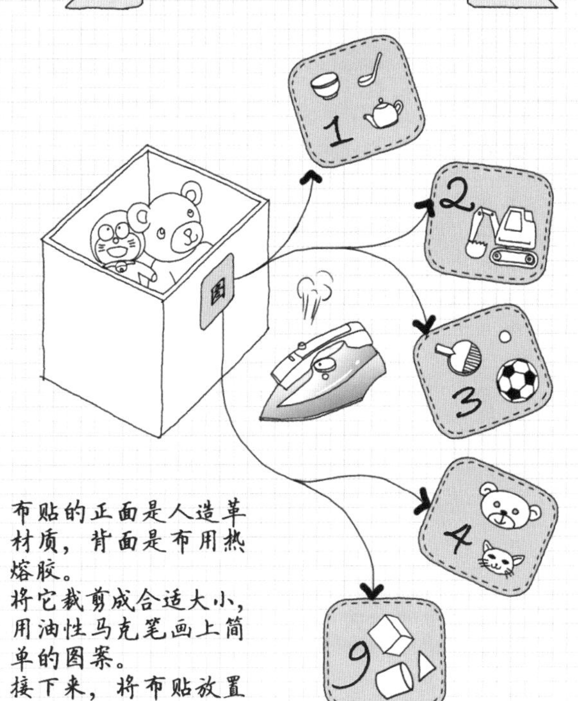

布贴的正面是人造革材质，背面是布用热熔胶。
将它裁剪成合适大小，用油性马克笔画上简单的图案。
接下来，将布贴放置在箱子上方，用熨斗烫过，热熔胶就会牢牢粘在收纳箱上。

父母不应该每天追在宝宝的屁股后面收拾，应该让宝宝自己明白，“玩好，放回去”是他的责任。

整理收纳，可以潜移默化为孩子家庭教养的一部分。

整洁的家，会“遗传”。

宽与窄，舍与得

这个巨大的收纳柜已经使用了5年，成为我家客厅的“生活基石”。

由于很得意这个设计，我曾向很多朋友和客户推荐。他们虽然大多认同收纳理念，但往往都会带着困惑的表情，用怀疑的口吻说：“这么大的柜子，会让客厅空间变窄吧？”甚至我所参与的房地产项目，负责营销的同事也会说：“如果安装了这样的柜子，客厅看上去不够宽敞，很难讨客户欢心，房子或许会难卖。”

哎！我不能苛责，说大家只喜欢“表面看起来很宽敞的房子”。毕竟，绝大部分中小户型的居住者都是首次置业。而对于“如何在面积不大的房子里住得宽敞”这道难题，很少有人能在一开始把握住矛盾的本质。

我访谈过太多的住宅，深深知道，那些刚搬进去时看起来宽敞舒适的客厅，往往住上不到三五年就会沦为杂物的集中营。精心挑选的家具和饰品，将全部淹没于一片凌乱之中。

是选择只有最初两年宽敞的房子，
还是选择住上10年依旧宽敞的房子？

有舍，才有得。
想要得到整体的“宽”，
必须先舍得局部的“窄”。

你，会如何选择？

?

高效厨房3部曲

过去，厨房是这样的

20世纪80年代，对于住在大院里的各家各户来说，厨房的概念就是一个放在门口屋檐下的煤球炉。每到饭点，院子里充满油烟、菜香和煤球的味儿。添煤球倒煤渣，是再平常不过的日常。大概所有的“70后”“80后”，都会有类似的回忆吧？

那个年代的厨房里，只有简陋的灶具、小火力的炉具，电器则难得一见。除了一个木制碗橱，几乎没有什么收纳家具。

现在，厨房是这样的

第一个现代意义的厨房，诞生于20世纪上半叶的德国。它由女性建筑师玛格丽特-里奥茨基设计，强调高效的操作流水线、便利实用的储物空间。

今天，在中国城市的小型住宅中，现代化的厨房已经非常普及。从厨房格局、橱柜配置到电器厨具，一应俱全。厨房不再是油污凌乱的劳作场所，而是创作美食的惬意空间。

SYSTEM
KITCHEN

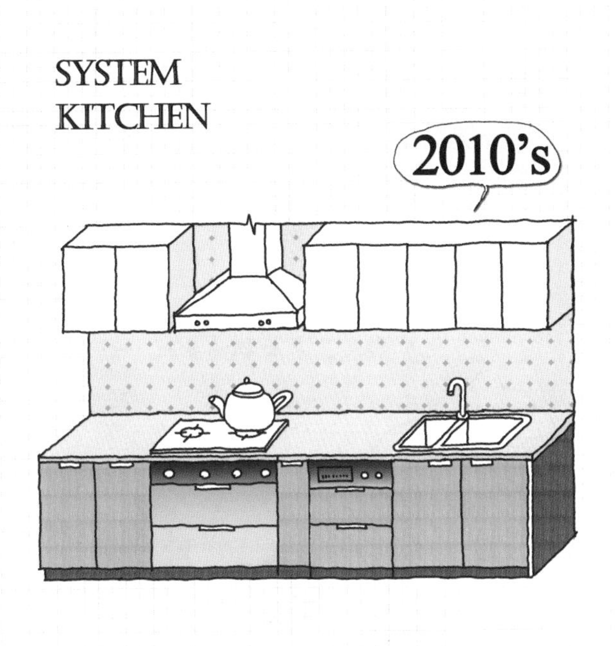

人人想要大厨房？

"我梦想的家，要有一个大厨房。"

多大算大？

最近看了一本《德国式简约厨房》，书中"简约厨房"的平均面积约——20平米。

现实是，中国城市中小户型（面积120平米以下）厨房的平均面积——4～7平米。

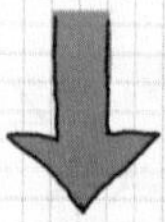

这大致相当于
地球和火星表面积的差距……

令人神往的开放式？
只有4～7平米？听起来小得令人沮丧。很自然，有人提出另一种可能：
既然厨房本身面积这么小，那就应该做成开放式！
把客餐厅打通融合进来。不仅视野开阔，且更时尚有“逼格”！
敞亮
洋气
时尚
情调

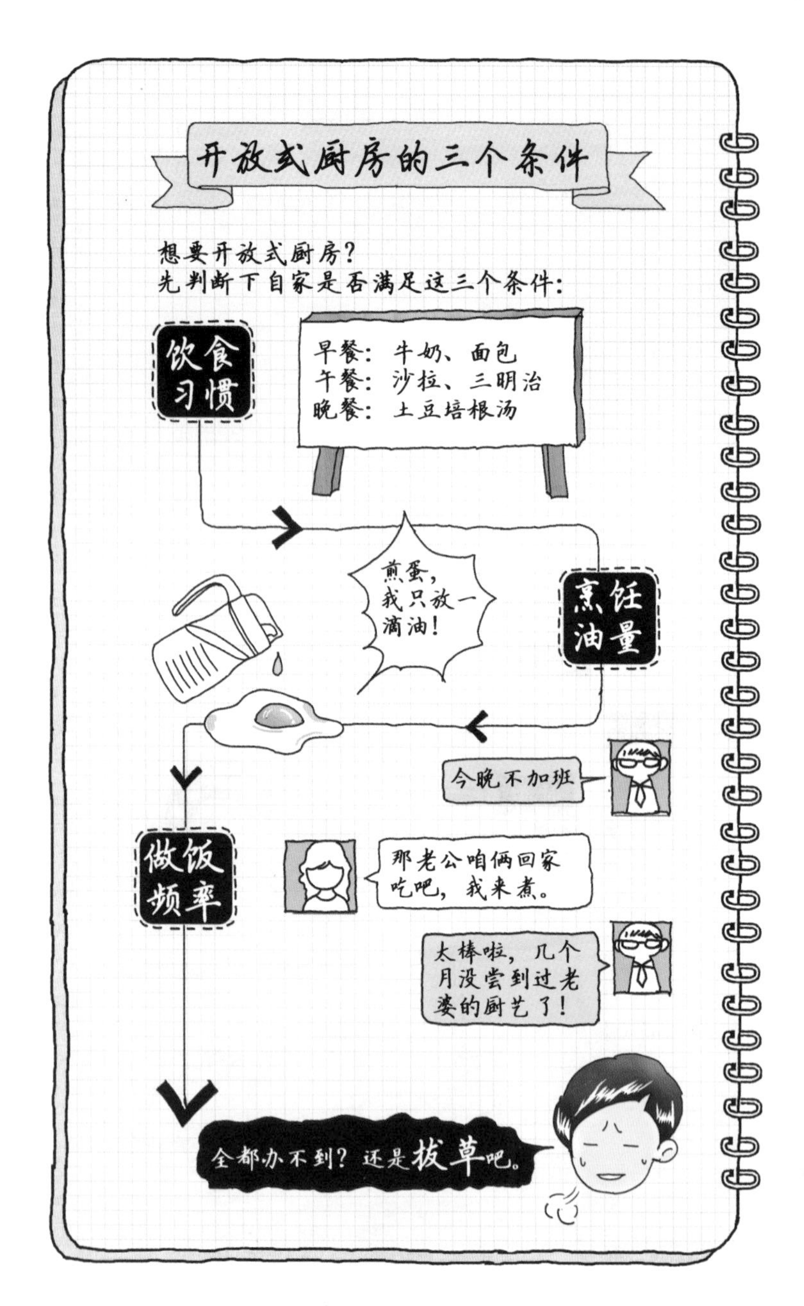

开放式厨房的三个条件
想要开放式厨房？
先判断下自家是否满足这三个条件：
饮食习惯
早餐：牛奶、面包
午餐：沙拉、三明治
晚餐：土豆培根汤
烹饪油量
煎蛋，我只放一滴油！
今晚不加班
做饭频率
那老公咱俩回家吃吧，我来煮。
太棒啦，几个月没尝到过老婆的厨艺了！
全都办不到？还是拔草吧。

厨房的创新VS理性

无法死心啊！难道就不能有其他创新做法吗？

中国的建筑师、室内设计师、橱柜设计师们，与厨房油烟和封闭格局的创新之战已经持续了十几年。

无论是中西分厨、局部玻璃墙，还是开个传菜口、墙面设个推拉窗户、餐台区设半高墙之类的做法，我在过去的工作中都曾一一尝试过，但是很遗憾，至今仍没有哪种做法是放诸四海而皆准的。

所以，对于60~120平米的中小户型，如果居住者是核心家庭（父母+子女，日常开伙），那么**封闭式厨房**仍是我个人**最为推崇的**。

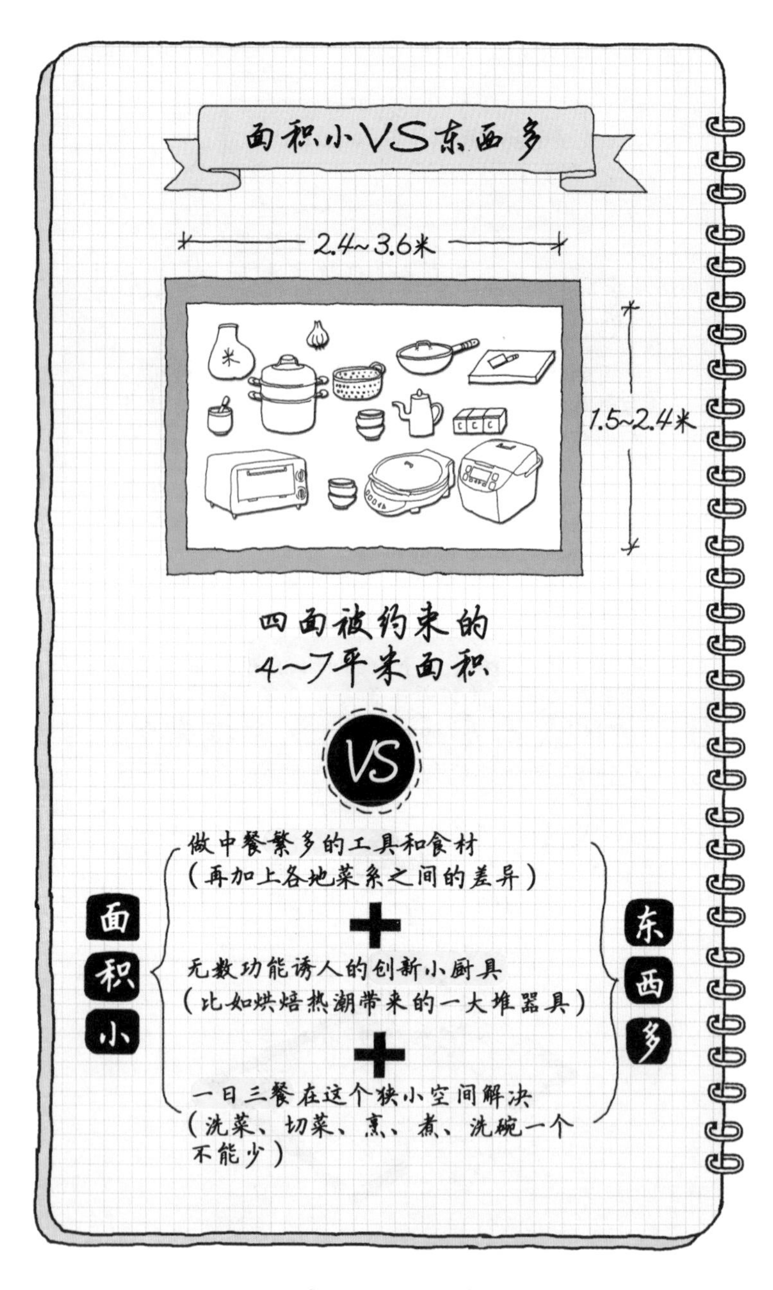
面积小VS东西多
2.4~3.6米
1.5~2.4米
四面被约束的
4~7平米面积
VS
做中餐繁多的工具和食材
（再加上各地菜系之间的差异）
无数功能诱人的创新小厨具
（比如烘焙热潮带来的一大堆器具）
一日三餐在这个狭小空间解决
（洗菜、切菜、烹、煮、洗碗一个不能少）
面积小
东西多

储物房，还是厨房？
米
4~7平米
连东西都放不下，还怎么做饭呢？！
老干妈

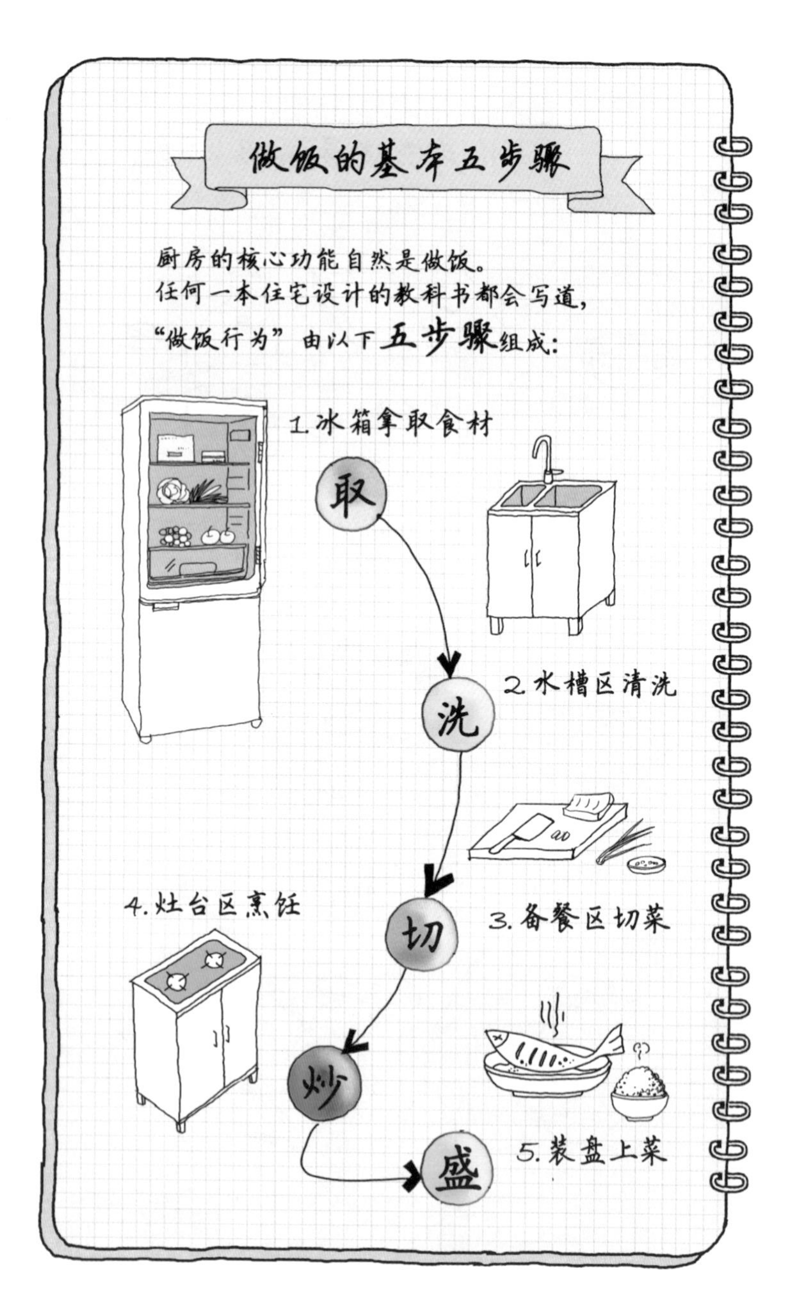
做饭的基本五步骤
厨房的核心功能自然是做饭。
任何一本住宅设计的教科书都会写道，
“做饭行为”由以下五步骤组成：
1.冰箱拿取食材
取
2.水槽区清洗
洗
3.备餐区切菜
切
4.灶台区烹饪
炒
5.装盘上菜
盛

小厨房的逆袭之道

厨房是否真正好用，关键在于上述这5个步骤是否能顺畅高效、一气呵成。这类似于一个食品工厂的生产流程。

一方面，订单、原料、工具堆积如山；另一方面，厂房面积实在无力继续扩大。身为厂长的你该怎么办？

唯一的方法就是

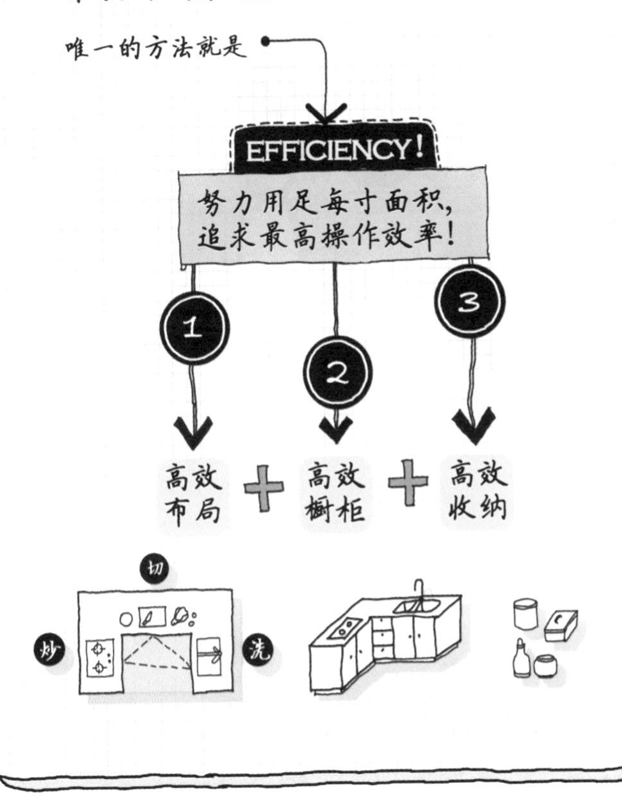

1
高效布局
厨房高效布局的两个要点：
1.采用最佳布局方式——U型
2.着眼“一金二银”区域

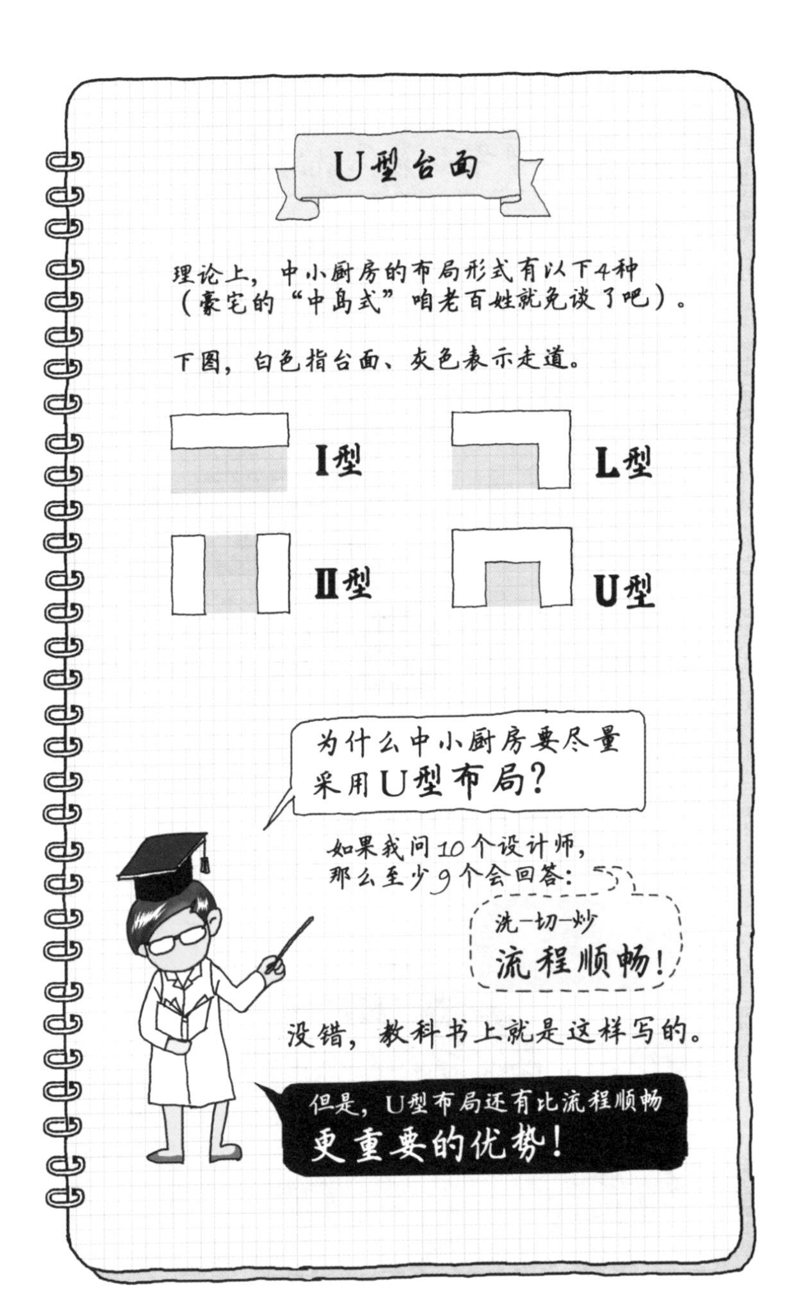
U型台面
理论上，中小厨房的布局形式有以下4种
（豪宅的“中岛式”咱老百姓就免谈了吧）。
下图，白色指台面、灰色表示走道。
I型
L型
II型
U型
为什么中小厨房要尽量
采用U型布局？
如果我问10个设计师，
那么至少9个会回答：
洗-切-炒
流程顺畅！
没错，教科书上就是这样写的。
但是，U型布局还有比流程顺畅
更重要的优势！

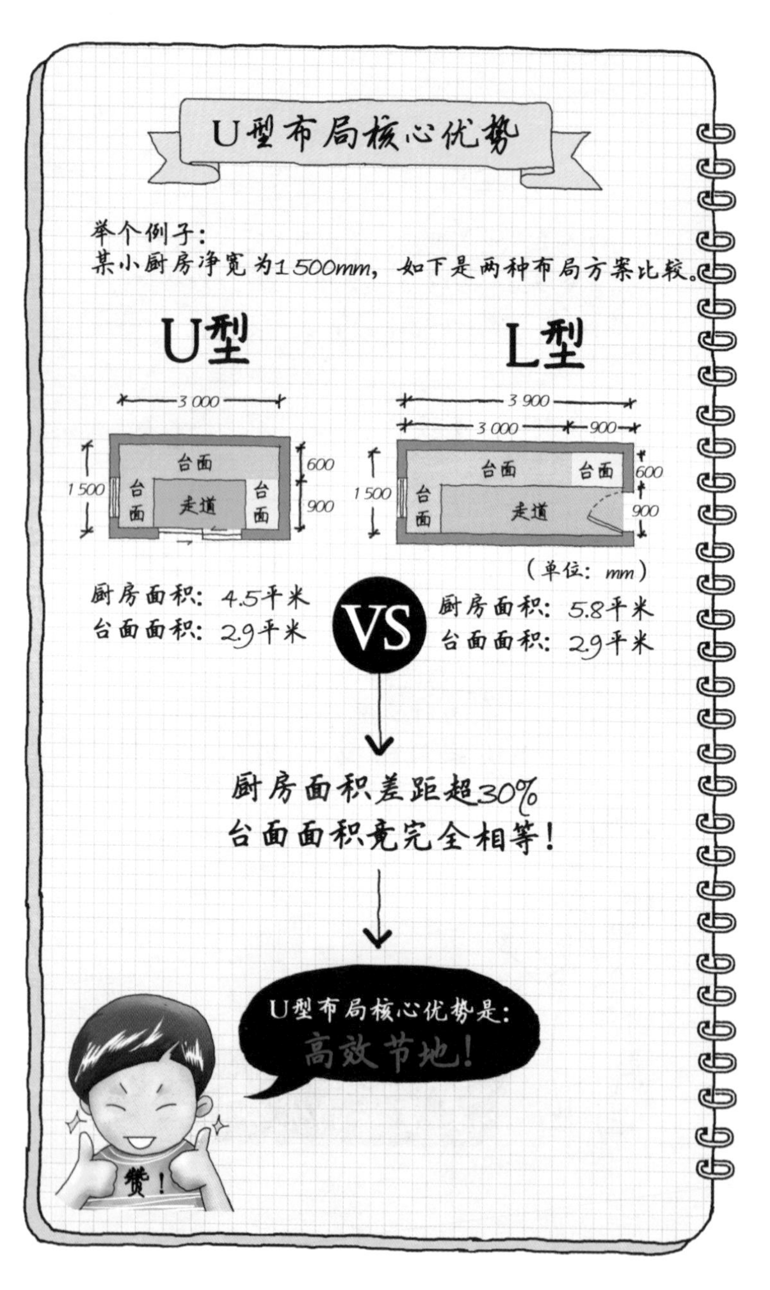
U型布局核心优势
举个例子：
某小厨房净宽为1 500mm，如下是两种布局方案比较。
U型
3 000
台面
600
1 500
台面
走道
台面
900
L型
3 900
3 000
900
台面
台面
600
1 500
台面
走道
900
（单位：mm）
厨房面积：4.5平米
台面面积：2.9平米
VS
厨房面积：5.8平米
台面面积：2.9平米
厨房面积差距超30%
台面面积竟完全相等！
U型布局核心优势是：
高效节地！
赞！

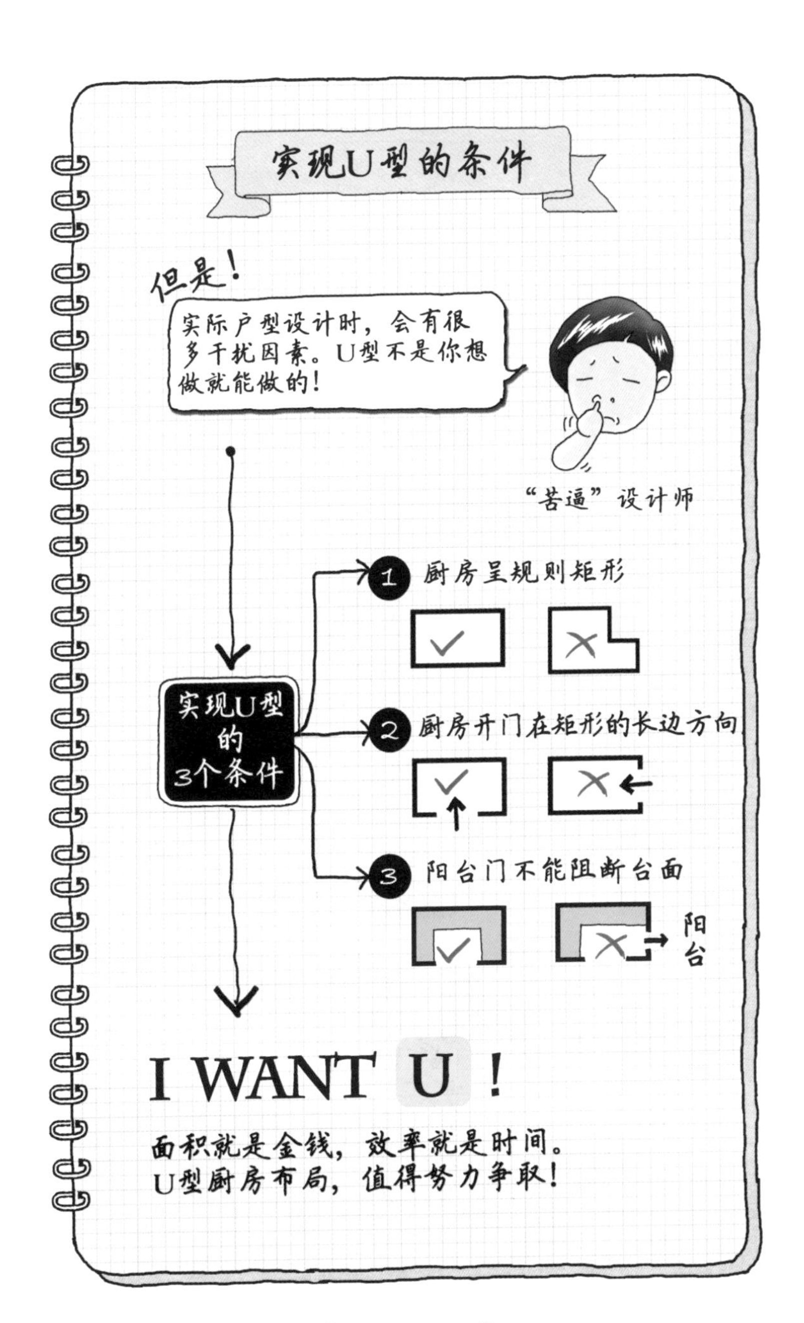
实现U型的条件
但是！
实际户型设计时，会有很多干扰因素。U型不是你想做就能做的！
“苦逼”设计师
实现U型的3个条件
1 厨房呈规则矩形
2 厨房开门在矩形的长边方向
3 阳台门不能阻断台面
阳台
I WANT U！
面积就是金钱，效率就是时间。
U型厨房布局，值得努力争取！

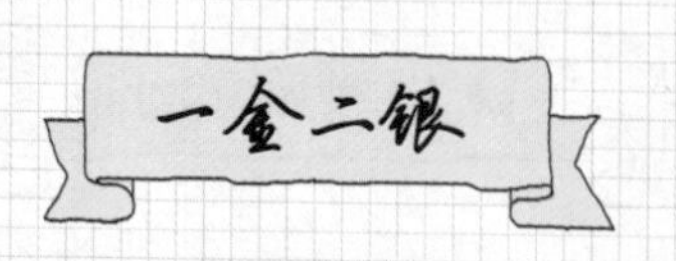

说完了第一个要点"U型布局"，
接下来我们谈谈**第二个要点**。

让厨房五步骤操作变高效的关键因子，并不只与冰箱、水槽、灶台"三件套"有关，更与它们两侧的"台面三区"直接相关——备餐区、装盘区、沥水区。

为了强调其重要性，我自己习惯称之为：

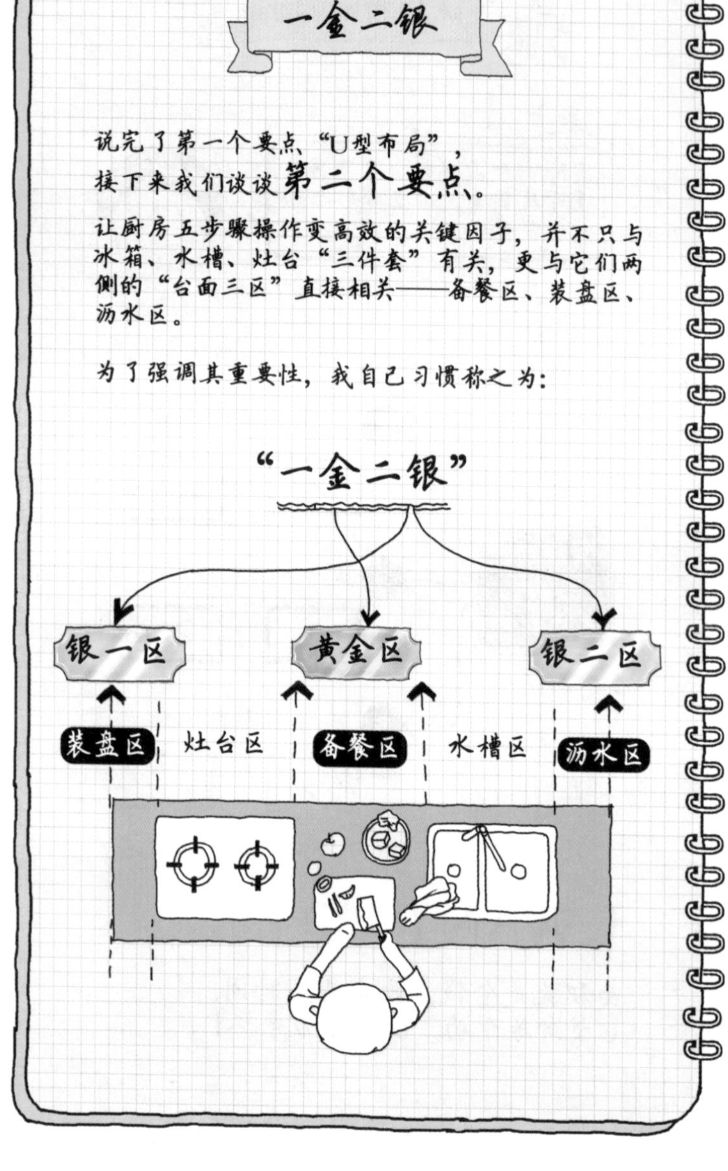

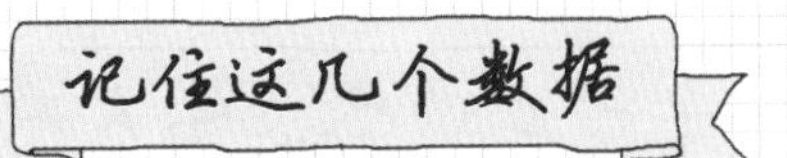

黄金区

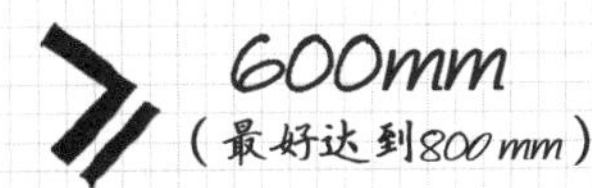

放砧板、菜刀，切菜的区域。活儿最多，东西也最多。

银一区

300mm

灶台到墙边的位置，提前在此处放好盘子，炒完菜装盘，准备上桌。

银二区

水槽到墙边的空间，有了这300mm就能放沥水架啦。

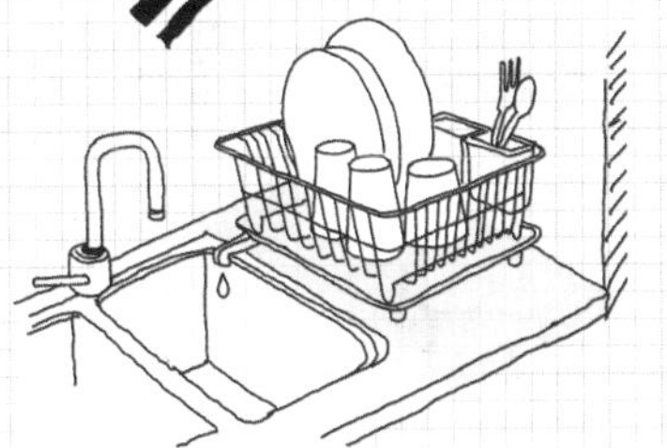

面积很小的厨房，有时难以三者兼得。应首先确保黄金区长度！

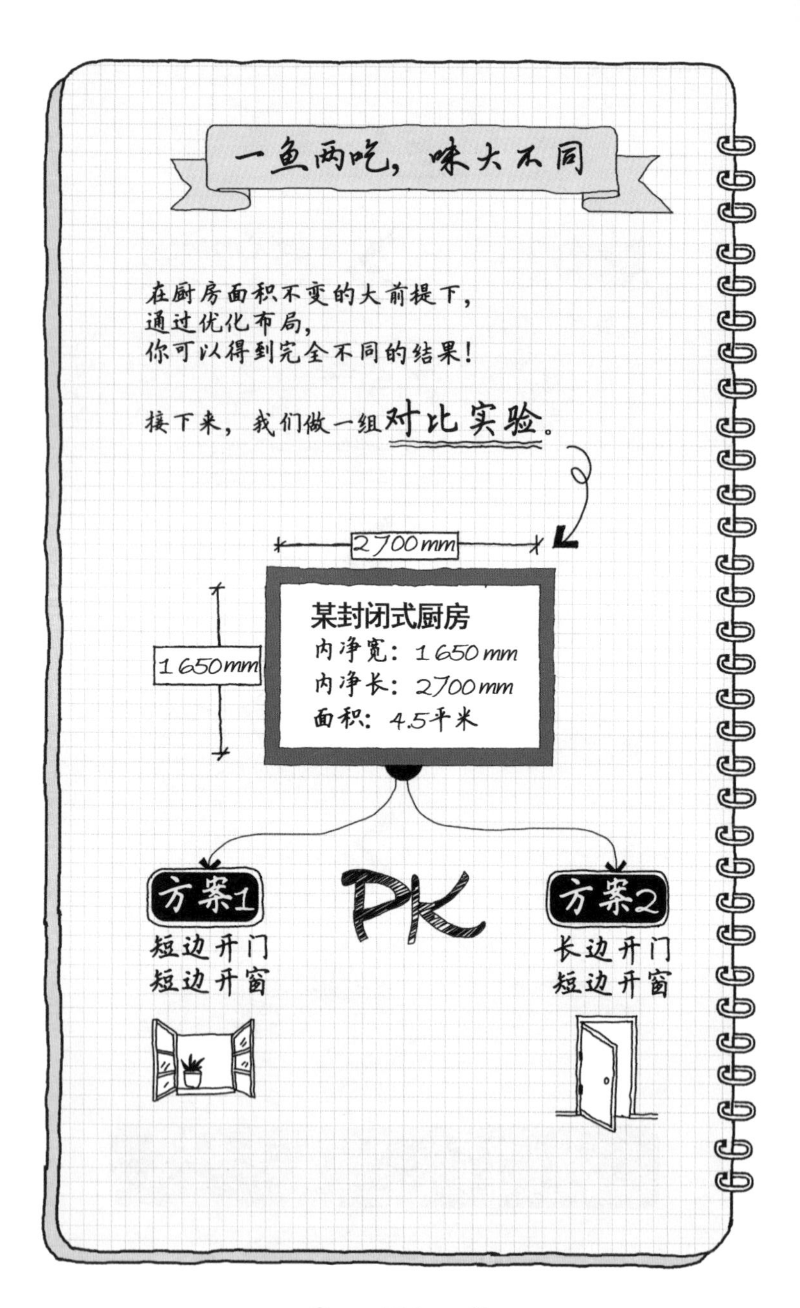
一鱼两吃，味大不同
在厨房面积不变的大前提下，
通过优化布局，
你可以得到完全不同的结果！
接下来，我们做一组对比实验。
2700mm
1650mm
某封闭式厨房
内净宽：1650mm
内净长：2700mm
面积：4.5平米
方案1
短边开门
短边开窗
PK
方案2
长边开门
短边开窗

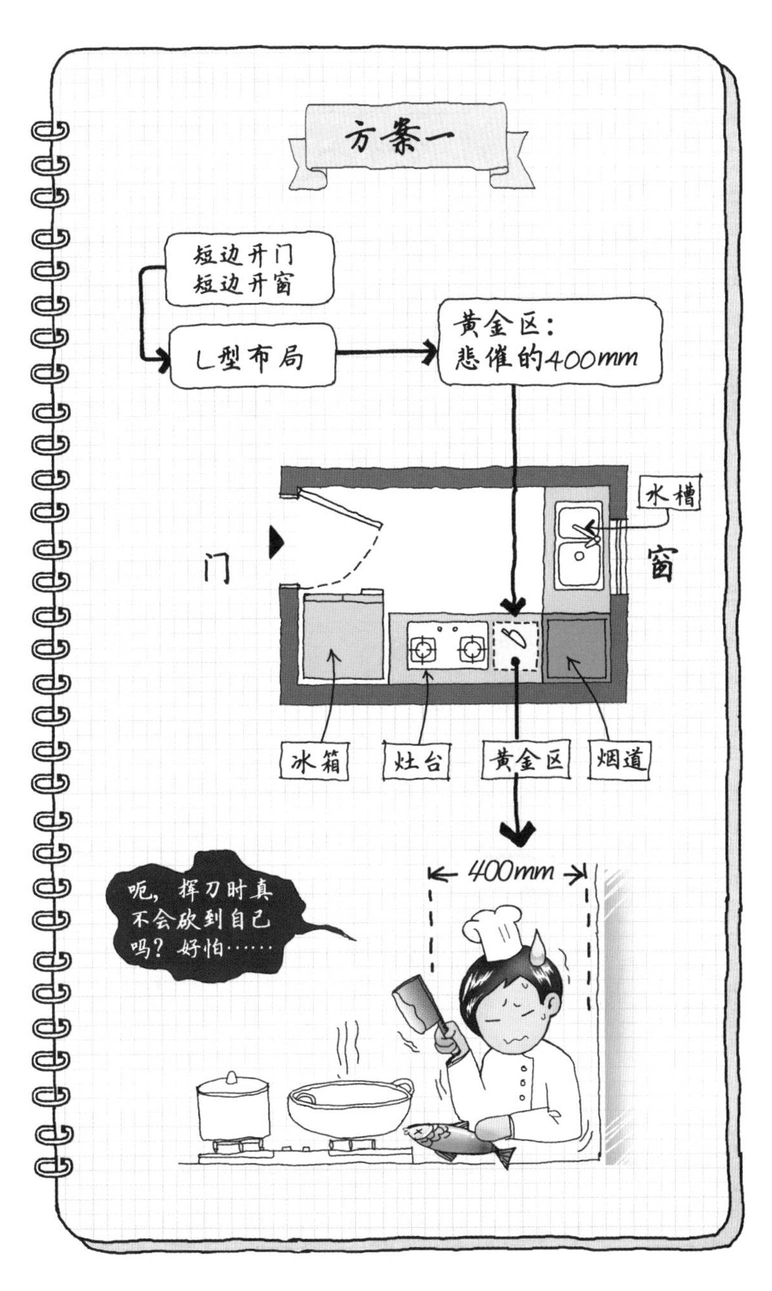
方案一
短边开门
短边开窗
L型布局
黄金区：
悲催的400mm
水槽
门
窗
冰箱
灶台
黄金区
烟道
400mm
呃，挥刀时真不会砍到自己吗？好怕……

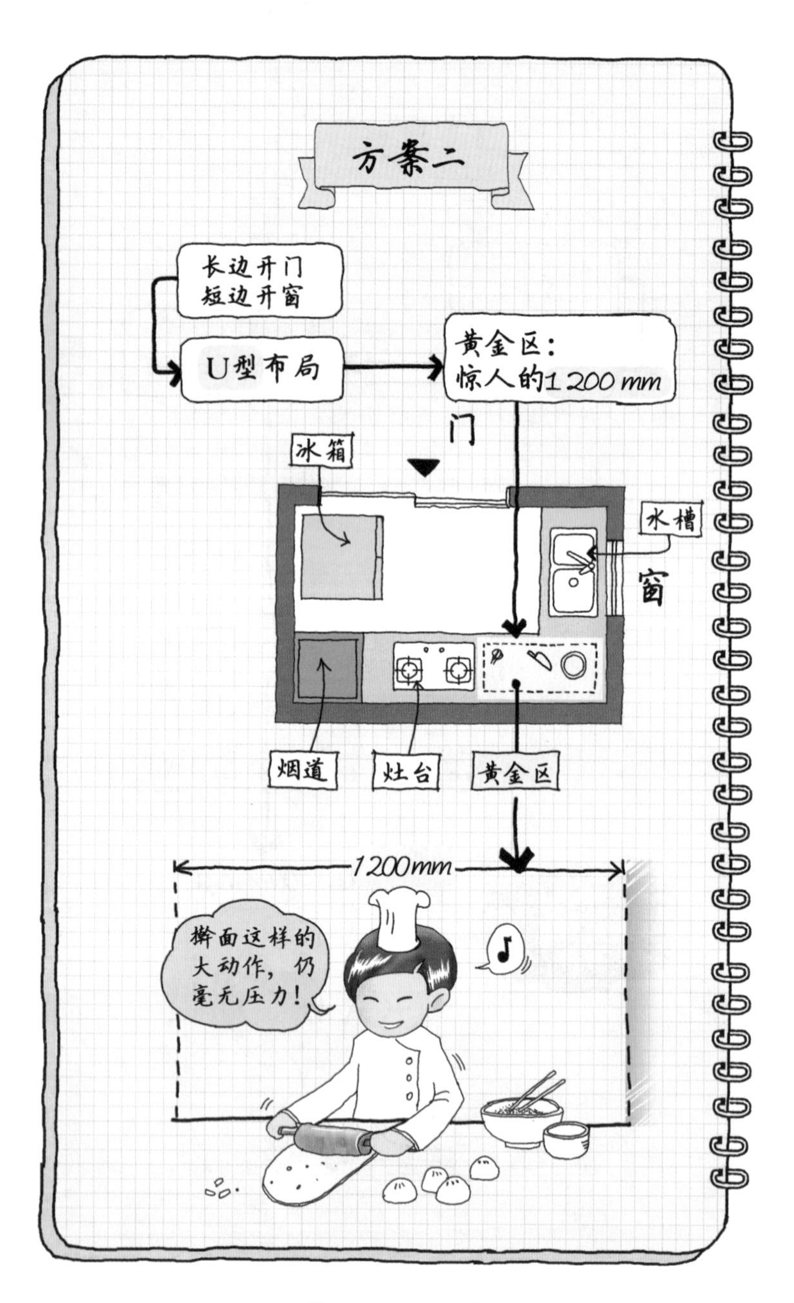
方案二
长边开门
短边开窗
U型布局
黄金区：
惊人的1 200 mm
门
冰箱
水槽
窗
烟道
灶台
黄金区
1200mm
擀面这样的
大动作，仍
毫无压力！

厨房布局六要素
方案一和方案二的厨房面积、轮廓完全没变，只是改了一下门的方向，操作便利度竟然提升了三倍?!
其实，影响厨房布局的因素，
远不只门的位置这一项。
布局是以下6项的综合作用!
长度数值
宽度数值
门的位置
窗的位置
烟道位置
冰箱大小
WIDTH
LENGTH
反复比较几种布局，
努力实现最优布局!

窗户对布局的影响

普通窗

按国家规范，国内住宅的厨房必须开窗，考虑到采光问题，窗前会优先考虑布置水槽。显然，高大的窗户会影响吊柜的布置。

横长窗

如果能在建筑设计阶段就考虑设置横向长条窗，那么吊柜就可以连续横亘于窗户上方，收纳容量将数倍增长。

此外，窗前布置水槽虽是习惯的做法，但并不是必须遵守的。反而在某些情况下，水槽不在窗前会更有利于整体橱柜布局的合理性。此时在吊柜底安装人工光源替代自然光即可，无须过多纠结。

烟道对布局的影响

很多建筑师喜欢把烟道布置在图示转角位置，但实际上这样的烟道会**打断黄金区。**

（设想一下洗好的菜却要绕过烟道下锅的场景，瞬间明白了吧？）

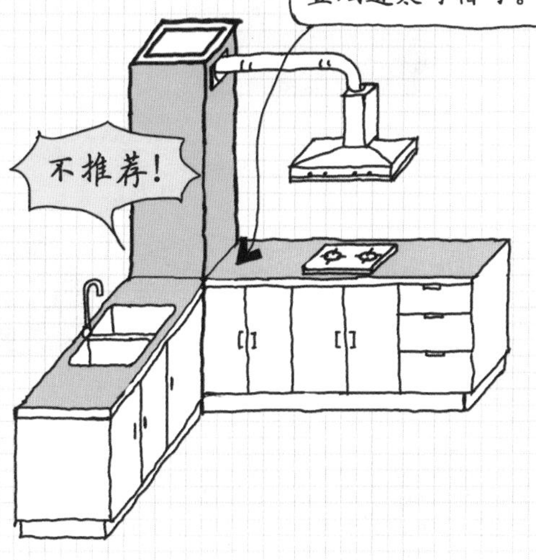

在烟道和灶台之间的水平排烟距离不超过2000mm的前提下，应尽量把烟道布置在厨房其他角落。

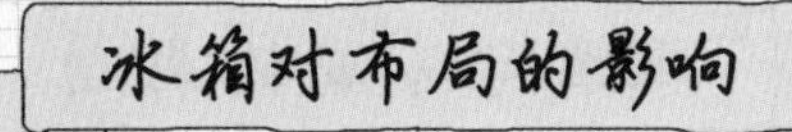

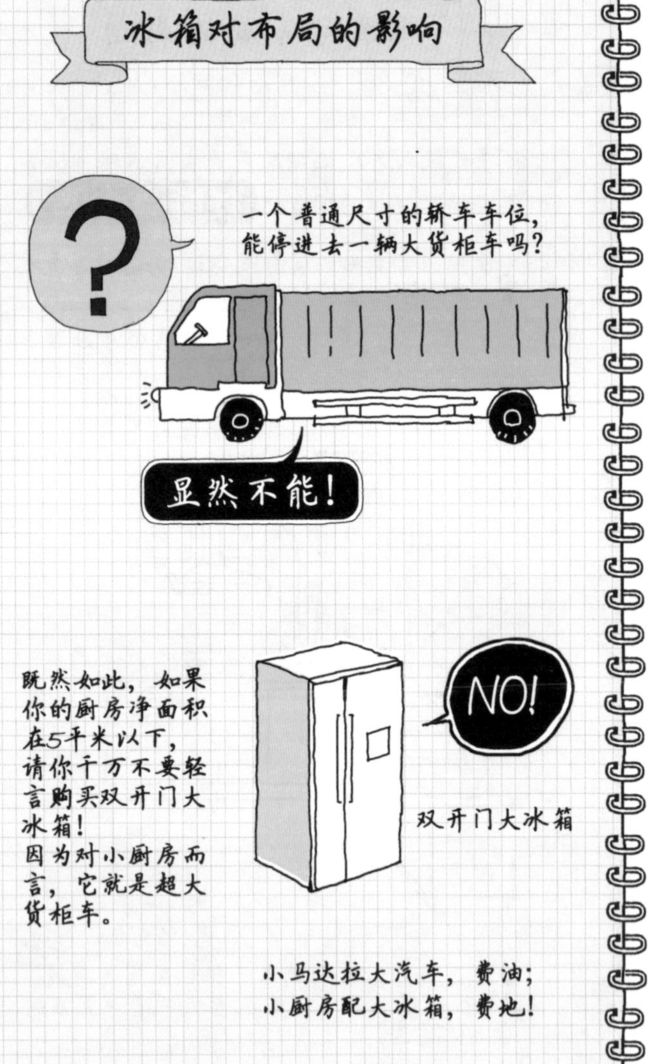

既然如此，如果你的厨房净面积在5平米以下，请你千万不要轻言购买双开门大冰箱！

因为对小厨房而言，它就是超大货柜车。

小马达拉大汽车，费油；

小厨房配大冰箱，费地！

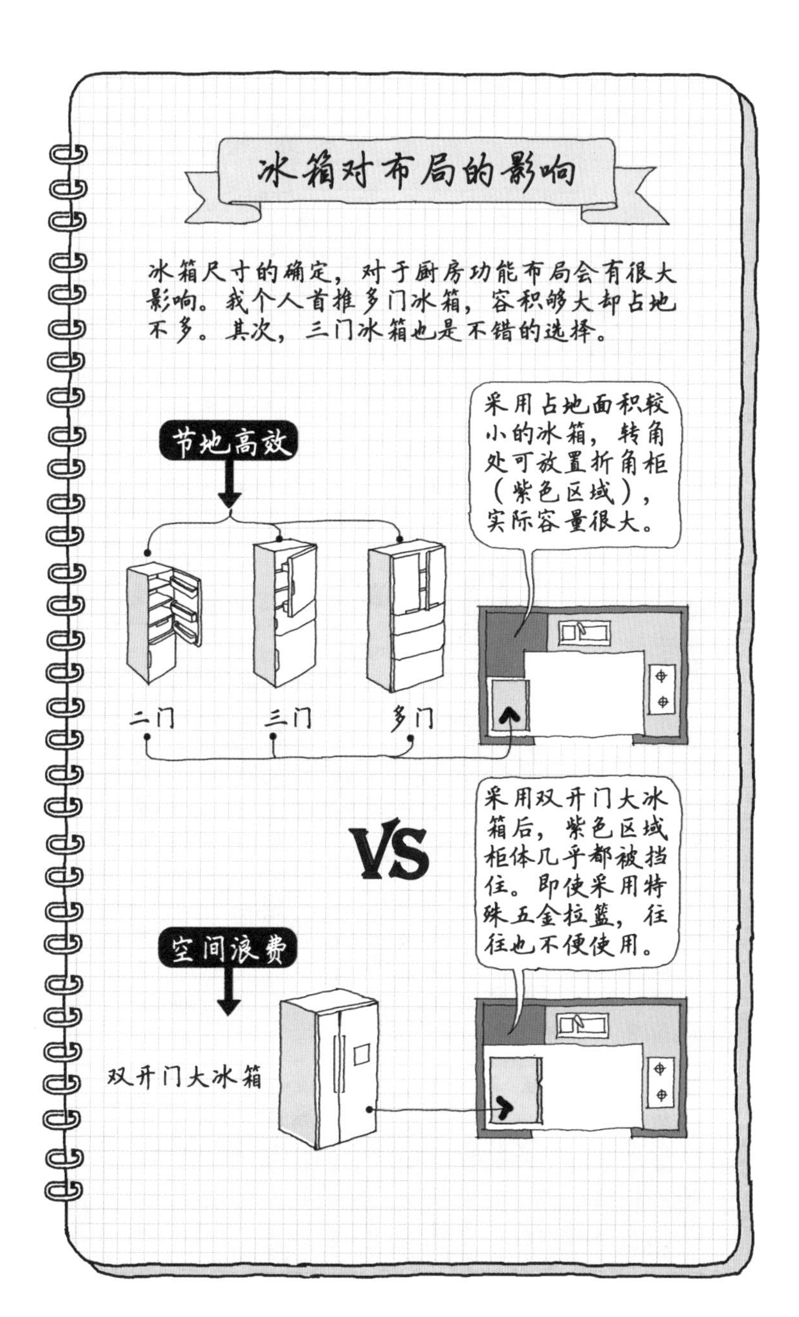
冰箱对布局的影响
冰箱尺寸的确定，对于厨房功能布局会有很大影响。我个人首推多门冰箱，容积够大却占地不多。其次，三门冰箱也是不错的选择。
节地高效
采用占地面积较小的冰箱，转角处可放置折角柜（紫色区域），实际容量很大。
二门
三门
多门
VS
采用双开门大冰箱后，紫色区域柜体几乎都被挡住。即使采用特殊五金拉篮，往往也不便使用。
空间浪费
双开门大冰箱

我的御用推荐款

聊了这么多原理和数字，已经有点晕了吧？
毕竟厨房是住宅最复杂的空间，没有之一！

在这里推荐一款我的御用厨房：

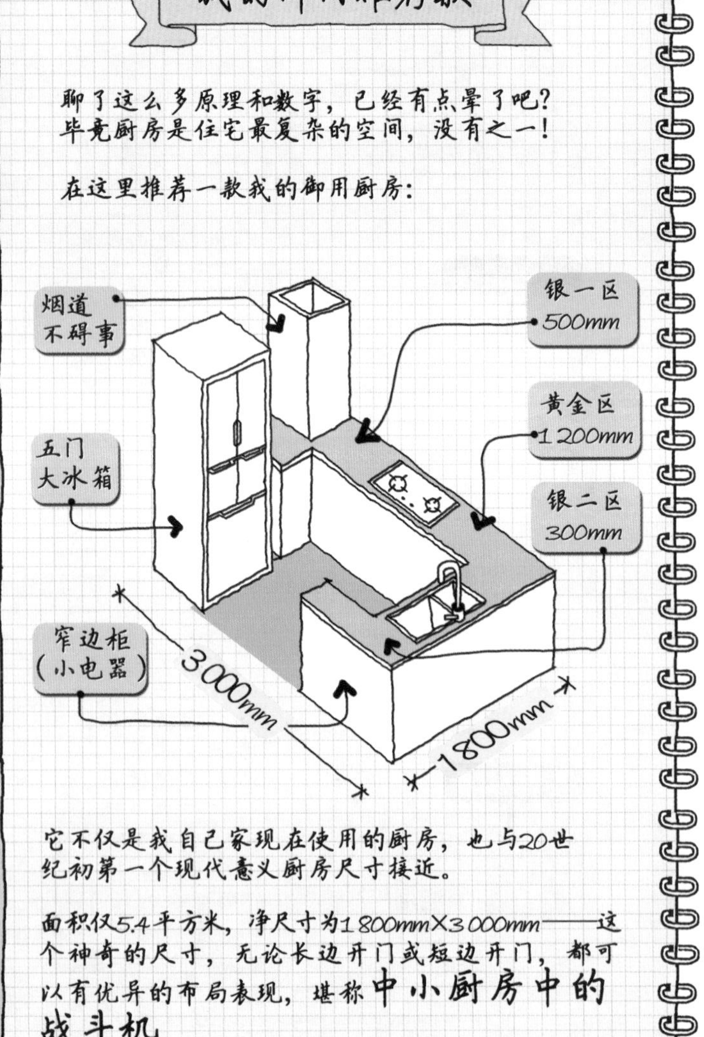

它不仅是我自己家现在使用的厨房，也与20世纪初第一个现代意义厨房尺寸接近。

面积仅5.4平方米，净尺寸为1800mm×3000mm——这个神奇的尺寸，无论长边开门或短边开门，都可以有优异的布局表现，堪称**中小厨房中的战斗机**。

记得不等式之三吗?

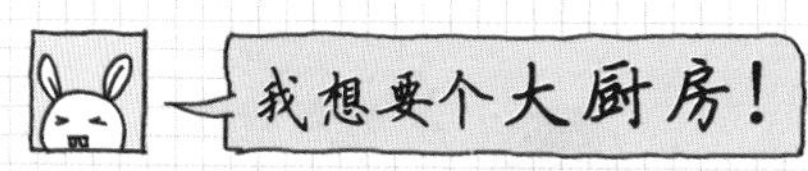

什么是"大"?

Bigger ≠ Better

"厨房面积"——

这个词具有**欺骗性**。

4平方米的厨房和7平方米的厨房，哪个更好用?
如果只知"面积"不知"布局"，这个问题根本无法回答。

与其发愁厨房太小，不如好好思考，努力推敲下它的布局吧。即使面积仍是那么小，也有全新改变的可能!

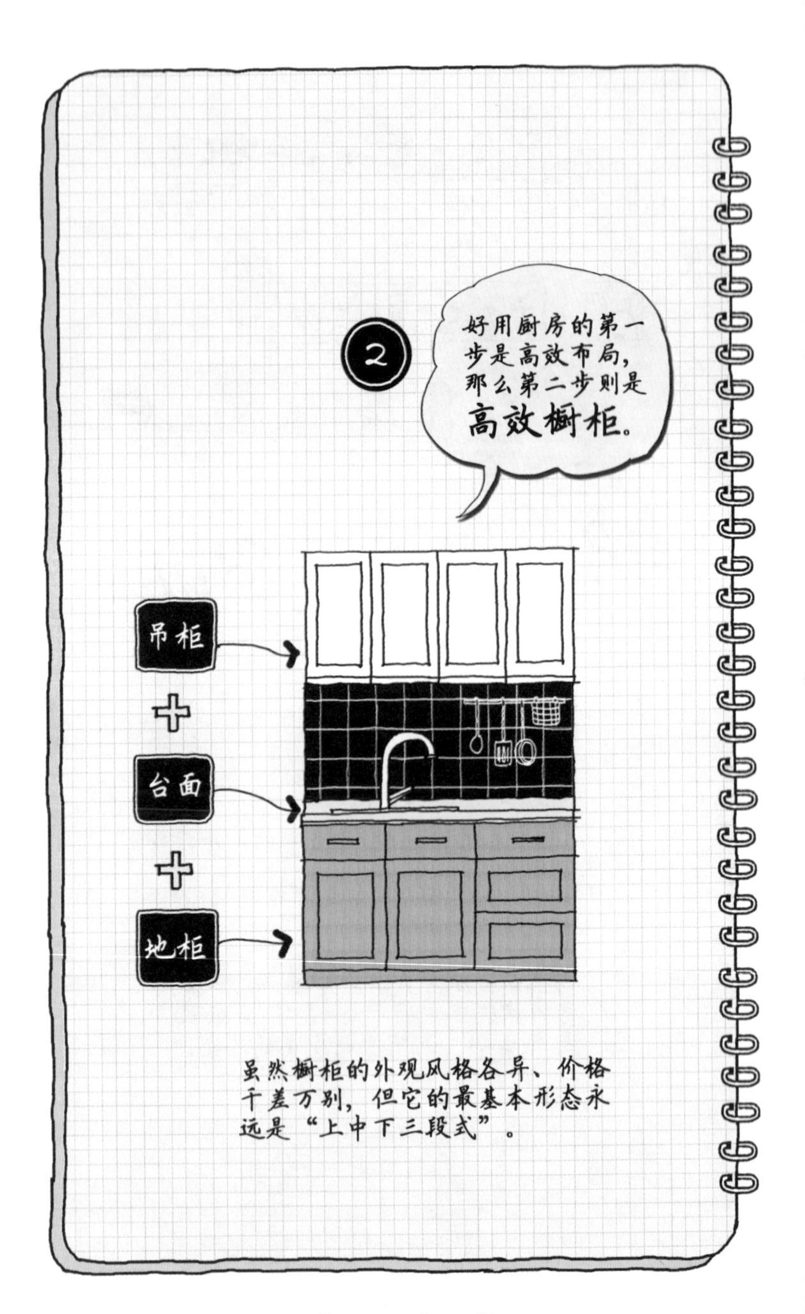

虽然橱柜的外观风格各异、价格千差万别，但它的最基本形态永远是“上中下三段式”。

几块“积木”拼起来

橱柜看起来好复杂、很**专业**？
其实，它的基本原理几乎和拼积木一样**简单**！

最复杂的地柜也不过由五六种“积木”组合而来。

其中，灶台柜稍微特殊些。它可以是一个柜体，也可以是两个拼组。有时灶台可以布置在消毒柜上方。

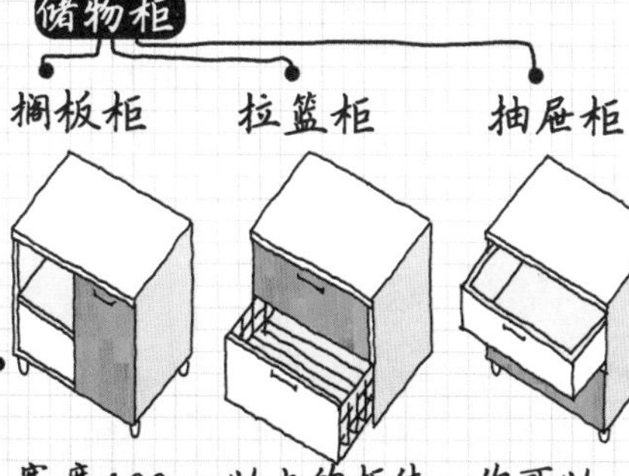

宽度400mm以上的柜体，你可以根据预算高低，选择配置其中一种（搁板最便宜，拉篮居中，抽屉最贵）。

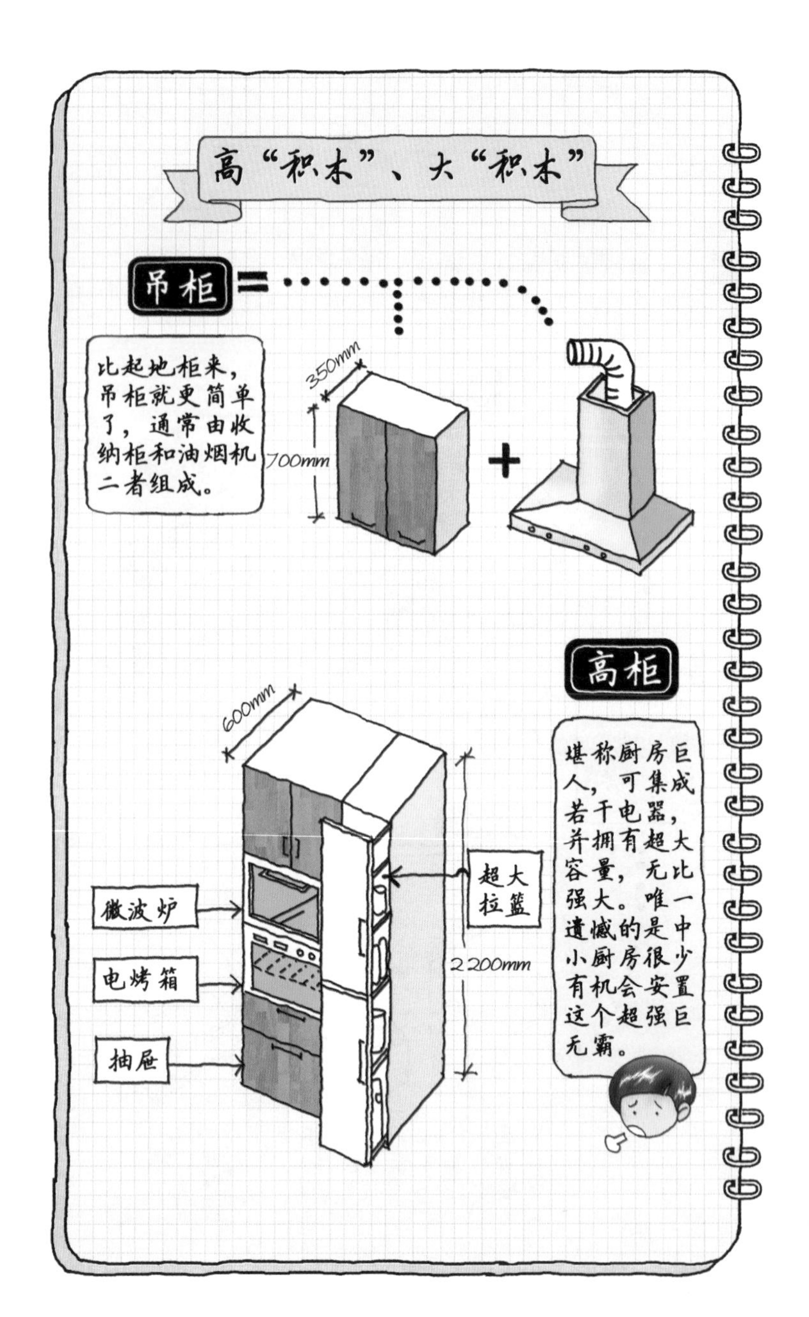
高“积木”、大“积木”
吊柜＝
比起地柜来，吊柜就更简单了，通常由收纳柜和油烟机二者组成。
350mm
700mm
+
高柜
600mm
2200mm
超大拉篮
微波炉
电烤箱
抽屉
堪称厨房巨人，可集成若干电器，并拥有超大容量，无比强大。唯一遗憾的是中小厨房很少有机会安置这个超强巨无霸。

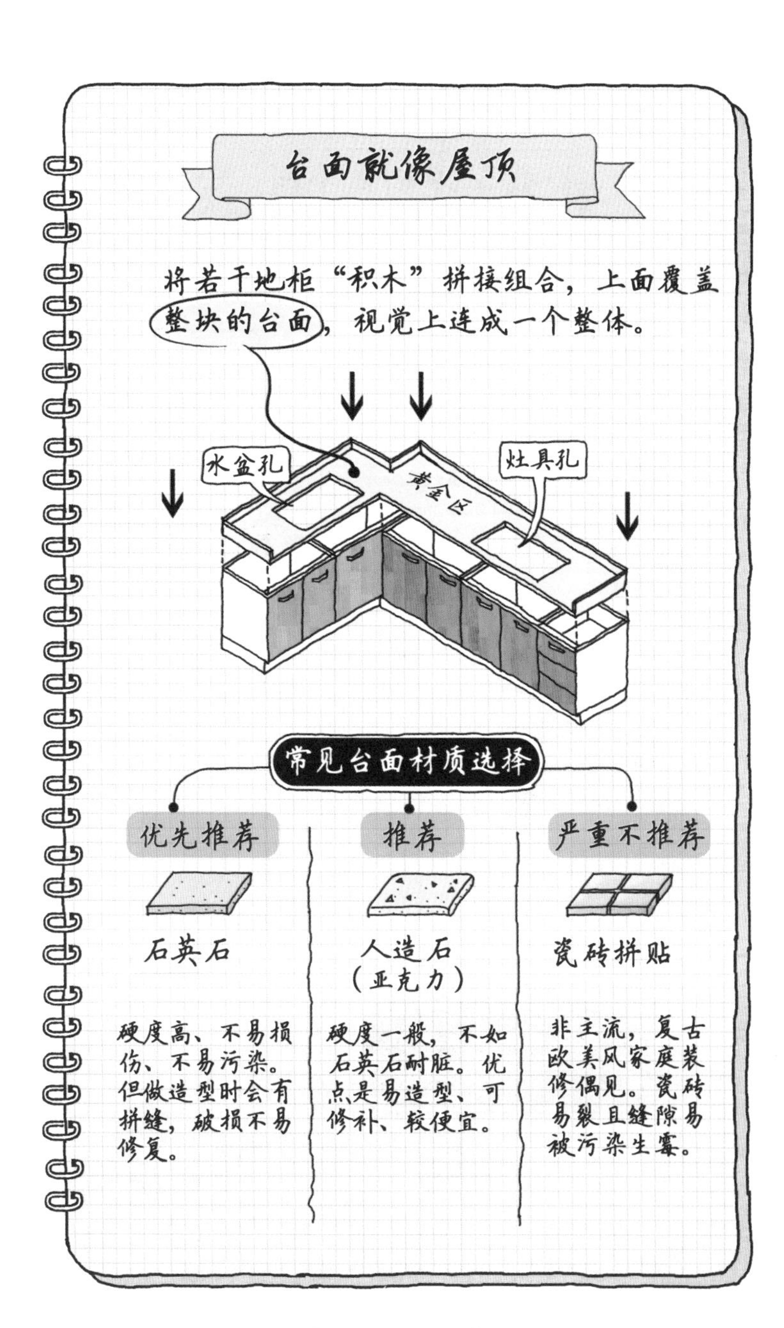
台面就像屋顶
将若干地柜"积木"拼接组合，上面覆盖整块的台面，视觉上连成一个整体。
水盆孔
黄金区
灶具孔
常见台面材质选择
优先推荐
推荐
严重不推荐
石英石
人造石（亚克力）
瓷砖拼贴
硬度高、不易损伤、不易污染。但做造型时会有拼缝，破损不易修复。
硬度一般，不如石英石耐脏。优点是易造型、可修补、较便宜。
非主流，复古欧美风家庭装修偶见。瓷砖易裂且缝隙易被污染生霉。

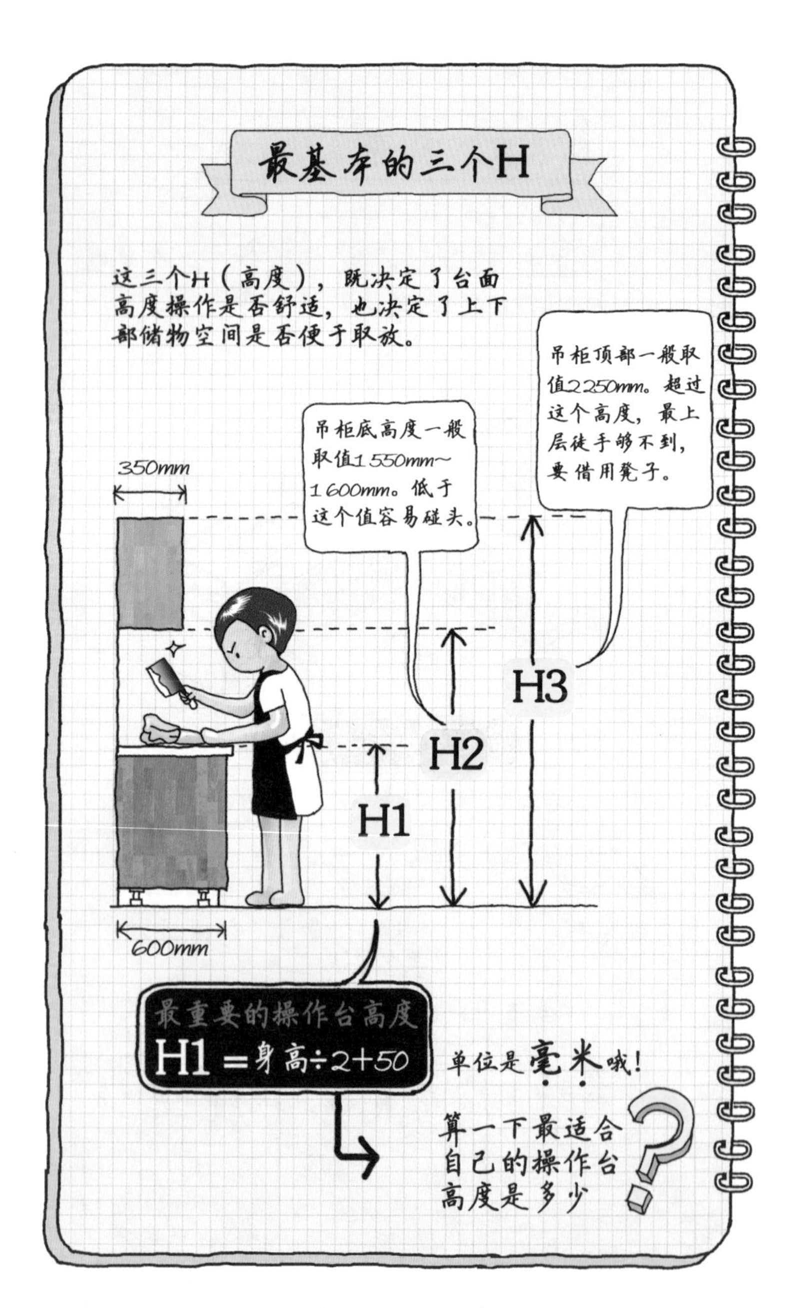
最基本的三个H
这三个H（高度），既决定了台面高度操作是否舒适，也决定了上下部储物空间是否便于取放。
吊柜顶部一般取值2250mm。超过这个高度，最上层徒手够不到，要借用凳子。
吊柜底高度一般取值1550mm～1600mm。低于这个值容易碰头。
350mm
H3
H2
H1
600mm
最重要的操作台高度
H1 =身高÷2+50
单位是毫米哦！
算一下最适合自己的操作台高度是多少

第四个特殊的H
如前所述，橱柜本是舶来品，故而很多细节的考量都源自西方人的烹饪习惯，比如灶台高度（H4）：
常规而言，是与操作台高度（H1）相同的，在一个水平面。对于以平底煎锅为主要锅具的西餐而言，这没什么问题。但中式炒锅的把手位置比煎锅高出50mm，且近几年高档炒锅越来越厚实沉重，非常考验个子不高女性的腕力！
降下去
H4
有条件的情况下，可以让H4比H1低80mm左右，做成局部不等高台面。炒菜就省力啦。
这种高低台面很好用，但工艺较复杂，费用会有所提升，还请自行斟酌。
H1
H4

精打细算很重要！
橱柜是家里的"大宗商品"，很容易就花出去一两万！为了省银子，绝不能忽视了它！
不值得花的钱，尽量不要被忽悠，拒做冤大头！
值得花的钱，有条件时要多花，好钢使在刀刃上！

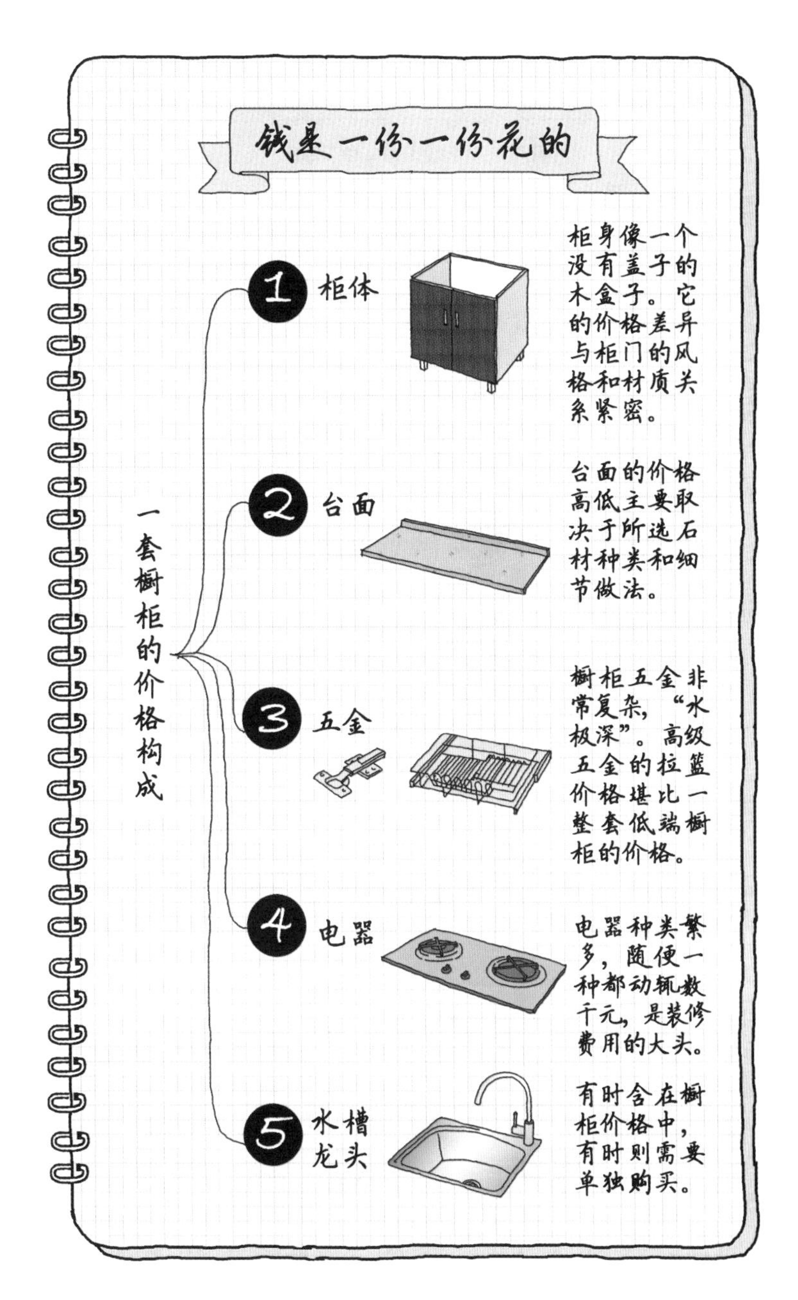
钱是一份一份花的
一套橱柜的价格构成
1 柜体
柜身像一个没有盖子的木盒子。它的价格差异与柜门的风格和材质关系紧密。
2 台面
台面的价格高低主要取决于所选石材种类和细节做法。
3 五金
橱柜五金非常复杂，“水极深”。高级五金的拉篮价格堪比一整套低端橱柜的价格。
4 电器
电器种类繁多，随便一种都动辄数千元，是装修费用的大头。
5 水槽龙头
有时含在橱柜价格中，有时则需要单独购买。

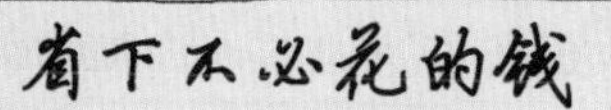

下图的橱柜第一眼看起来很正常吧？

其实，这是我的“不必花钱专辑”！

这些经验源自过去10年精装修工作经验的积累。历经一轮轮设计、一栋栋实施、一户户回访。每一条经验背后，我都曾付出过很大的代价。

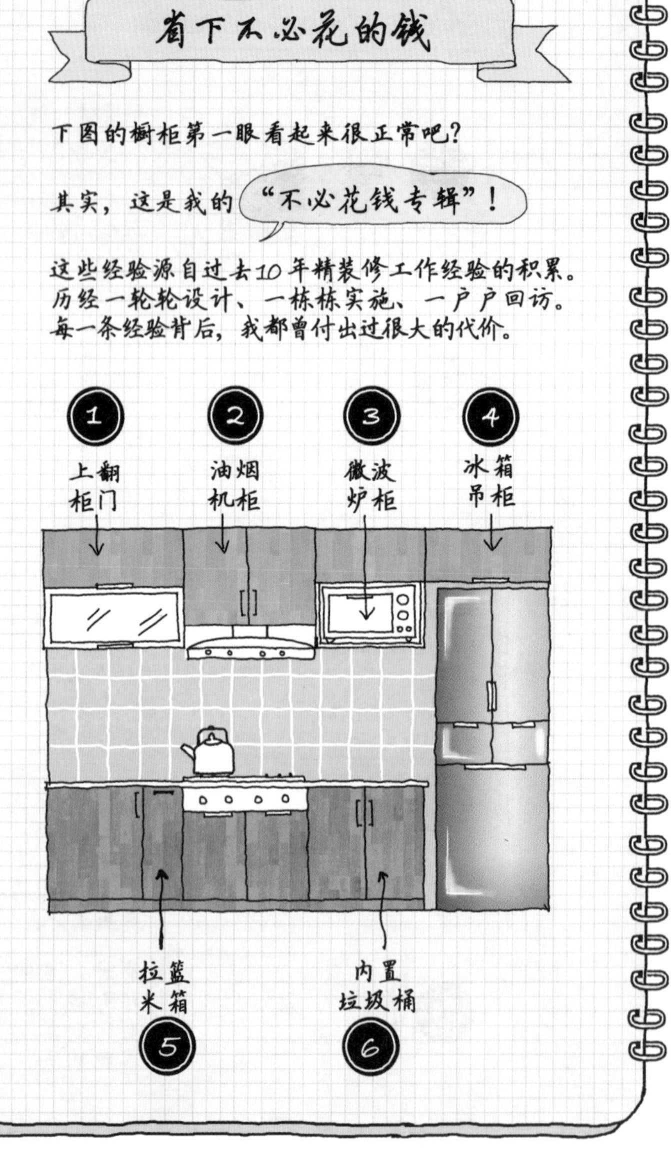

不推荐1：上翻柜门
上翻吊柜门，造型美观，横向设计独特，比平开门简洁时尚，所以设计师偏爱使用。
但打开之后，门把手高度将超过2100mm，普通女性踮脚都够不到柜门把手，因此实际利用率低。
H=2100mm
这种设计是想证明我矮吗？
踮脚！
So
建议采用最简单常见的平开门，性价比高、开关方便。

不推荐2：油烟机柜

上部吊柜之中，油烟机所占的宽度大约为800mm。

因为它会“打断”吊柜的布置，所以设计师往往喜欢利用它旁边的空隙，做成“油烟机柜”。表面看起来似乎是妙用空间的好方法，实际回访住户时才知道，这玩意儿完全是个**鸡肋**！

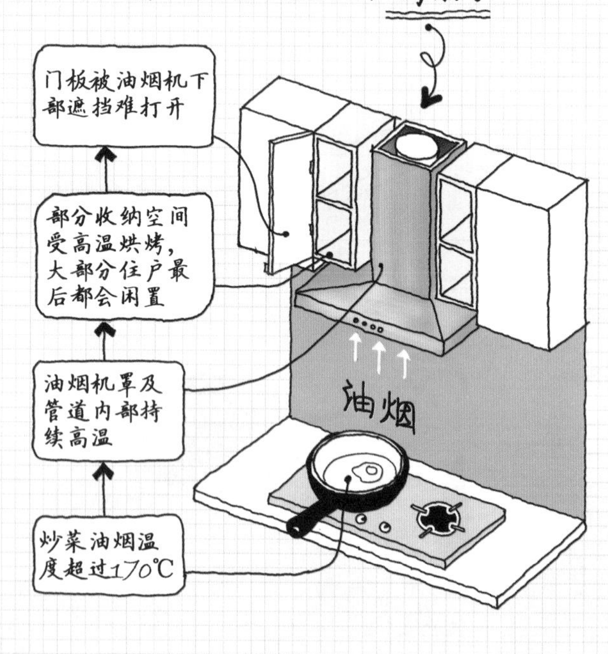

So

如果你不是“对齐强迫症”重度患者，那就干脆不要做油烟机柜啦。本就是鸡肋，弃之又何妨？

不推荐3：微波炉吊柜

不推荐理由

微波炉吊柜距地约1 550mm，对于普通身高的主妇而言，这个高度已经超过了水平视线，甚至高于头顶。如果使用微波炉加热带汤汁的食物，端到这样的高度而目光不可及，倾洒风险大。

同时，也会造成微波炉上方柜门偏高，开关困难。

So

推荐用L型微波炉支架，直接把微波炉固定于吊柜和地柜之间的墙面（图中位置A），这样微波炉距地高度1 100mm左右，非常适合拿取食物，且不占用吊柜容量。支架花费不过区区几十元。

推荐做法

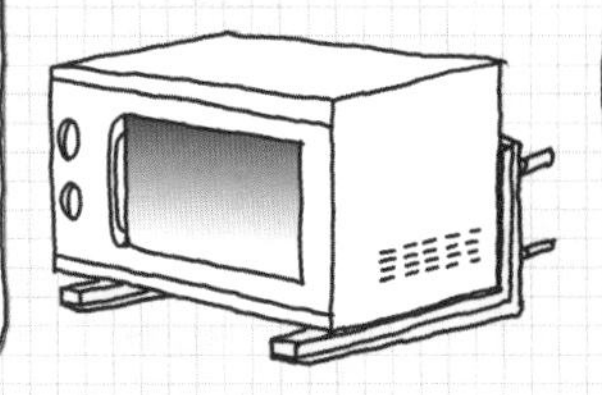

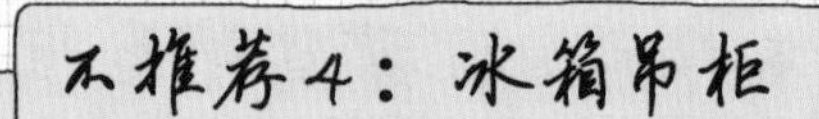

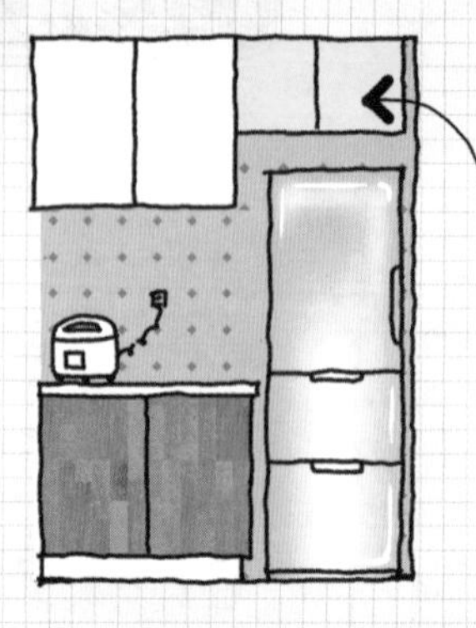

如果只看左图的话，你会不会觉得在冰箱上方打造黄色吊柜，是一个可以充分利用缝隙空间储物的

收纳良方？

冰箱上方吊柜，位于最高区，且被宽厚的冰箱挡住，根本无法以正常方式伸手触碰。实际使用效率极低，其实是

“垃圾空间”。

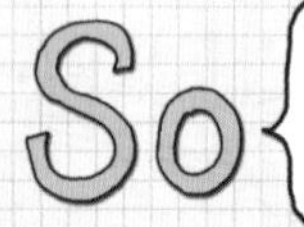

倘若你对橱柜的整体感没有近乎偏执的视觉要求，那冰箱吊柜这种冤枉钱，依我看不花也罢。

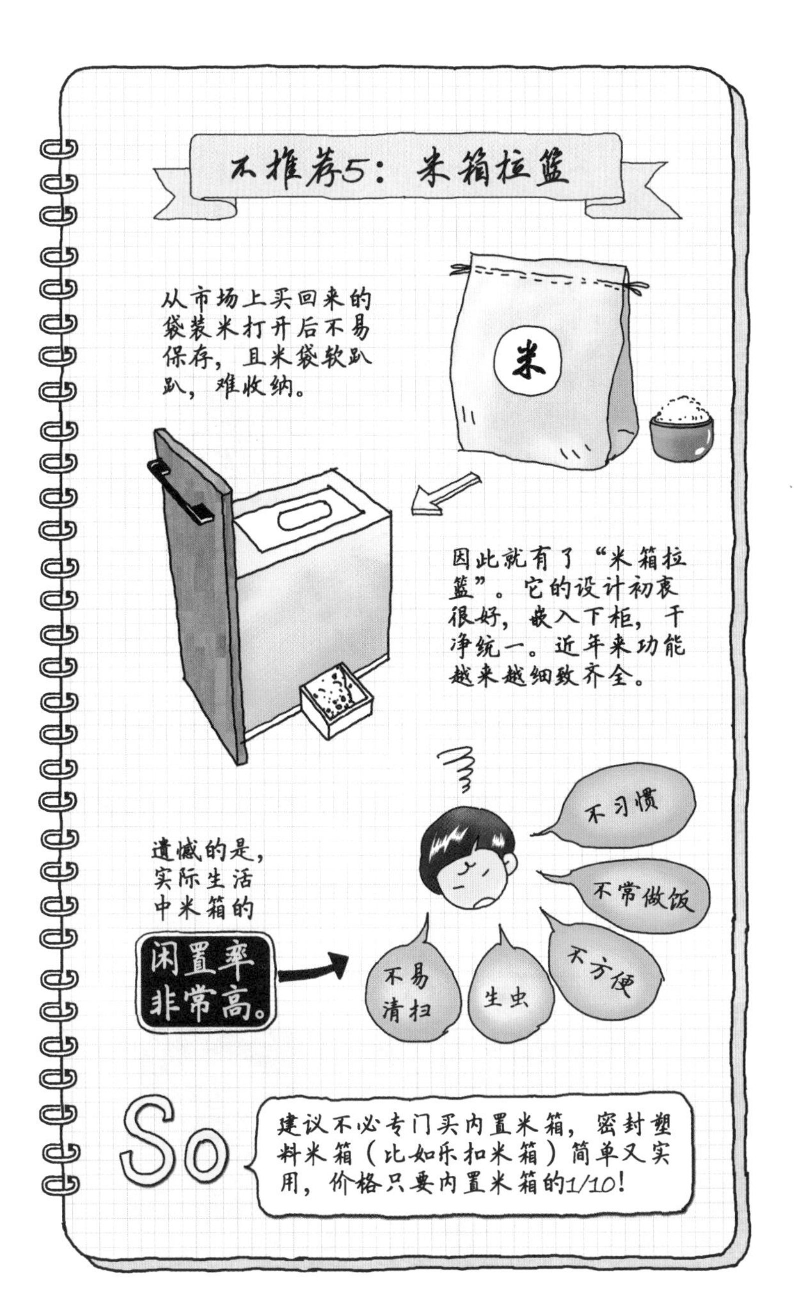
不推荐5：米箱拉篮
从市场上买回来的袋装米打开后不易保存，且米袋软趴趴，难收纳。
米
因此就有了"米箱拉篮"。它的设计初衷很好，嵌入下柜，干净统一。近年来功能越来越细致齐全。
遗憾的是，实际生活中米箱的
闲置率非常高。
不习惯
不常做饭
不方便
生虫
不易清扫
So
建议不必专门买内置米箱，密封塑料米箱（比如乐扣米箱）简单又实用，价格只要内置米箱的1/10！

不推荐6：内置垃圾桶
2005年，接手第一个精装修项目时，我曾到某高档住宅项目调研。其中一户业主安装了当时新潮的地柜内置垃圾桶。
飞！
我刚拉开地柜门准备拍照的瞬间，一只超大蟑螂直接飞出来！
扑到我身上!!
从那天起，每每听到"内置垃圾桶"这个词，我就会产生强烈的生理抵触！
呕!!

看了一大堆不推荐，接下来看看推荐款吧！
厨房是强调使用便利的强功能空间。为有价值的物品付出，会带给你等价的便利。该花咱就得舍得花！
好钢使在刀刃上

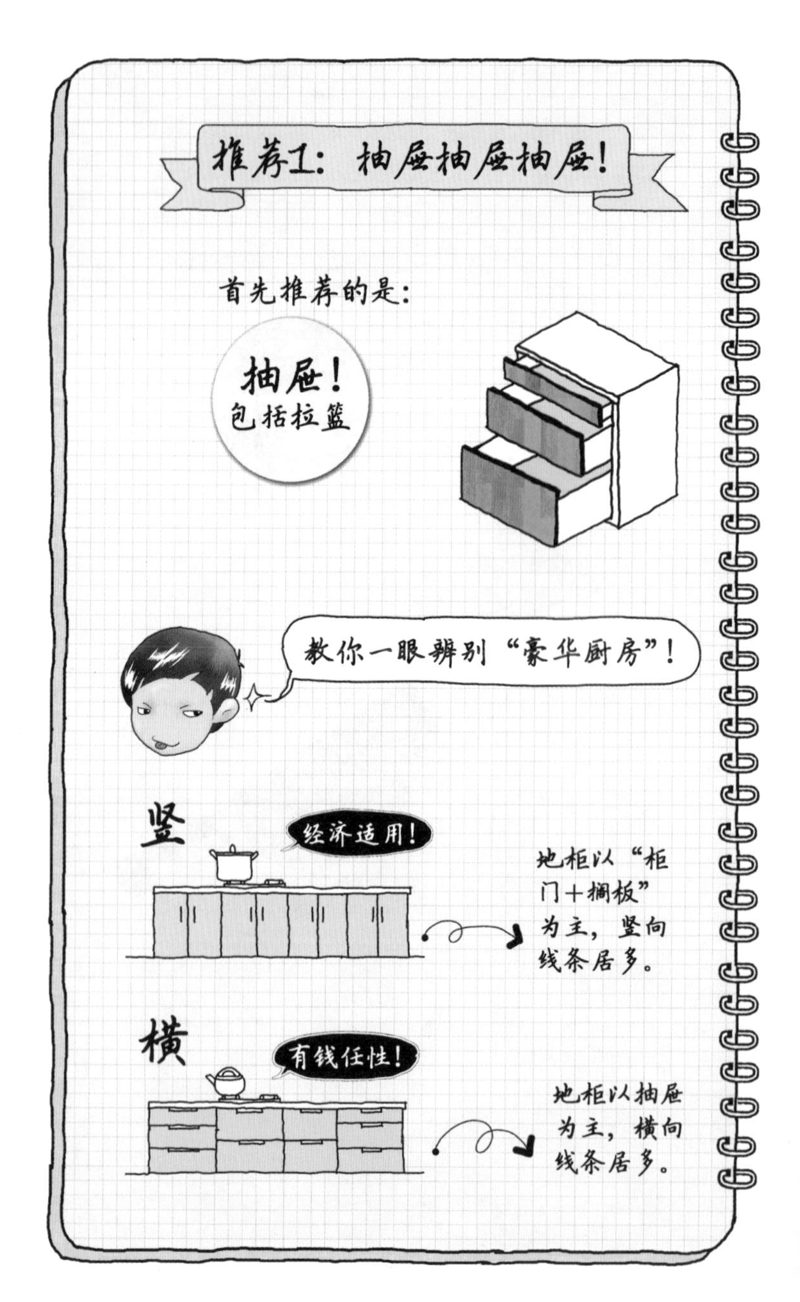
推荐1：抽屉抽屉抽屉！
首先推荐的是：
抽屉！
包括拉篮
教你一眼辨别“豪华厨房”！
竖
经济适用！
地柜以“柜门＋搁板”为主，竖向线条居多。
横
有钱任性！
地柜以抽屉为主，横向线条居多。

便利度对比试验
搁板式
VS
抽屉式
里面有啥
胜！
查看便利
拿东西必须蹲下，后排物品难够到。
胜！
取放便利
米
米

少量抽屉优化利用
抽屉确实好用！
但确实不便宜！
$
对于预算有限的普通居住者，
少量却高效的抽屉配置是关键。
黄金区
So
1. 争取配置2~3个抽屉；
2. 优先配置在黄金区；
3. 利用细分隔件优化
抽屉内部收纳。

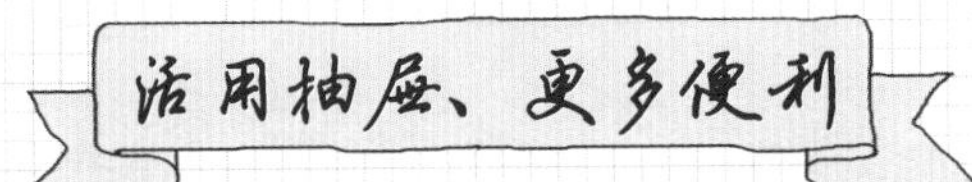

除了黄金区优先外，
抽屉还可以设置在
高频次动作区域和
狭窄分割的柜体区域。

举个例子：

我家的橱柜在靠近冰箱的位置，有一段宽度300mm的柜体空间。这里如果采用普通柜门，则外窄内深，不便使用。所以，我采用了3个小抽屉替代柜门。

300mm

由于其位置靠近冰箱，小抽屉可放置保鲜膜之类的小物件，用的时候非常顺手。

每天频繁使用的放上层抽屉，偶尔使用的放下层抽屉。

下

·不常用的
小型工具

中

·乐扣盒
·封口夹

上

·保鲜膜
·烘焙纸

推荐2：新型电器

消毒柜

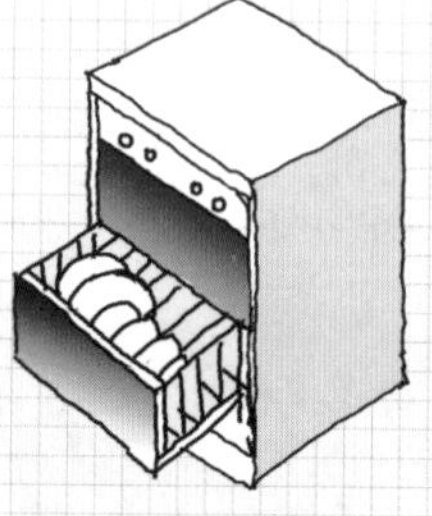

2000元左右

入户访谈时有些住户觉得消毒柜没什么用，这话真令人吃惊！
由于高层楼宇结构，蟑螂往往是串通全楼的。
我家使用消毒柜多年，觉得很好用。光洁的碗筷使用起来绝对不是有水渍的那些可比的哦！

洗碗机

有条件的可考虑将消毒柜升级为洗碗机（兼有消毒功能）。之后就再也不用烦恼两口子谁洗碗的问题了。
洗碗当然要用水，所以千万记得提前预留进水口以及排水口哦！

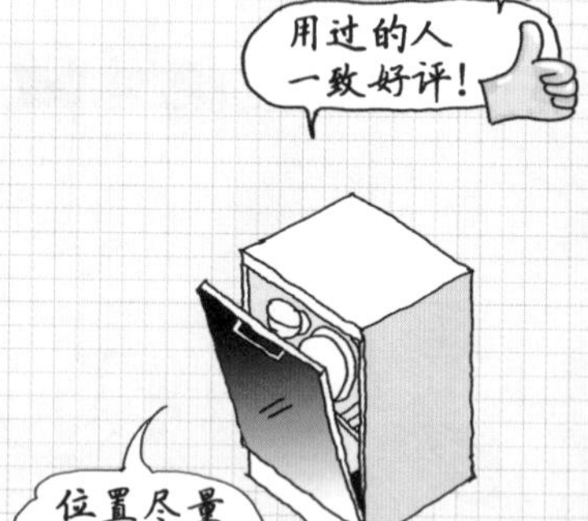

4000元左右

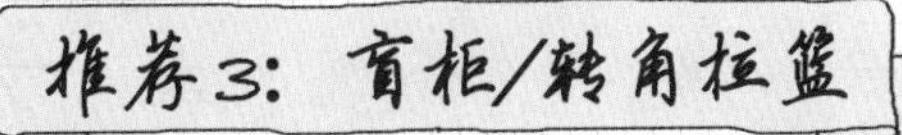

凡是采用L型或U型台面，在直角位置会自然产生盲柜/转角柜：

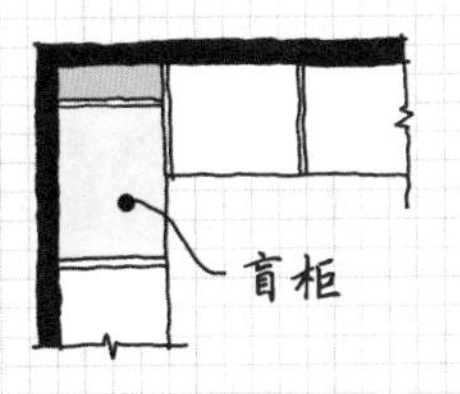

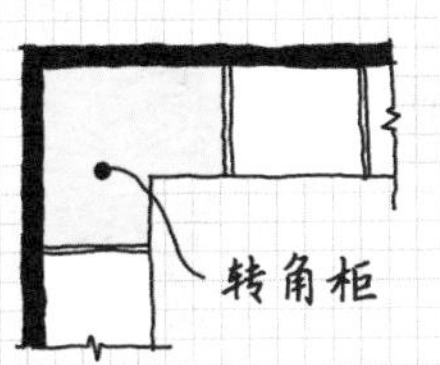

橱柜设计的一大难题就是如何利用好死角。

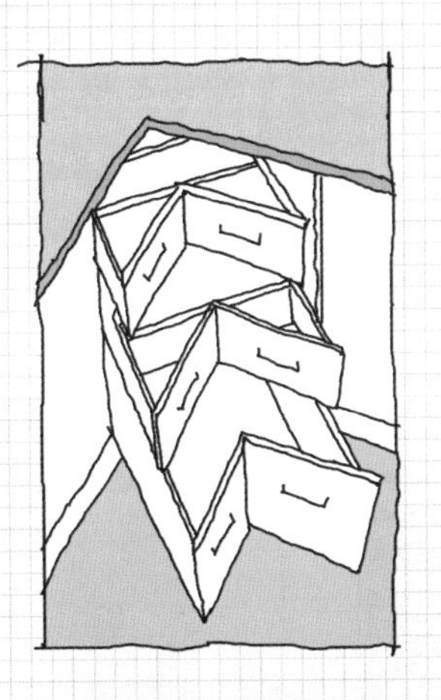

你也许在网络上看过左图这样的三角抽屉吧？

其实这种做法并不真的好用。一方面，三角形空间实际收纳效果很差，更放不了大件锅具；另一方面，其工艺异常复杂。所以，很少有厂商这么做。

有效的做法是采用下页的拉篮

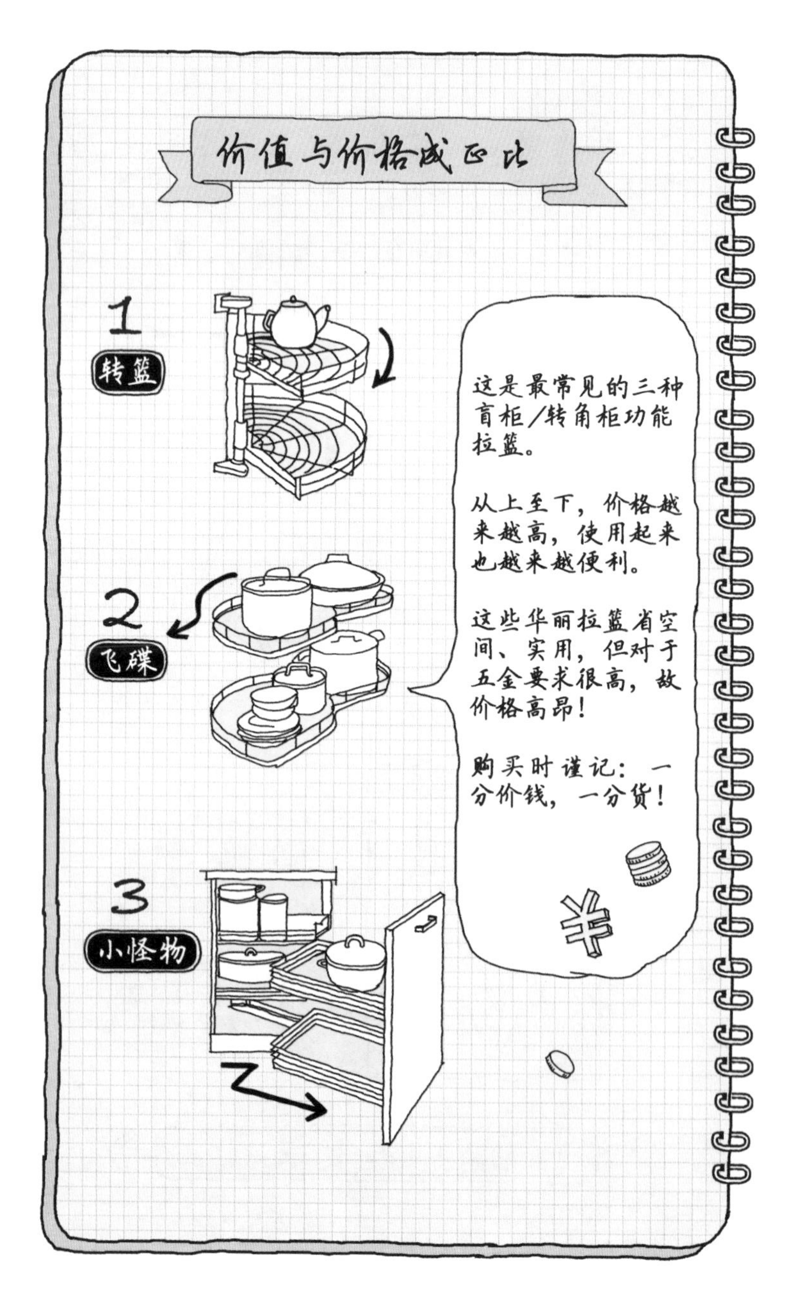
价值与价格成正比
1
转篮
2
飞碟
3
小怪物
这是最常见的三种盲柜/转角柜功能拉篮。
从上至下，价格越来越高，使用起来也越来越便利。
这些华丽拉篮省空间、实用，但对于五金要求很高，故价格高昂！
购买时谨记：一分价钱，一分货！
¥

推荐4：吊柜底灯

天花板顶灯

吊柜底灯

秒懂了吧？

亮

挥

随着LED的普及，柜底灯具越来越薄。洗菜切菜后湿手不必摸开关，挥手即可感应点亮！

价格不高，作用很大！

柜底灯具有电线式和电池式两种。有条件的话，尽量预留电位，采用前者。后者简单但不耐用。

推荐5：水槽周边

水槽是厨房日常使用最频繁的区域。
这里推荐几款基本产品：

高抛龙头

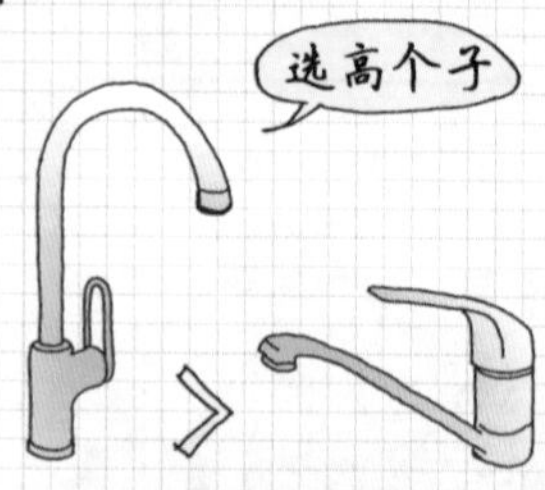

已经十分主流，但偶尔还见到有住户安装低型龙头，洗锅时龙头可能会碍事，注意优先选择高抛型。

净水器孔

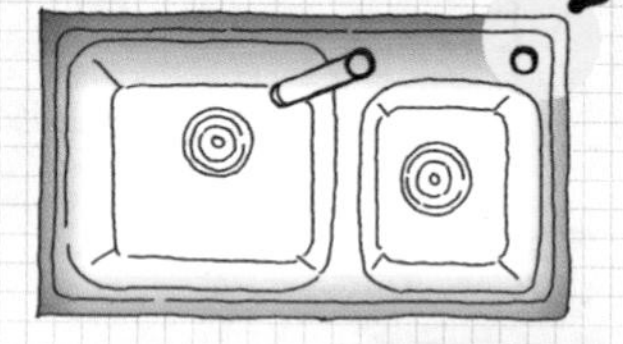

选择安装净水器的家庭越来越多，水盆自带孔位（一般称为给皂器孔）会省去台面后期打孔的麻烦。

沥水筐篮

水槽旁如果没有空间预留300mm的“银二区”，那么水槽用沥水篮会比单独的沥水架更节约空间。

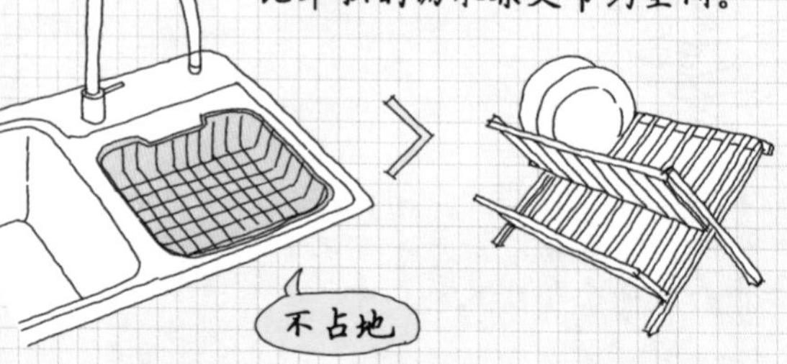

推荐6：台面细节

台面材质选择，必须考虑耐污易清洁的。
无论选择石英石还是人造石，都尽量不要挑选过浅的纯色。麻质感、颗粒感的米色或灰色是台面首选。

细节方面，值得略花一点心思和小钱。
对于渗水和柜体保护，会有很好的效果。
下面以人造亚克力石为例说明：

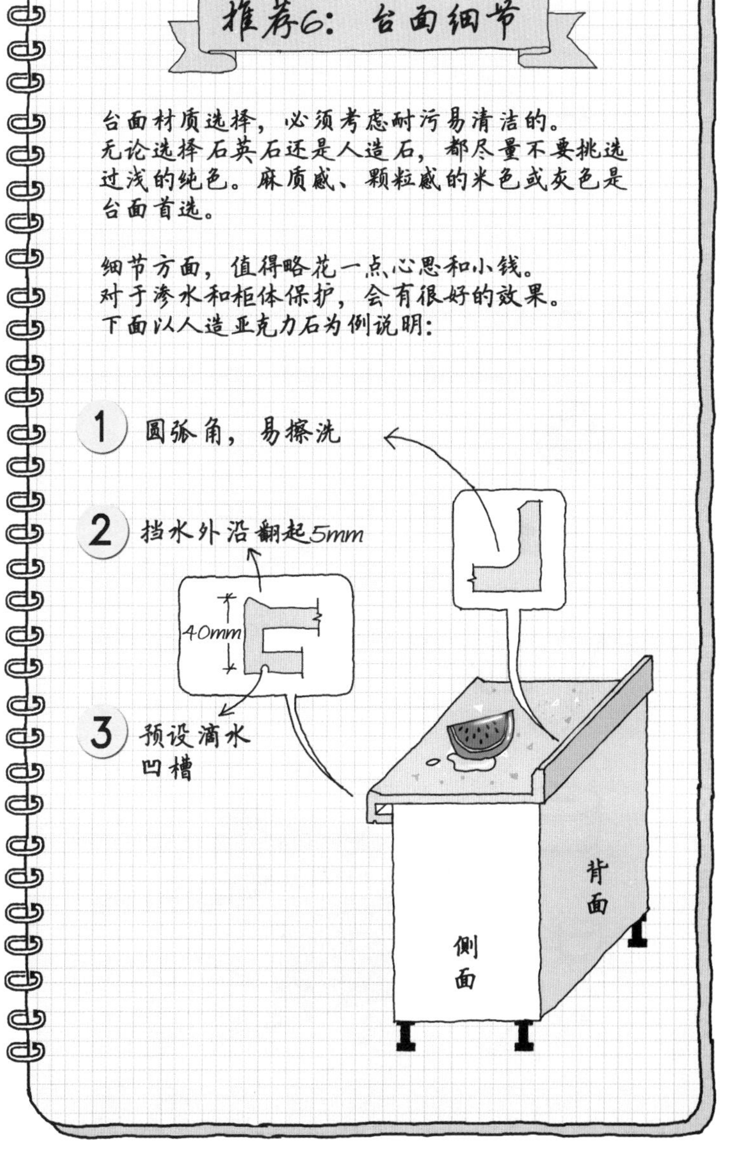

接下来，我们该如何用好
一套橱柜，实现最大的储
物量和最便捷的取放呢？
3
第三步：
高效收纳

收纳的前提条件

厨房不只是食品和工具的仓库，更是享受烹饪和美食，让心情舒缓的空间。

以当下的房价，区区一个小厨房也值5万~10万元，再加上昂贵的橱柜，更应该珍惜这寸土寸金的宝贵空间。

在我们开始动手收纳之前，务必先完成对厨房的清理。

没有用的物品要
坚决丢弃！

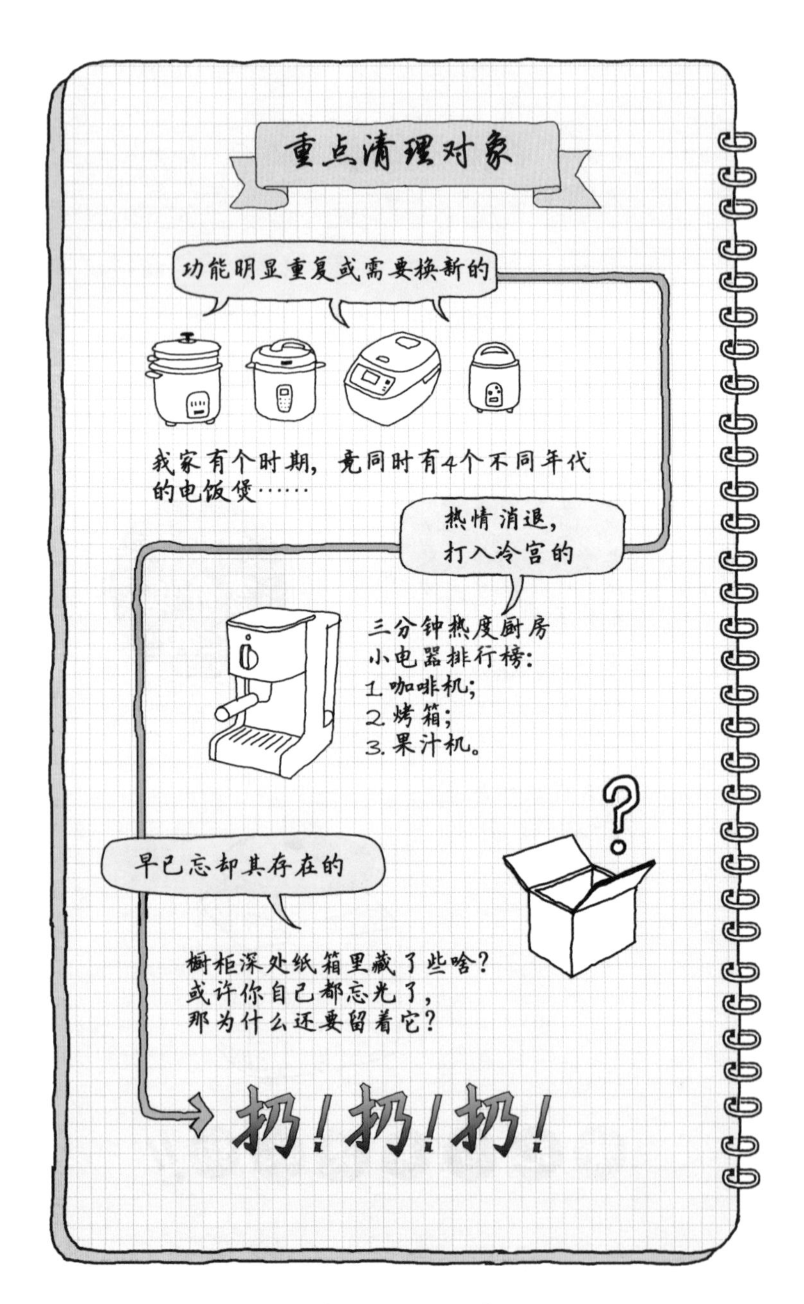
重点清理对象
功能明显重复或需要换新的
我家有个时期，竟同时有4个不同年代的电饭煲……
热情消退，打入冷宫的
三分钟热度厨房小电器排行榜：
1. 咖啡机；
2. 烤箱；
3. 果汁机。
早已忘却其存在的
橱柜深处纸箱里藏了些啥？
或许你自己都忘光了，
那为什么还要留着它？
扔！扔！扔！

三级“收纳”载体

厨房的收纳载体，一共分三级：

大 空间

台面
台面
走道
台面

中 橱柜

小 收纳件

盒子
袋子
瓶罐
钩子
……

高效收纳的关键在于这三级收纳载体的紧密配合以及物品的科学分配。

物品的空间分配
锅碗瓢盆、柴米油盐，
该一一放置在何处？
2250mm
吊柜上层
吊柜下层
轻
1550mm
中心区
常
850mm
地柜上层
地柜下层
重
80mm
先记住这张图，下文逐一道来~

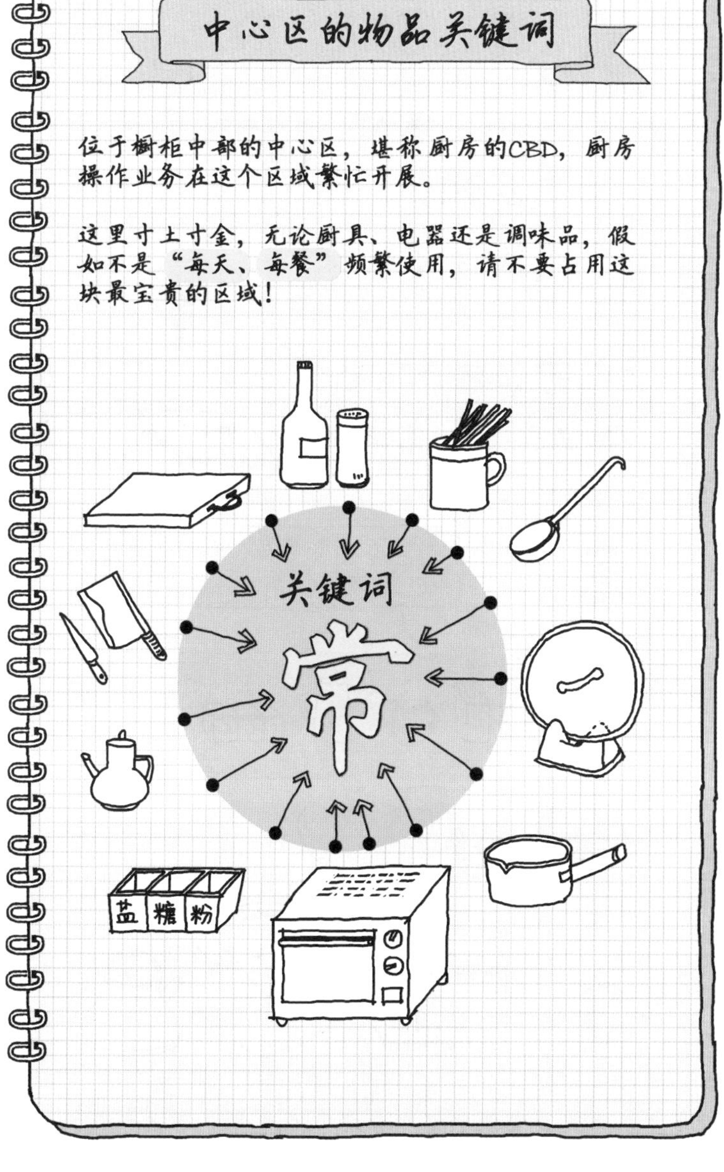
中心区的物品关键词
位于橱柜中部的中心区，堪称厨房的CBD，厨房操作业务在这个区域繁忙开展。
这里寸土寸金，无论厨具、电器还是调味品，假如不是“每天、每餐”频繁使用，请不要占用这块最宝贵的区域！
关键词
常
盐
糖
粉

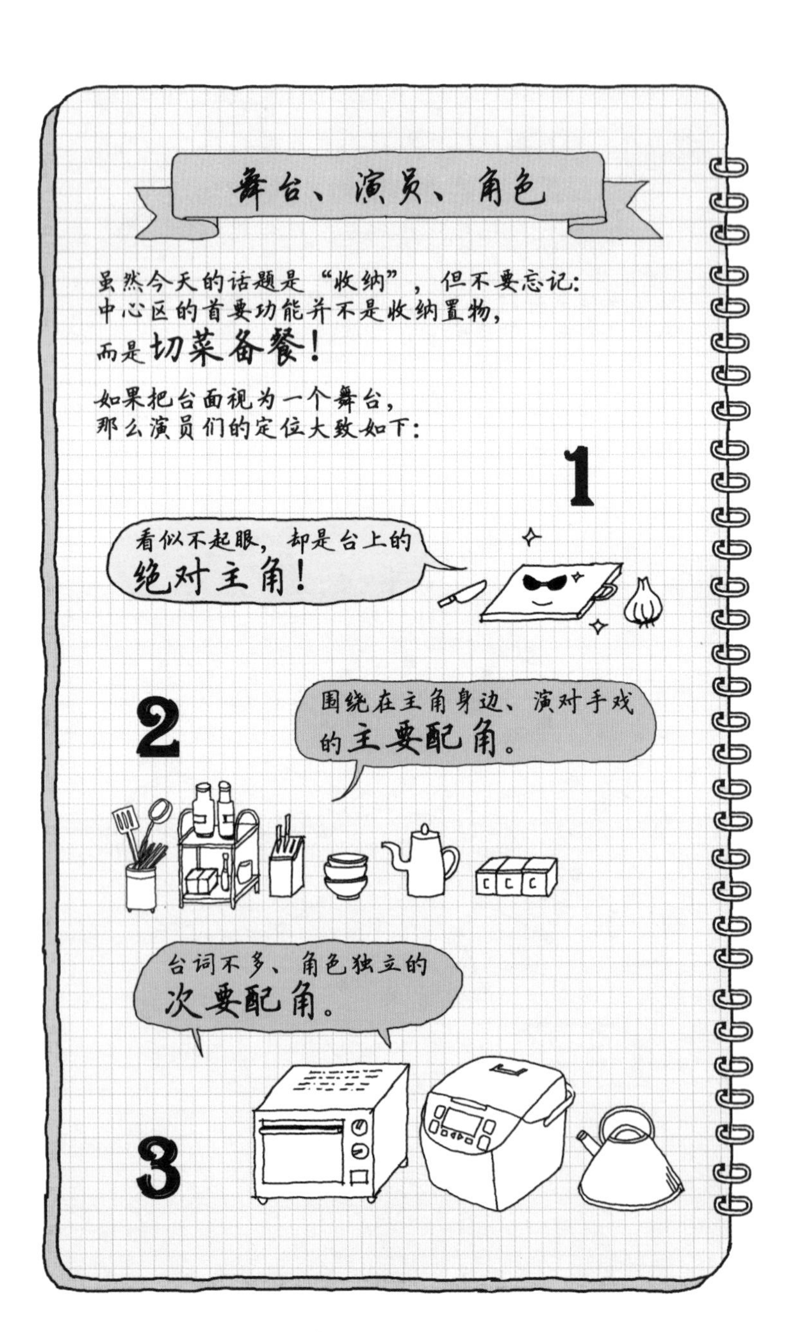
舞台、演员、角色
虽然今天的话题是“收纳”，但不要忘记：
中心区的首要功能并不是收纳置物，
而是切菜备餐！
如果把台面视为一个舞台，
那么演员们的定位大致如下：
1
看似不起眼，却是台上的
绝对主角！
2
围绕在主角身边、演对手戏
的主要配角。
台词不多、角色独立的
次要配角。
3

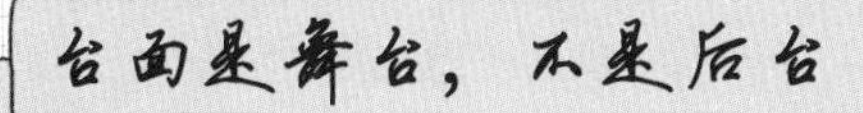

台面是舞台，不是后台

如果不分主次，所有演员一拥而上，本就狭窄的舞台就会更加拥挤不堪，如同后台一样凌乱！

于是，可怜的主角——砧板君，如同被一大堆群众演员抢戏的电影主演一样，被挤得连立锥之地都没有啦！>_<

夹缝中求生存的砧板君

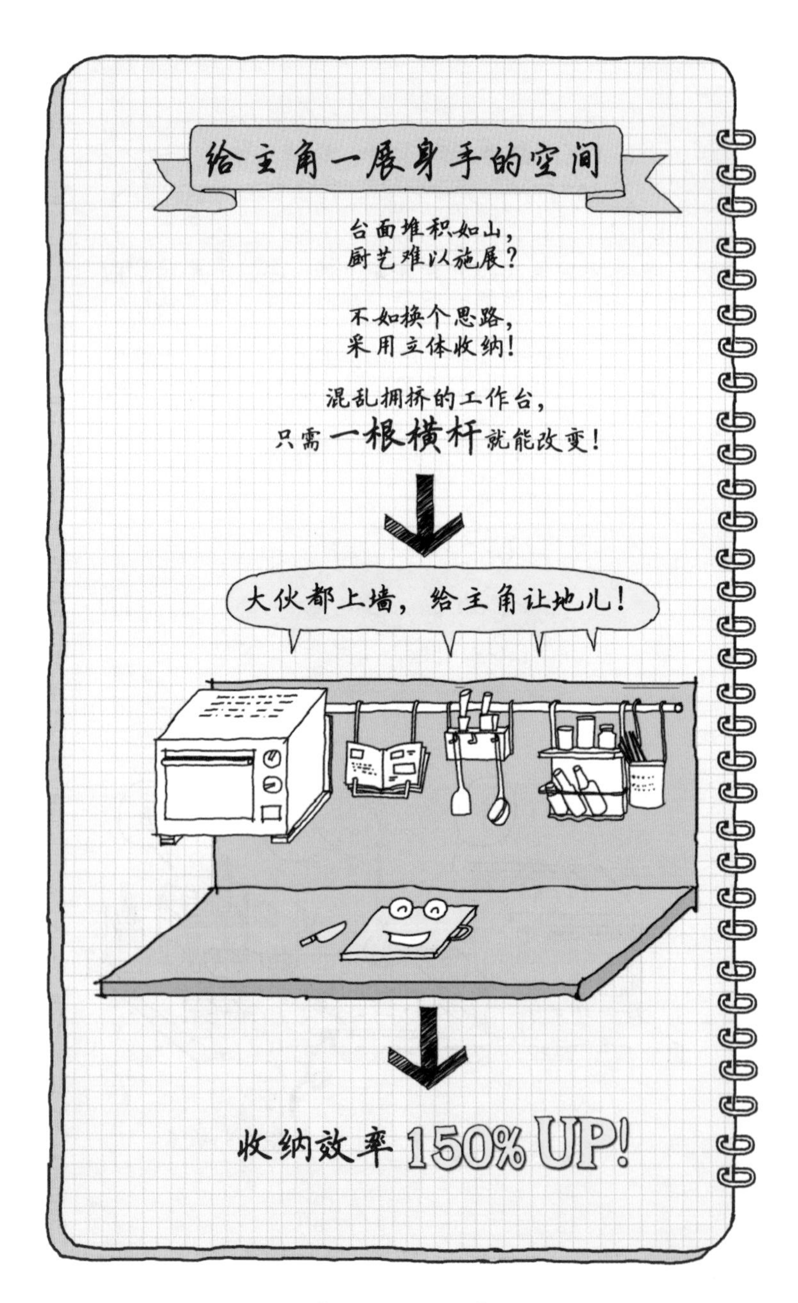
给主角一展身手的空间
台面堆积如山，
厨艺难以施展？
不如换个思路，
采用立体收纳！
混乱拥挤的工作台，
只需一根横杆就能改变！
大伙都上墙，给主角让地儿！
收纳效率 150% UP!

颤抖吧，台上杂物！
因此，中心区的关键收纳载体是——
杆子！
活用墙面空间——立体收纳的秘密武器

杆子与钩子

“杆子”是统称，实际有各种不同的外观，它们的基本使用方式都是利用S钩悬挂物件。

墙面明装

非常常见，比如宜家就有种类非常丰富的明装挂杆系统。其优点是简单、实用、便宜，缺点是必须在瓷砖打孔、采用“膨胀胶塞+螺丝”安装。打孔这个心理障碍一定要克服！千万不要偷懒采用粘钩或吸盘，它们迟早会不堪重物掉下来！

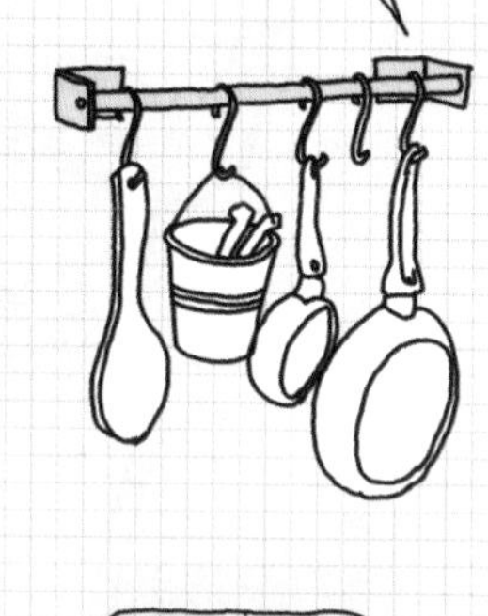

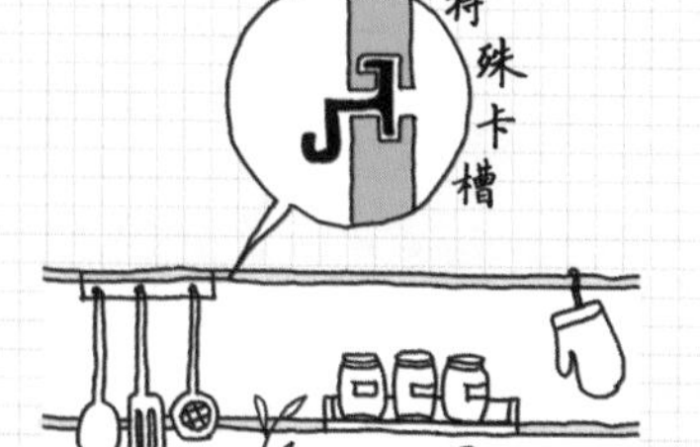

墙面暗装

常见于高端进口整体厨房，相当于在壁面非瓷砖材料中嵌入暗槽，配套各种专用挂件。优点是整洁简明、无须打孔；缺点是国内尚未普及使用、后期无法更换。

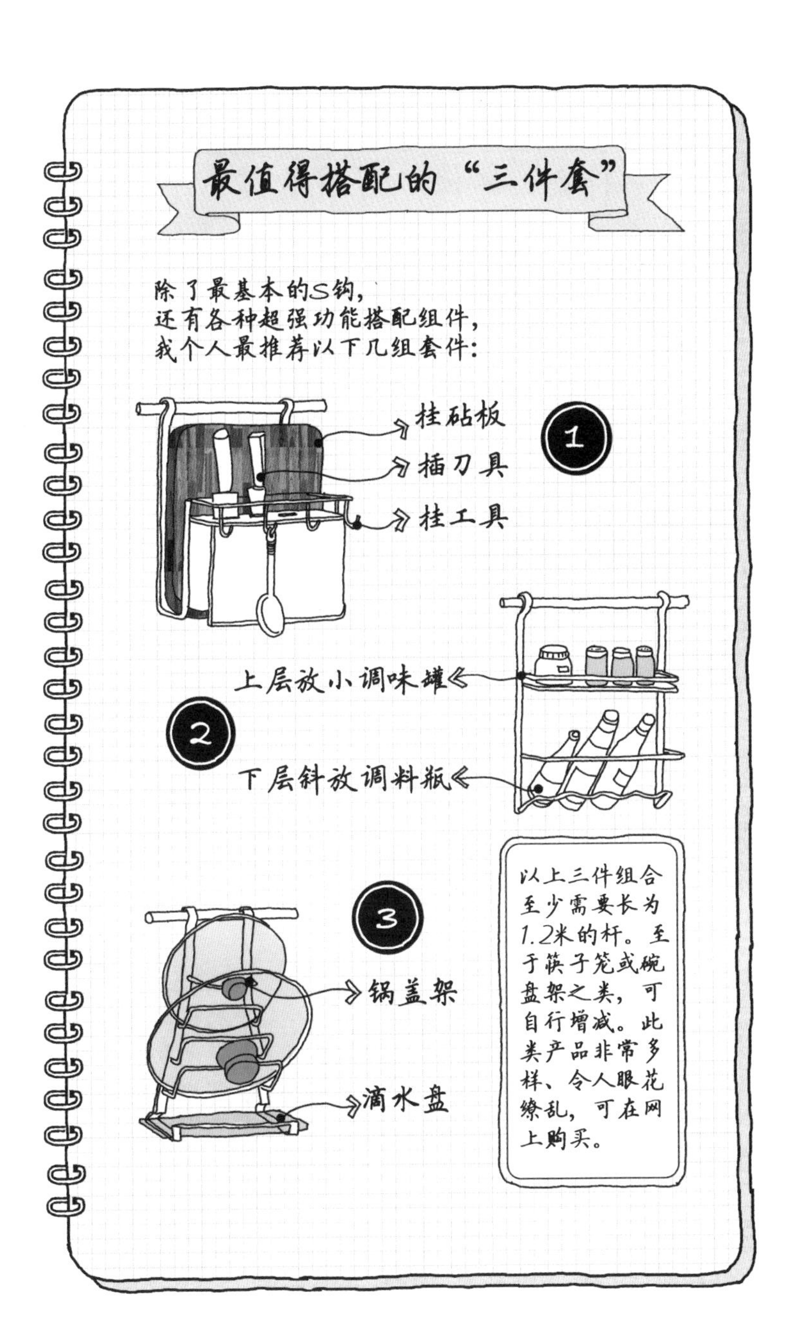
最值得搭配的"三件套"
除了最基本的S钩，
还有各种超强功能搭配组件，
我个人最推荐以下几组套件：
挂砧板
插刀具
挂工具
1
上层放小调味罐
2
下层斜放调料瓶
3
锅盖架
滴水盘
以上三件组合至少需要长为1.2米的杆。至于筷子笼或碗盘架之类，可自行增减。此类产品非常多样，令人眼花缭乱，可在网上购买。

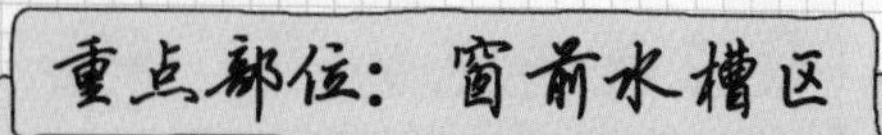

重点部位：窗前水槽区

水槽区常位于窗前，是厨房的重点操作区域。这里有不少物品常是半湿状态，难以收纳。如果在此处利用挂杆，问题便迎刃而解！

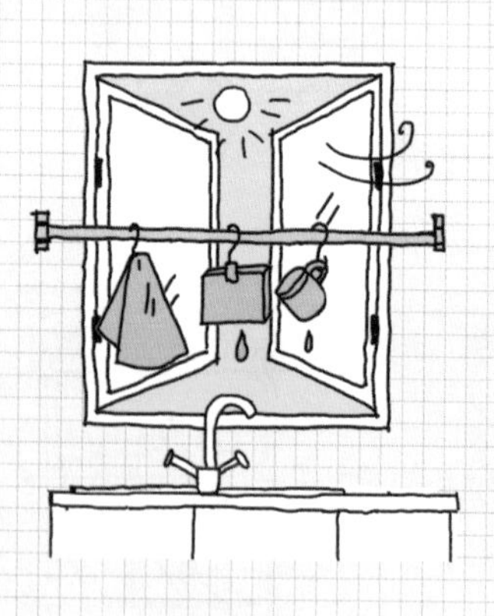

比如，跨越窗户安一根横杆，就可以把抹布、洗碗巾之类的洗涤物品，统统挂起来，很快就会晒干，不用担心细菌滋生，十分清爽。

我家的实景：

或者，当窗户距离台面较远时，可在二者之间加一根横杆。挂几个塑料小篓，放常用工具和洗涤用品。

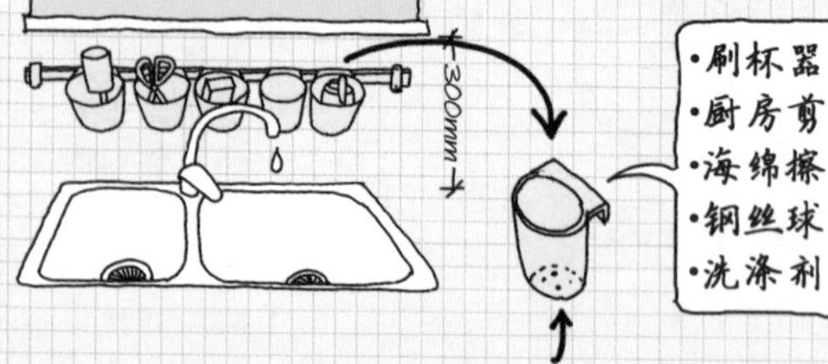

- 刷杯器
- 厨房剪
- 海绵擦
- 钢丝球
- 洗涤剂

宜家的塑料收纳小容器

遇到特殊情况学会变通

Q: 受到各种条件限制，没法儿在瓷砖上打孔怎么办？

A: 推荐以下两种做法：

1 吊柜底装杆

有时，厨房实体墙面很短，吊柜很长，此时将挂杆安装在吊柜底部，也是一种变通做法，但不宜挂过重物品。

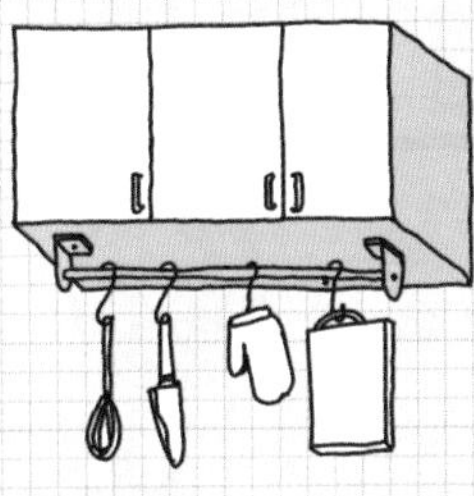

2 采用伸缩杆

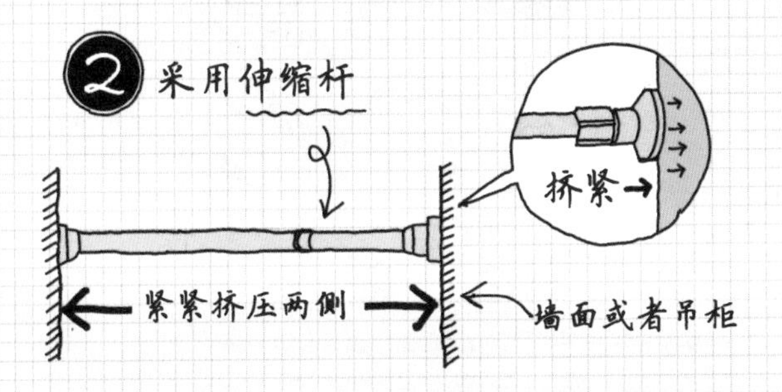

伸缩杆是靠物理原理挤压侧墙，虽然构造简单，但远比粘钩或吸盘牢靠得多！

我家厨房局部安装了一根1 800mm长的伸缩杆，每天悬挂砧板等重物，从未掉落——当然，为安全起见，不要挂太沉的物品，更不可挂刀具！

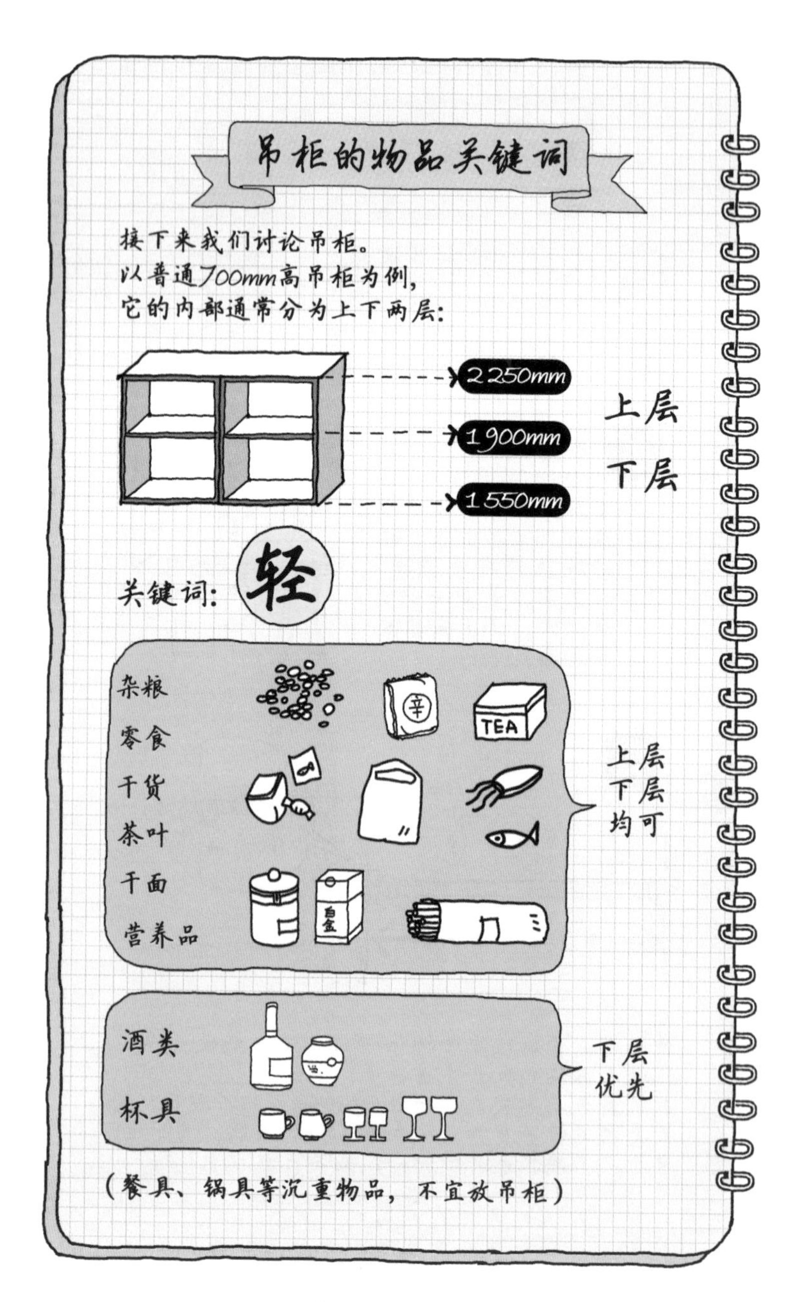

吊柜的物品关键词
接下来我们讨论吊柜。
以普通700mm高吊柜为例，
它的内部通常分为上下两层：
2250mm
1900mm
1550mm
上层
下层
关键词：轻
杂粮
零食
干货
茶叶
干面
营养品
辛
TEA
上层下层均可
酒类
杯具
下层优先
（餐具、锅具等沉重物品，不宜放吊柜）

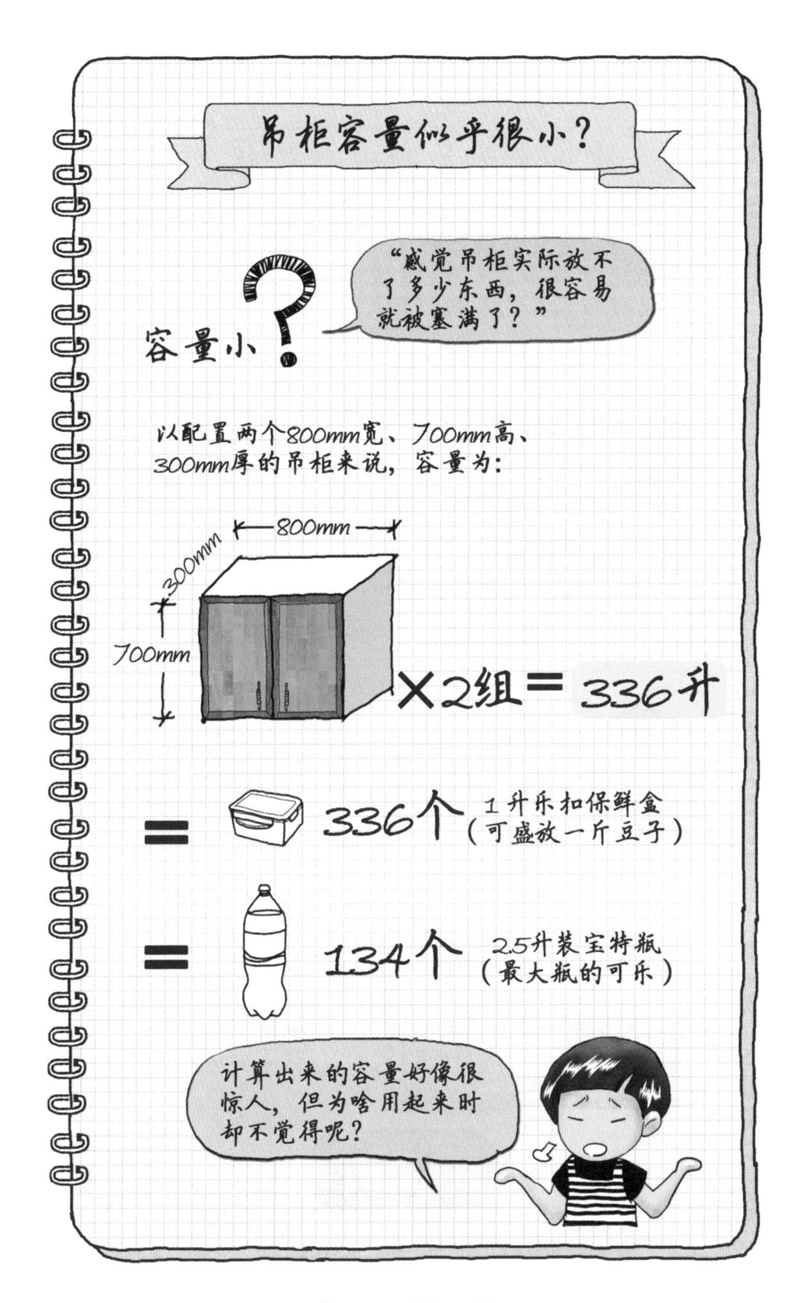
吊柜容量似乎很小？
容量小
“感觉吊柜实际放不了多少东西，很容易就被塞满了？”
以配置两个800mm宽、700mm高、300mm厚的吊柜来说，容量为：
800mm
300mm
700mm
×2组＝336升
＝336个 1升乐扣保鲜盒（可盛放一斤豆子）
＝134个 2.5升装宝特瓶（最大瓶的可乐）
计算出来的容量好像很惊人，但为啥用起来时却不觉得呢？

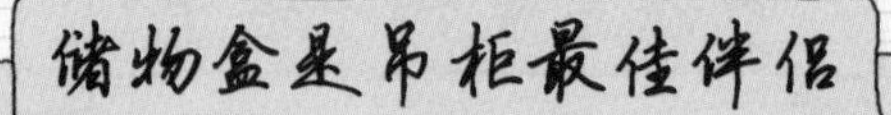

为什么会有这样的差距？
其实，症结在于没有用足吊柜的立体空间。
打开很多家庭的吊柜，景象是这样的：

黄色部分完全是浪费的！物品参差不齐地摊放在一起，无法用足吊柜空间。

正确方式是这样的

采用立方容器
实现立体收纳

将物品拆除原包装，装入统一规格的容器，有效使用立体空间，杜绝空间浪费。吊柜实际可用容量自然大增。

告别软趴趴的塑料袋！

照着这四点买，准没错

按下面的4条标准来挑储物盒，就保证不会买错！建议你选择好品牌，这样盒体材质更安全：）

绝不要只买孤零零的一个！最好配合柜体尺寸买一大套，大小高低可以组合得更好。考虑到摞放方便，盖子最好是平的。

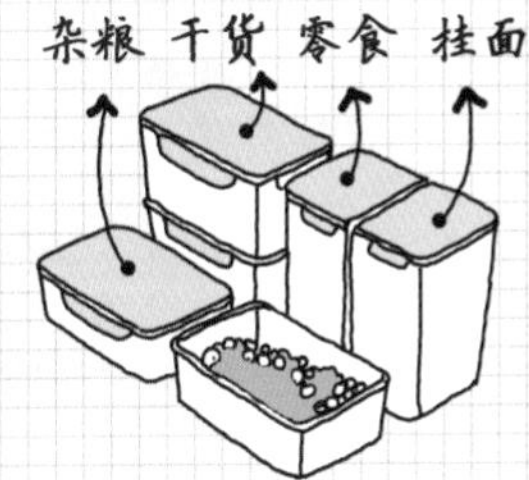

透明可视，即使不打开也能一眼明了内部食材的储备量。

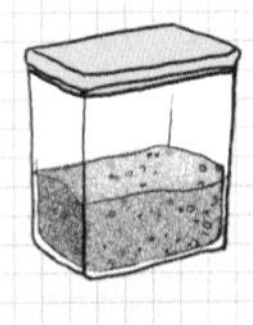

同样尺寸的长方形容器，比圆柱形容器空间利用率高出近1/3。

:

$= 4 : \pi$

密封性能好，有利于保护食材不受潮、不被氧化，因此盖子胶圈很关键。

吊柜上层收纳的突破口

与一伸手就能拿到深处物品的吊柜下层不同，吊柜上层的层板起始高度一般就有1900mm。

考虑到人站立位置受地柜宽度的影响，这个数值几乎是正常身高女性能抓取物品高度的上限。

换句话说，对于上层吊柜而言，层板最边缘的位置1，是最容易抓取的。
——这就是吊柜上层收纳的突破口！☆

位置3：看不见也够不着

位置2：看得见但拿不到

位置1：看得见又抓得到！

2250mm

吊柜上层

3 2 1

1900mm

吊柜下层

1550mm

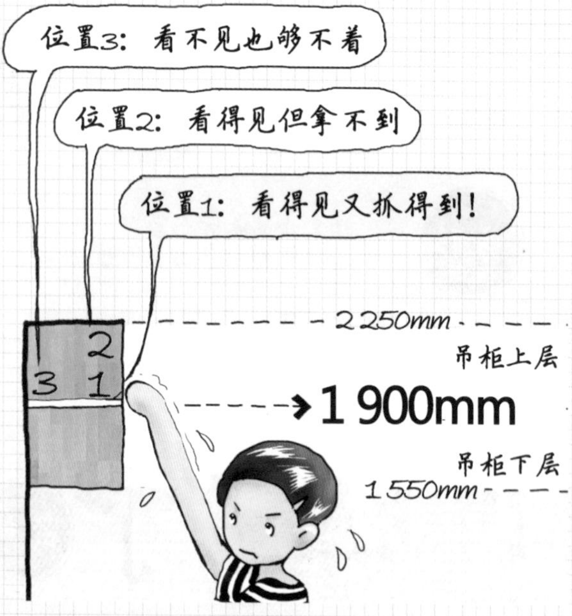

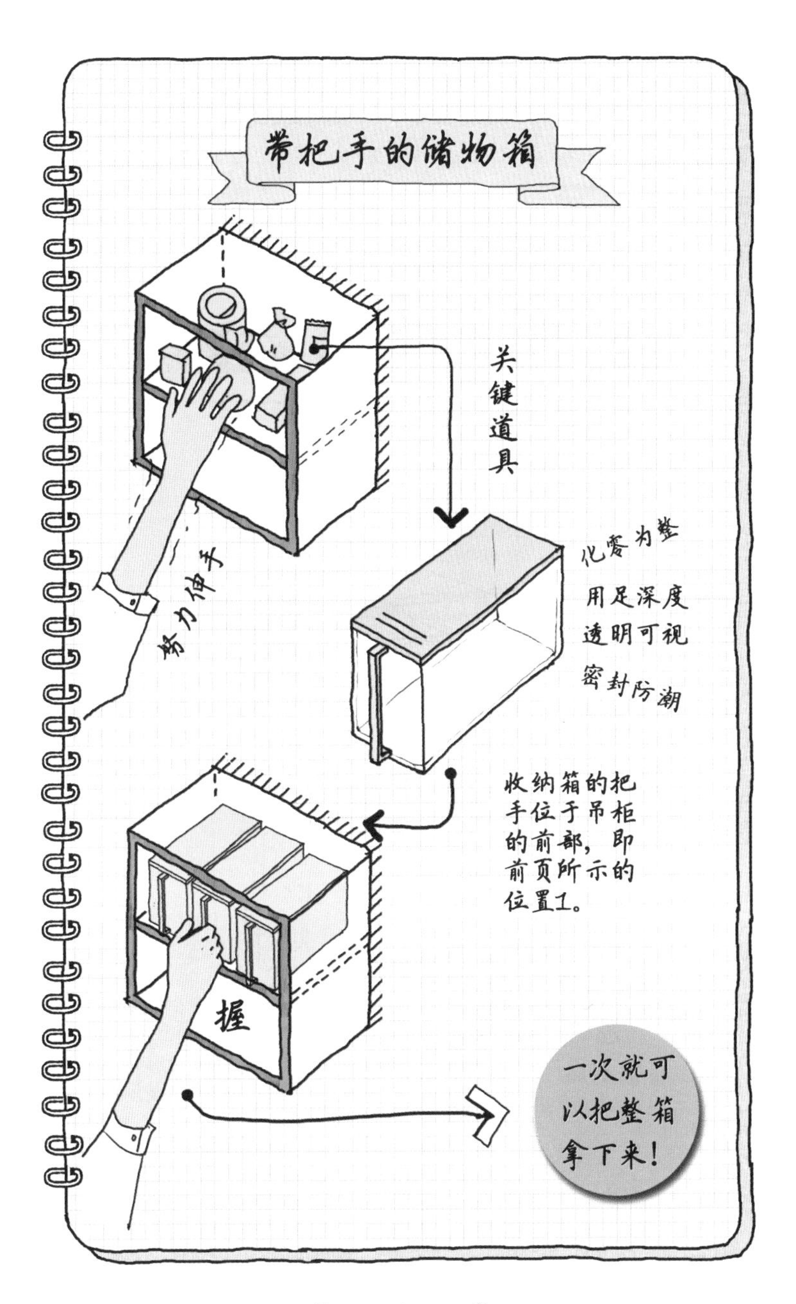
带把手的储物箱
关键道具
努力伸手
化零为整
用足深度
透明可视
密封防潮
收纳箱的把手位于吊柜的前部，即前页所示的位置1。
握
一次就可以把整箱拿下来！

吊柜的经典收纳

落实收纳三标准！

界面整洁　内容明了　取放便利

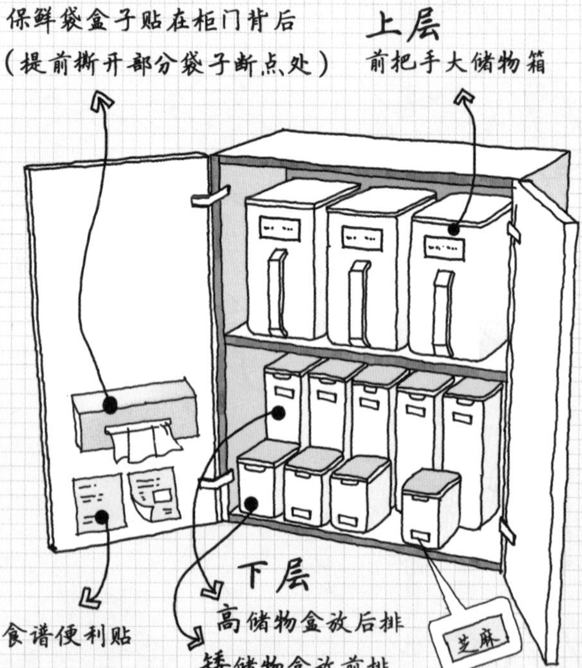

保鲜袋盒子贴在柜门背后
（提前撕开部分袋子断点处）

上层
前把手大储物箱

食谱便利贴

下层
高储物盒放后排
矮储物盒放前排

芝麻

（备注：盒子选取透明款。）

地柜的物品关键词
地柜的收纳关键词，
与吊柜刚好相反：
重
锅具
碗盘
备用调料
米、面、油
米
笨重大件
拿个东西真是
好麻烦啊～～
米

抽屉！还是抽屉！
还记得前面所讲的地柜抽屉
的好处吗？
一目了然
轻松拿取
米
对于沉重大件的地柜物品而言，
科学收纳的核心载体是：
抽屉！
有条件要用
抽屉，
没条件创造
条件也要用
抽屉！

发挥抽屉的真正实力

即使你有充足的预算，家里橱柜功能齐备，配置了许多抽屉，也并不等同于高效收纳。
你还需要激发它的真正实力：

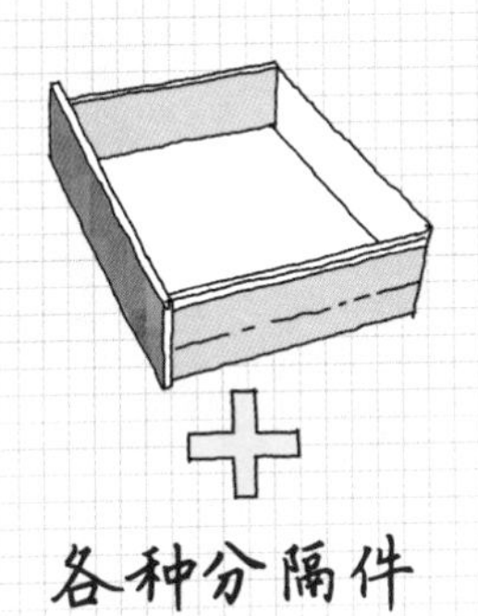

STEP1：
用隔件细分抽屉

＋

各种分隔件

·不同功能
·不同大小
·不同用途
·不同价位

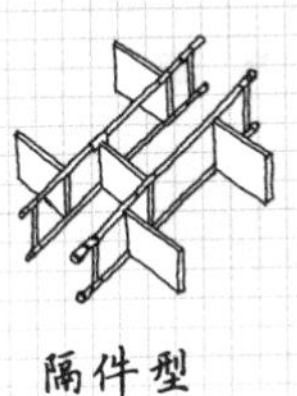

隔件型

筐篮型

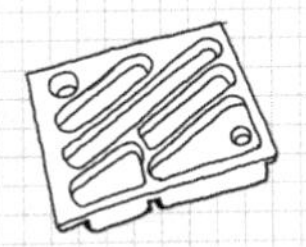

托盘型

＝

根据要收纳的物品大小，选择合适的细分隔件，将一个大抽屉分成若干小区域。

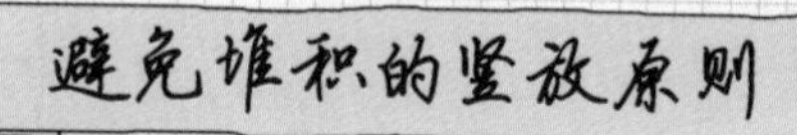

避免堆积的竖放原则

STEP2：

尽量竖着把物品放入

“竖放”——收纳的最最最基本技巧！

假设有五六个盘子裸放着，如果要取出黄色的，就要把上面的蓝色盘子都移开才行。

抽屉细分之后，竖着插入盘子不容易倒，这时任何一个盘子都可以直接拿出。

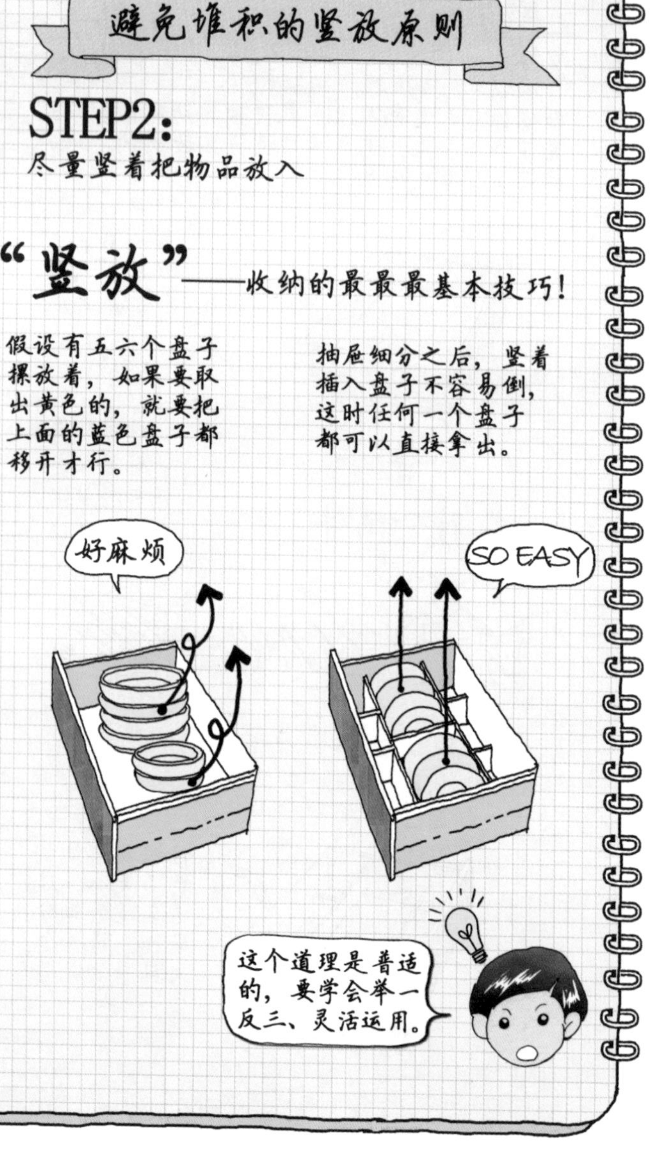

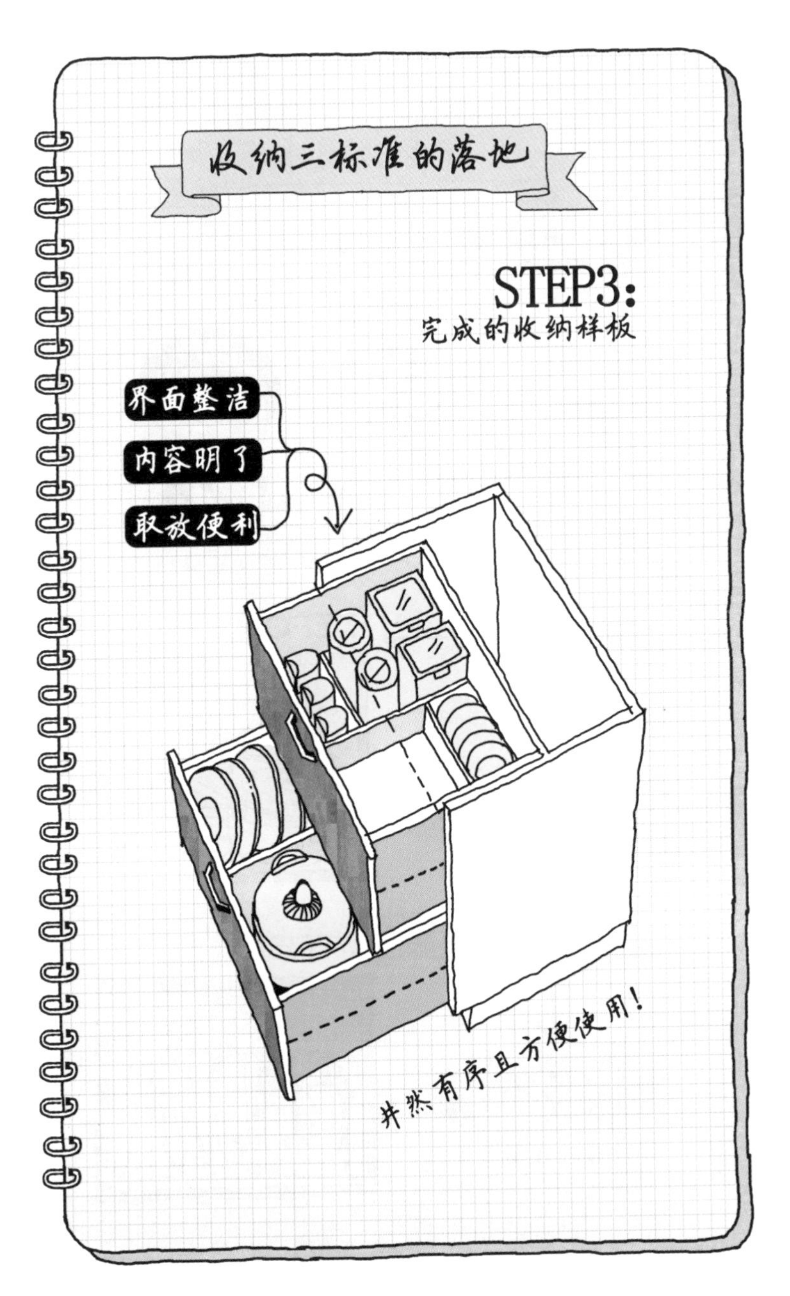
收纳三标准的落地
STEP3:
完成的收纳样板
界面整洁
内容明了
取放便利
井然有序且方便使用!

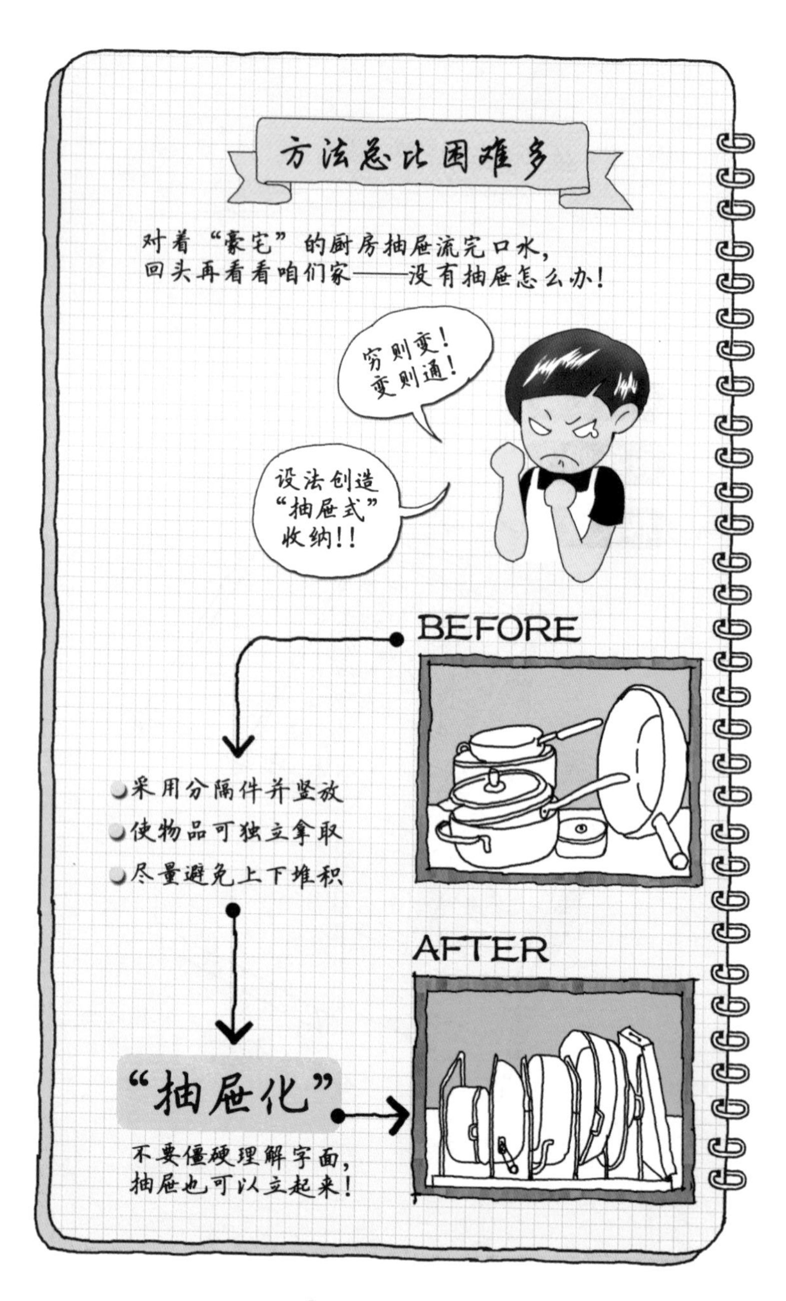
方法总比困难多
对着"豪宅"的厨房抽屉流完口水，
回头再看看咱们家——没有抽屉怎么办！
穷则变！
变则通！
设法创造
"抽屉式"
收纳！！
BEFORE
采用分隔件并竖放
使物品可独立拿取
尽量避免上下堆积
AFTER
"抽屉化"
不要僵硬理解字面，
抽屉也可以立起来！

“抽屉式”收纳载体

“抽屉式”的小道具，可在各种渠道买到，很方便。随意列举几种：

分层锅架

放置锅和锅盖很方便，每一层放置的物品都可以独立轻松抽出。

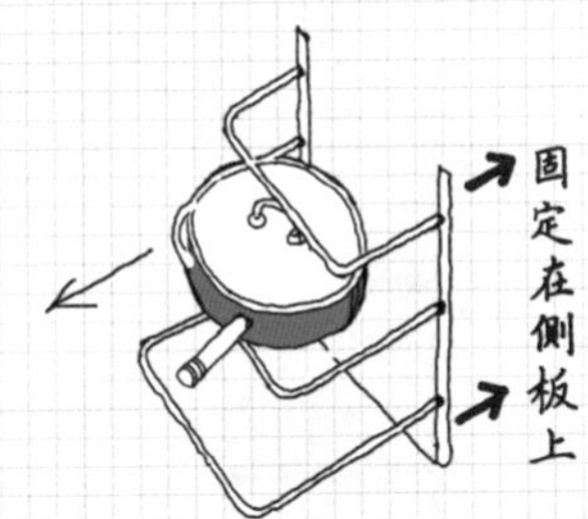

滑轮储物筐

放调味品、锅具或食材均可。可一次多买几个，整齐高效。

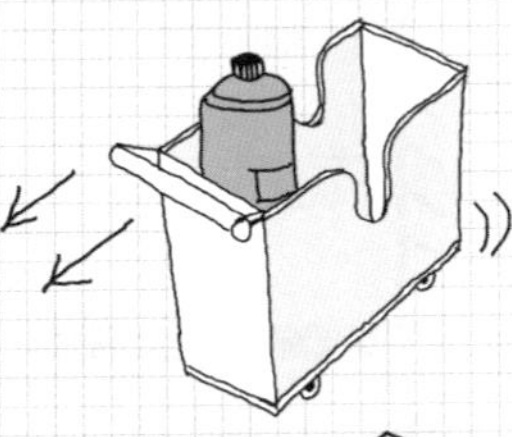

带把手的收纳盒

地柜和吊柜均需选择密封性好的收纳盒，放入大米、面粉都合适。

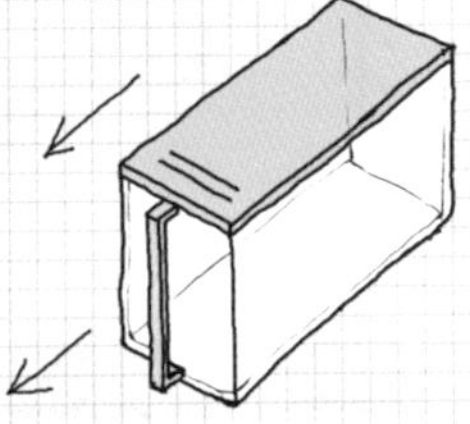

与其纠结于五花八门的道具选择，
不如只牢记“整洁、明了、便利”三原则。
就地取材，活用工具。
手中无剑，心中有剑！

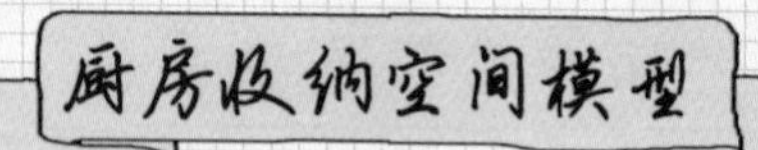

关于厨房三层收纳的物品特征与载体容器，
记住这张图就够啦。

前把手
储物箱

轻

组合式
储物盒

常

杆子S钩
配套组件

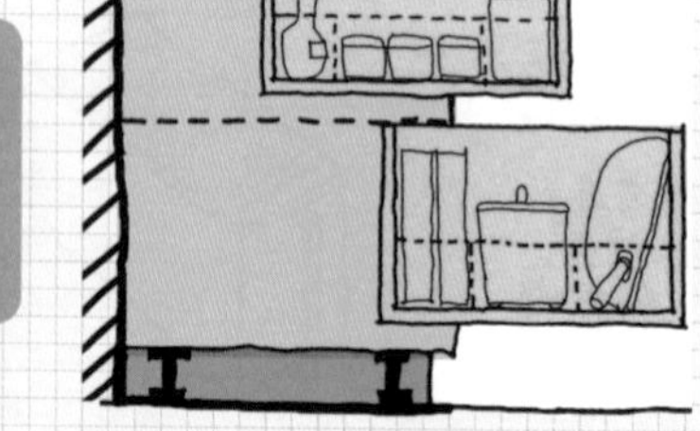

多层抽屉
细分竖放

它并不是标准答案，只是典型、高效模型之一。
它并不全面，更不唯一，不要被束缚住，
活学活用才是关键！

用心打造一个高效好用的厨房，
用心为自己和家人煮好每一餐。

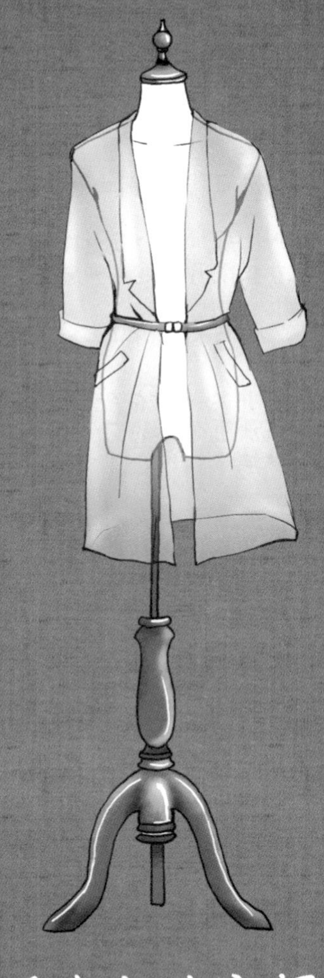

一平米打造衣帽间

小家奢望的衣帽间

“梦想中的衣帽间”，试问哪个女人不想要？

任何一次客户调研，在“最想要拥有的空间”项目排序时，衣帽间永远名列前茅。

我也不例外，也想要属于自己的衣帽间！

可惜，我的家并不大，在户型格局上实在没有余裕的空间可以实现独立衣帽间。

我的主卧室，只有一个大衣柜，总长度仅两米。我和先生各占一半，属于我的部分只剩下一米长。

作为一位年轻的职场女性，仅有一米长的双开门衣柜，未免太寒碜，它甚至比我在大学宿舍时代的简易衣柜还要小。

一平米的衣帽间，真的可以有吗？

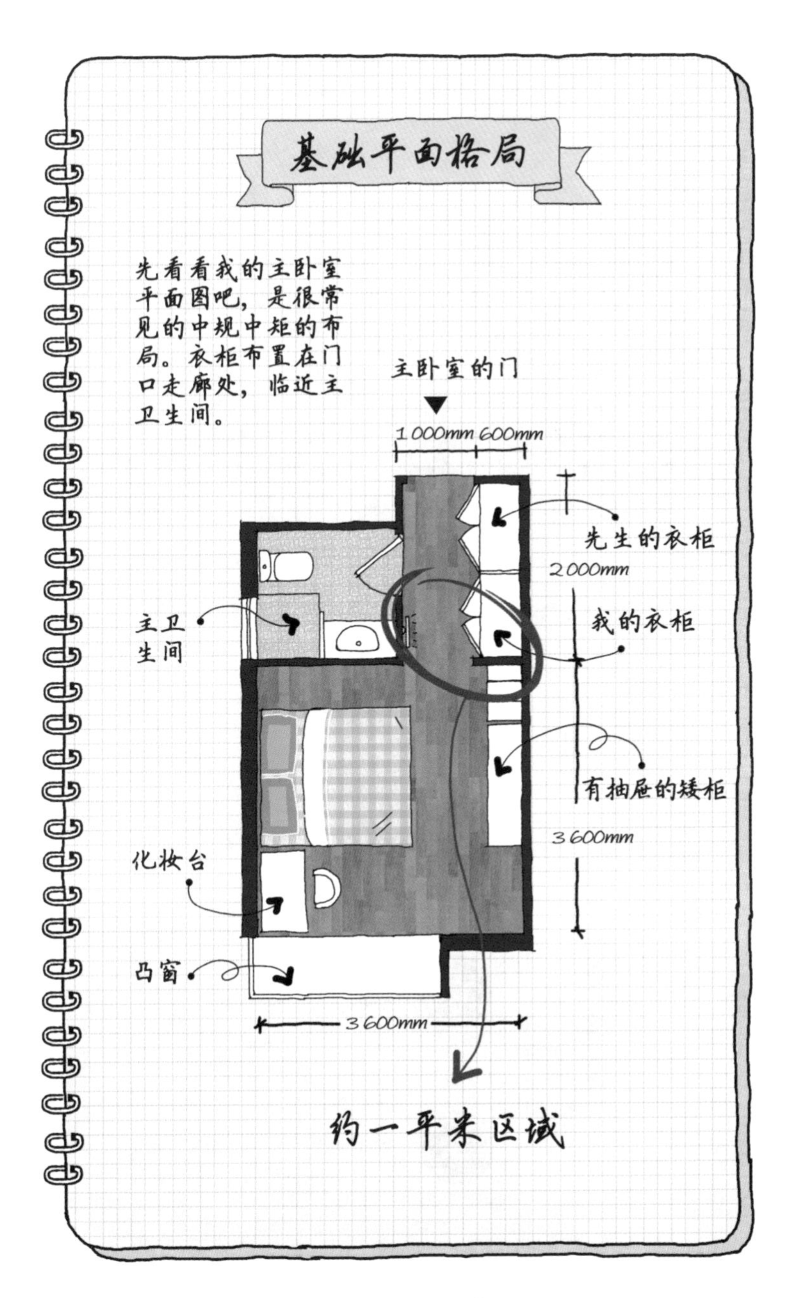

基础平面格局
先看看我的主卧室平面图吧，是很常见的中规中矩的布局。衣柜布置在门口走廊处，临近主卫生间。
主卧室的门
1 000mm
600mm
先生的衣柜
2 000mm
我的衣柜
主卫生间
有抽屉的矮柜
3 600mm
化妆台
凸窗
3 600mm
约一平米区域

三个关键改造点

搬进这个家几年来，我一直凑合着使用这个小小的衣柜。我的衣服不算太多（自认为十分节俭），但毕竟衣柜太小，只能勉强使用着。梦想着，有一天能住进大房子，好好享受下大衣帽间……

2013年春天，我的偶像——日本“收纳教主”近藤典子老师的新作《打造一个井井有条的家》推出了中文版。拿到书后，我迫不及待地一口气读完了！

书中传授的观点极易操作，当时我突然有了灵感：“能否试试把自家主卧室优化，打造一个更便利的衣帽空间呢？”

说干就干！

三点改造

1 人：最短动线

2 物：高效收纳

3 光：加载改善

“动线”是啥？

 人：最短动线

所谓的“动线”概念，简单来说，就是人为了完成一系列动作所走的路。显而易见，走的路越短、路线越笔直不绕弯，效率越高、人花费的精力越少。

现代人体工学和建筑学意义上的“动线”概念，最早出现在1869年劳拉—莱曼《家务哲学》一书。书中写道：“设计厨房时，首先考虑的就是要减少所需步数。”现代人自然无法想象，150年前，一个大而不便的厨房、各种简陋的设备、十多个仆人，准备整个宅邸的晚餐是多么辛苦的事情，越少走路意味着越高效省力。

直到今天，动线研究仍是减轻居住者生活和家务负担的重要课题。
即使在一间小小的主卧室里，早起7件事，也有着关于动线的大学问。

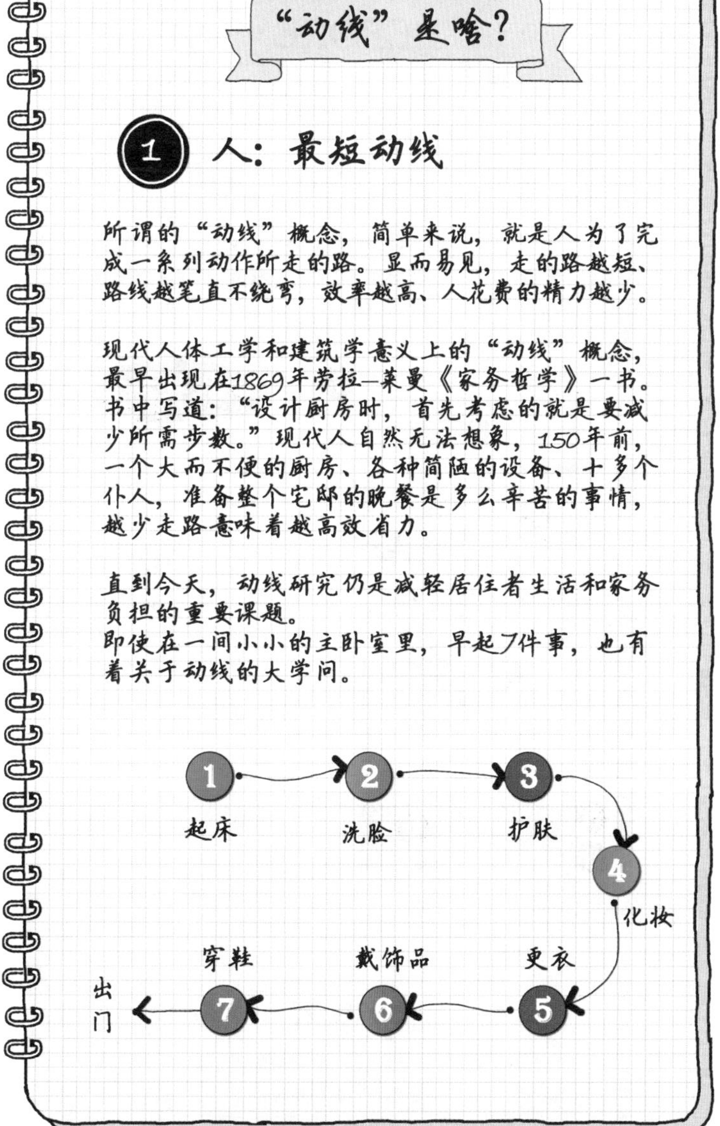

BEFORE

我试着用红笔把自己早起后完成七步骤的路线画出来，真是不画不知道，一画吓一跳！

爱赖床的我，早起总是争分夺秒地冲出门，难怪我总是徘徊在迟到边缘，敢情我在一个主卧就浪费了这么多的时间啊……

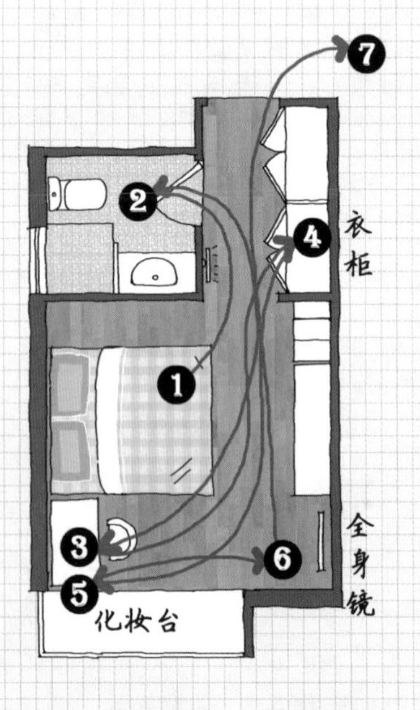

动线长而乱

1. 起床
2. 卫生间洗漱
3. 窗前护肤化妆
4. 衣柜选衣服
5. 化妆台选饰品
6. 照全身镜
7. 玄关挑鞋子

7个步骤　20米路程　33步行走

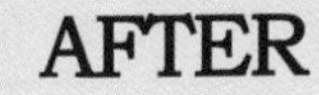

- 护肤：从梳妆台转移至卫生间
- 全身镜：从墙角调整到衣柜对面
- 鞋子：从放玄关改为放在主卧

虽然只是稍微挪动了下物品的位置，改变了生活小习惯，但是非常奏效！每天省事儿多了，起晚点也不怕，5分钟拾掇完毕，冲出门去！

动线短而简

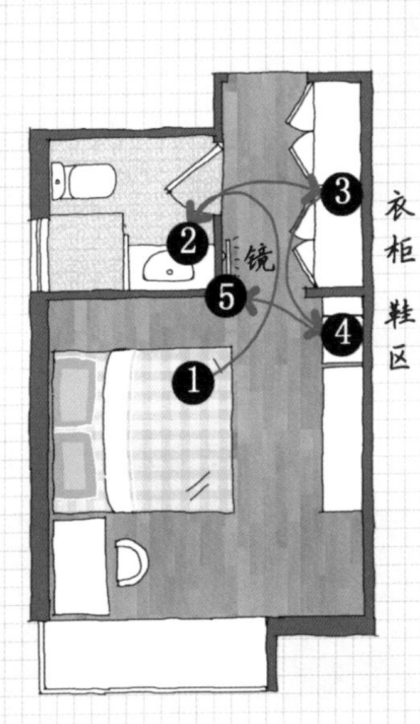

1. 起床
2. 卫生间洗漱
   卫生间护肤化妆
3. 衣柜选衣服
   衣柜选饰品
4. 鞋盒区挑鞋子
5. 转身照全身镜

5个步骤　4米路程　7步行走

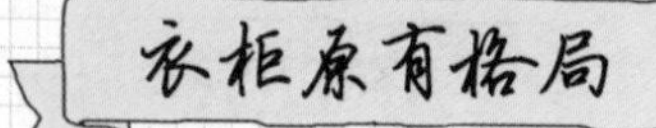

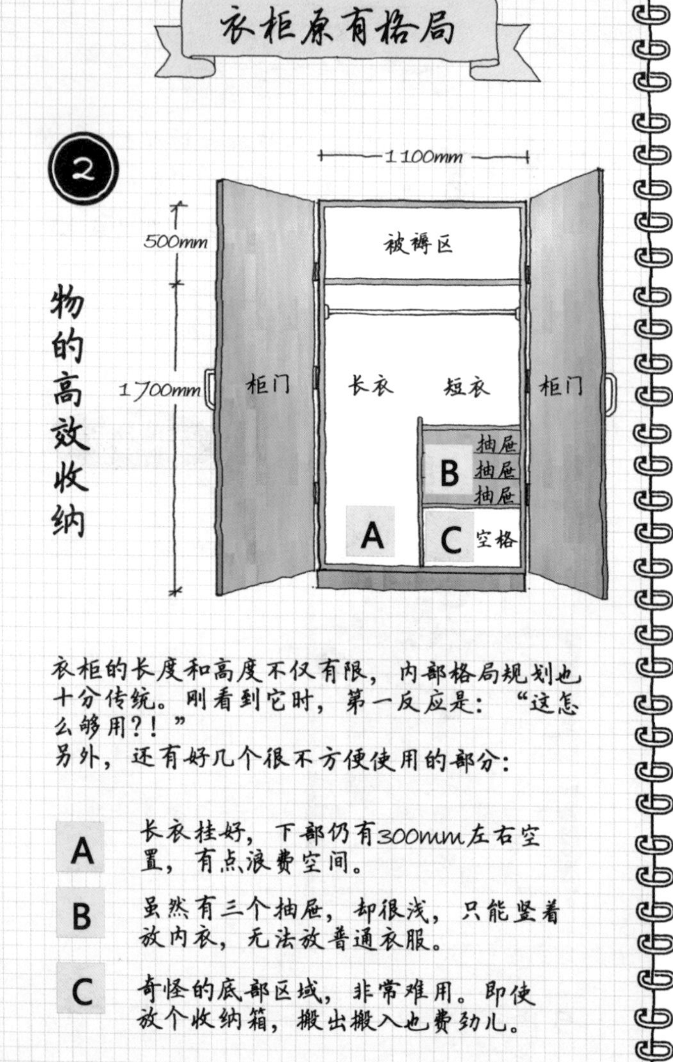

衣柜的长度和高度不仅有限，内部格局规划也十分传统。刚看到它时，第一反应是："这怎么够用?!"

另外，还有好几个很不方便使用的部分：

A　长衣挂好，下部仍有300mm左右空置，有点浪费空间。

B　虽然有三个抽屉，却很浅，只能竖着放内衣，无法放普通衣服。

C　奇怪的底部区域，非常难用。即使放个收纳箱，搬出搬入也费劲儿。

拆空衣柜内隔件
衣柜中原有的层板、抽屉、侧隔板，本是为了使用便利而设计的，实际却约束了使用者，反而产生了各种不便。
将就了好久，终于还是忍无可忍。利用周末下午，自己动手拆除！
与其束缚，不如自由。拆空衣柜的所有内隔件，把它还原成空荡荡的状态，然后再按照自己的需求和喜好，重新布置。
不破不立

调整后的收纳模式
看看改造完的样子吧！
帽子
包包
饰品
挂烫机
登机箱
脏衣篮
塑料抽屉
饰品

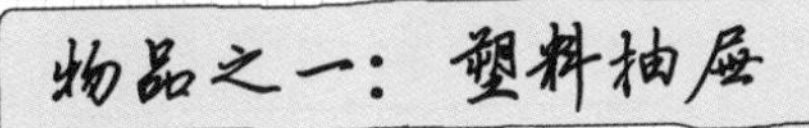

有朋友看到这里，可能会大叫起来："搞什么啊，你不是刚拆了抽屉吗？怎么又买抽屉？"

其实，二者虽然同是抽屉，却有很大的不同！

木质抽屉	塑料抽屉
深度120mm	多种尺寸
不可移动	任意搬动
收纳小物	收纳衣物
不透明	半透明

叠放四五个塑料抽屉，每个都能独立抽出或移动，各类衣物分门别类收纳。

最重要的是，采用深度足够的塑料抽屉之后，就可以将衣物"立起来"叠放进去！

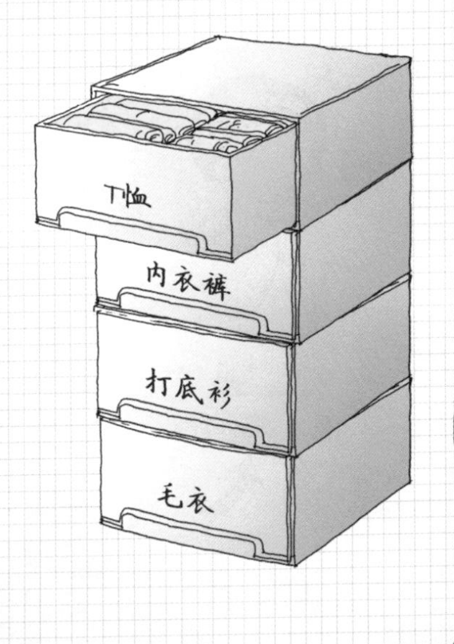

立起来的衣服

《怦然心动的人生整理魔法》是近几年来非常热销的一本日本整理书。其中关于“立起来的衣服”的绝技，我早就跃跃欲试，可惜之前木质抽屉太浅，不能立着收纳衣物。

这回，终于夙愿以偿！

意想不到的好处

只要好好折叠，几乎所有的衣服，无论多么柔软或形状多么不规则，都可以立起来。

这不是一件困难的事情。不必过于纠结过程和细节，方法融会贯通后，也并不需要严格按部就班折叠。关键秘诀在于——折好后，从侧面看起来是呈现“A”字形折痕的长条立方体。

平折的衣服容易产生折痕，但立着放衣则不然。正确抚平并立着叠放的衣服，是不易产生折痕的！

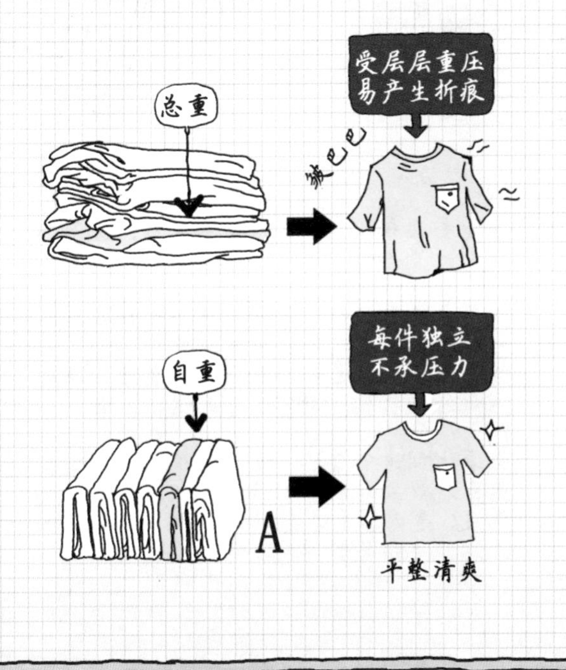

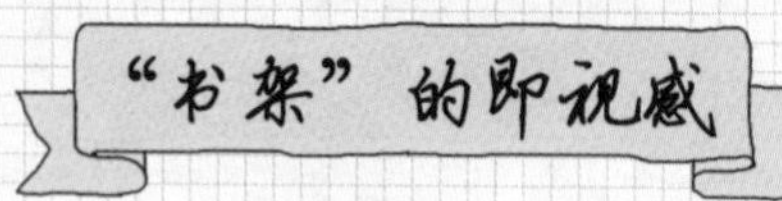

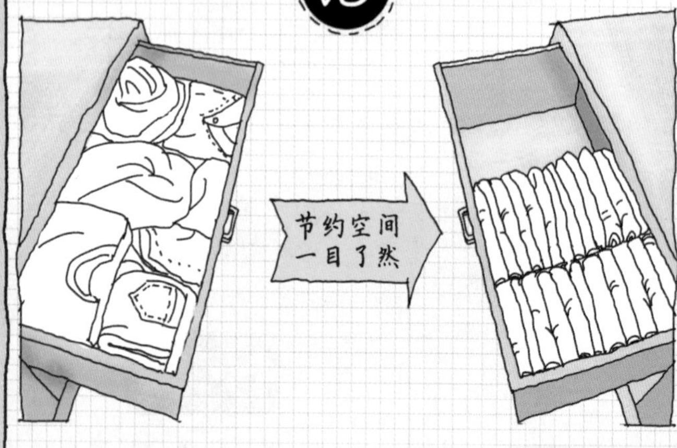

立着叠放衣服最令人愉悦的地方，就是会得到一个如同“书架”般清爽的衣橱。

所有衣服都好像书籍一样整齐纵向放入，一切都能一目了然、清爽工整！
将“书脊”竖着插入抽屉或储物盒。取放任何一件衣服，都不会搞乱其他衣物。

想要达到这个目的，就必须选择抽屉型容器来存放立起来的衣物。根据抽屉的高度、深度、宽度，将衣服折叠成相应的长方体尺寸，是用足空间的关键。

抽屉及细分

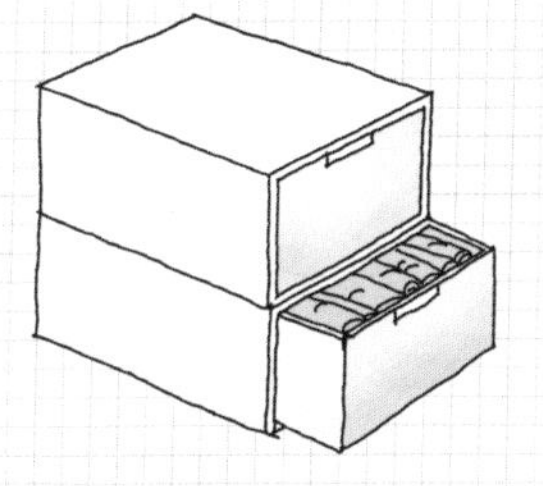

★★★★★

最理想的就是这种可分可合的抽屉。单一使用或者摞放都非常方便。

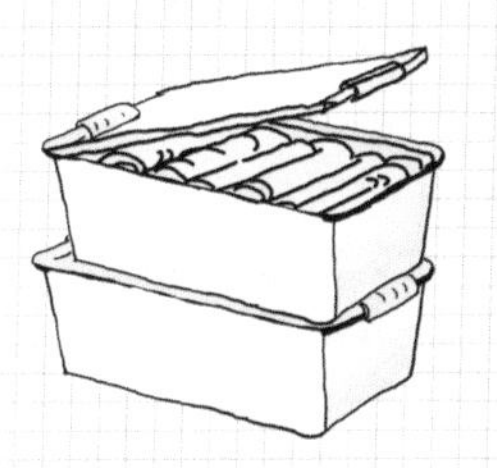

储物盒方便度不如抽屉，但价格比抽屉低（可用纸盒替代）。

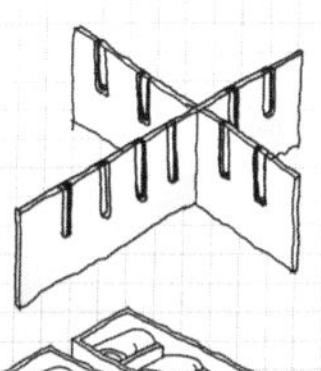

分隔件

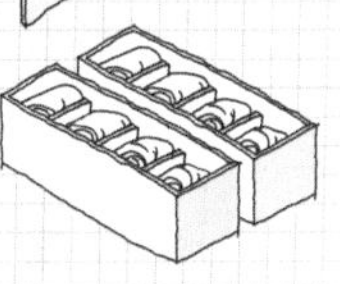

袜子格

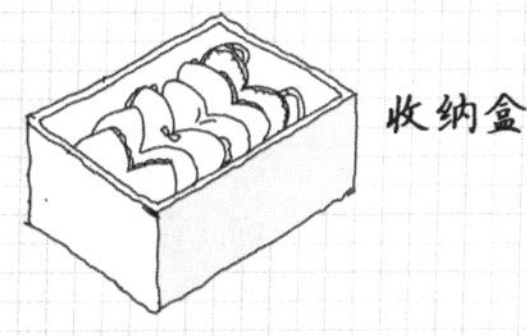

收纳盒

在叠放内衣、袜子等形态比较不确定的小物件时，进一步细分容器就十分必要。比如购买内衣格，或者用瓦楞纸板分隔等。把它们放入大抽屉，区分成一个个独立的小空间，这样小物品也能稳稳立起。

物品之二：小饰品

我的衣服不多，但配饰却不少。如何利用有特点的配饰让朴素的衣服出彩，也是令我痴迷的一件事。

为了收纳那些耳环、胸针、项链，这几年我没少想过办法。比如用自封口的小袋一件件装好饰品。层叠首饰盒甚至独立的首饰柜都曾买来试过。

可是，没有任何一种让我感到真心好用。它们确实收纳了饰品，但是实际搭配衣服时，常常要快速地更替、比较、选择，而这些收纳方式，都不能让人一眼就看到所有的饰品，挑起来很不方便。

自封口袋

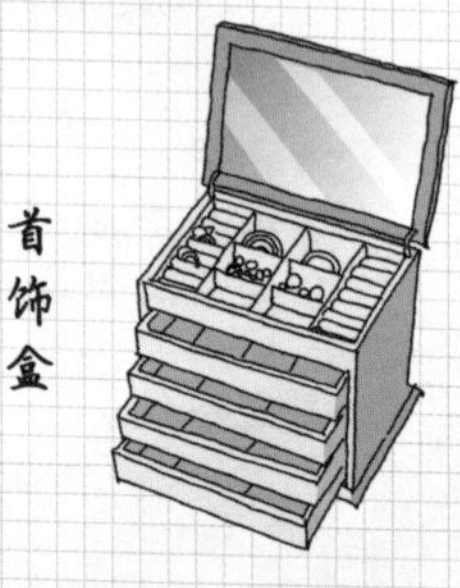

首饰盒

首饰柜

物品之二：小饰品

直到去年，我才找到可以挂在柜门内侧的饰品收纳神器！

无纺布首饰挂袋，它表面有一层透明薄膜。
一面是小格子，可以放胸针、耳环、戒指；
另一面是魔术粘钩，可以挂项链。
一口气买下两个，用木螺丝拧在柜门内侧，
左门挂一个、右门挂一个。

打开柜子，两侧是所有的配饰、中间是当季的衣服，身后是全身镜子。

一目了然、轻松搭配！

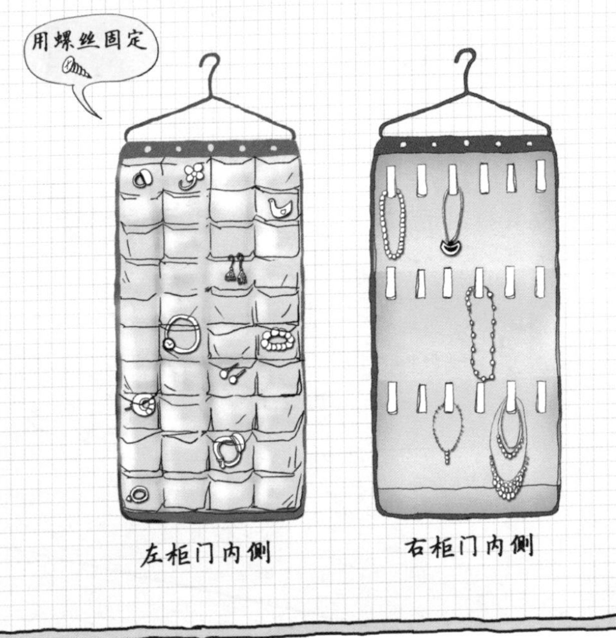

我经常需要短途出差，
登机箱必不可少。
过去，我的登机箱是放在走廊的公共收纳柜里面，每次使用都要拖进卧室。自从改放主卧衣柜后，实在太方便了！

准备出门前，拿几身衣裳、包几件内衣、从身后卫生间取出旅行洗漱袋，还不忘记带两三样小首饰。

分分钟搞定，出发！

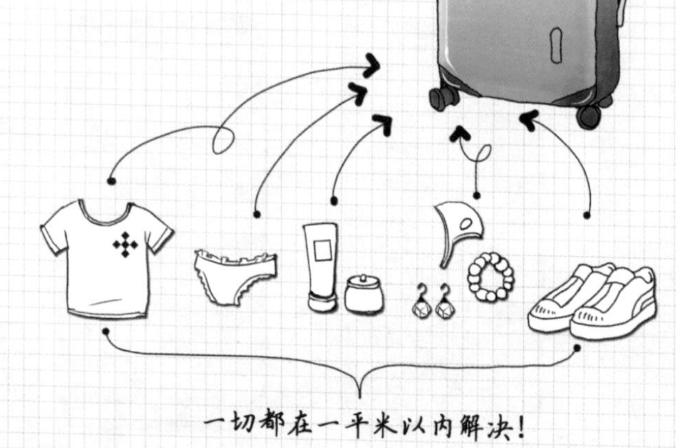

物品之四：干洗衣篮

我家大约隔几周干洗一次衣服。以前每次送洗时都得先挑出要洗的，再用袋子装衣服，甚是费事。于是这次改造，就在衣柜里面放置一个多用途脏衣篮。

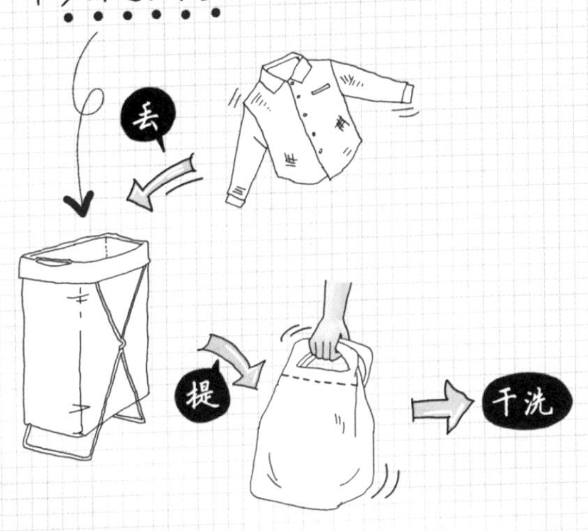

平时要干洗的衣服直接扔进去，待攒了几件之后，把内置袋子一拆、一拉，就是一个可肩挎的包（也可用大号购物纸袋替代）。

上班时，把脏衣袋提着顺路送去干洗店，完全不用花额外时间送洗。

物品之五：挂烫机

刚穿了一天而无须立刻洗涤的衣服，称为："次净衣"。

你会怎么处理它？
直接放回衣柜？总觉得会有卫生问题。
一直挂在外面？又不知下次搭配是何时。
这个问题在冬天尤其常见。

我的推荐做法是：
回家脱下外衣之后，马上用挂烫机"刷"两下，不仅完成了消毒，更为下次穿衣时刻准备着，保持最佳状态。

事情虽然不难，但是很容易偷懒。如果挂烫机位置不便或者平时一直折叠收在原包装里，就更懒得去用了。

为了督促自己每天坚持做，挂烫机的位置必须便捷顺手，越靠近衣柜越好。衣柜附近如果事先预留了电源插座，就再好不过了。

每天进屋脱下就马上熨，绝对不要犹豫拖延。给衣服做个舒服的蒸气浴，一分钟即可整洁如新。

简便可以替代勤劳！

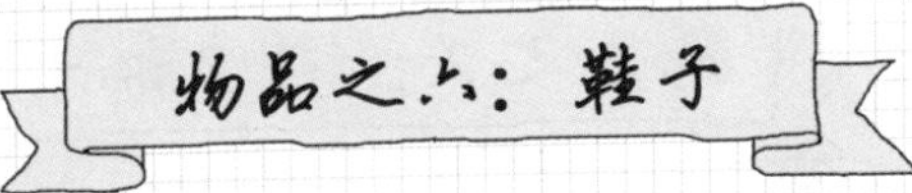

物品之六：鞋子

我的鞋子原本是放在玄关柜里，本着动线最短原则，全部转移到了主卧室。
没有买专门的鞋柜或鞋架，而选用宜家的白色布艺鞋盒，进行自然摆放。

鞋盒高160mm，5层就是800mm高，刚好和旁边的四斗柜基本齐平。二者都是白色，视线上齐整和谐。

鞋盒一共15个，这便是我全年所有鞋子的数量上限了。穿着不舒服的鞋子、太旧磨损的鞋子、超过一年没穿过的鞋子，全部处理掉。

希望以此来控制自己的购物欲——不要轻易出手，出手就不能买太差的。

想要买新的，必须先扔旧的。
慢慢我发现，这一招确实有效！

物品之七：明日衣衫

据说女生出门前搭配衣服磨叽的平均时间是10分钟。挑、穿、脱、换，再加上鞋子和饰品的选择、犹豫……总之，像我这样的赖床症重度患者，晚起后还得搞半天穿搭，估计就得天天迟到啦！

把一个带标签的钩型小拉手反过来朝上，用螺丝拧在柜门上，就变成了“明日衣钩”。

钩子的距地高度是1700mm，挂的衣服刚好映在对面的全身镜里。

在前一天晚上，提前挑选搭配好第二天的穿搭，连衣服带饰品挂好，鞋子也配好。早起不会费时纠结，穿上就走！

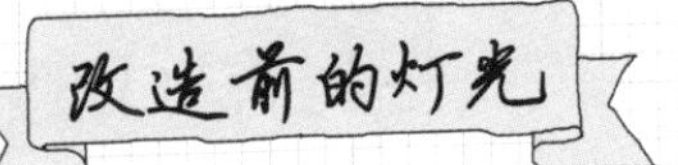

光的加载改善

接下来，进入第三个步骤——灯光改造。

在过去几年的使用中感觉最不方便的就是灯光。

在传统的设计理念中，光源一般来自顶灯，我的卧室也是如此。如果我面对镜子，灯光实际照在我的背后，镜中脸上成了阴影区，亮度不足，导致无法看清。

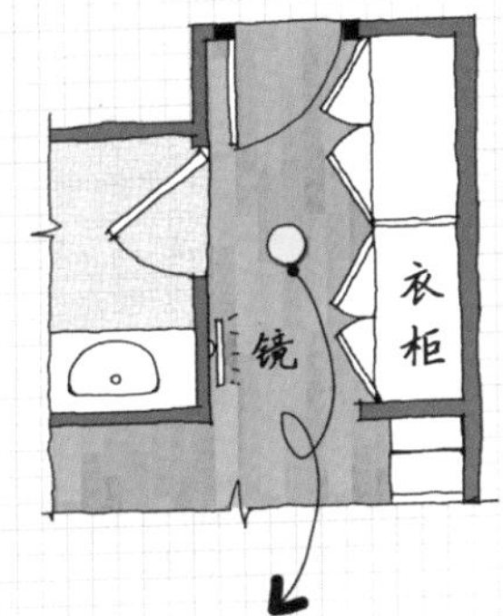

这么暗，搞得连搭配的心情都没了……

一直想要改造，但是因为装修时并未预留电位，不知如何下手才好。

镜前灯DIY！
前段时间，终于从网店淘了一款热卖的镜前灯，灯具挑选了与镜框接近的青古铜色，它最大的特点是自带开关。
因为原来没有预留电位，所以选择直接走明线。
明线足足有5米长，沿着镜子背后，踢脚线，一直延伸到床头边的插座。线虽然长，但很隐蔽，不显眼。自己动手用卡件将电线固定好。
它几乎就是一盏即插即用的台灯！
开关在这里
带钉卡件
沿途固定
床边插座
沿踢脚线5米

如女主角般闪亮

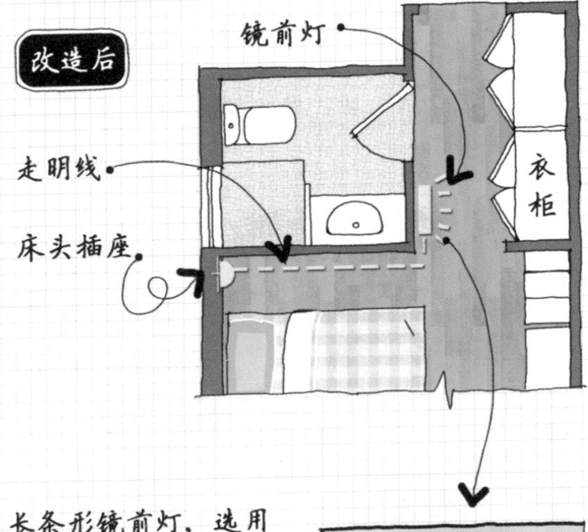

长条形镜前灯，选用了色温4 300K（开）的白色荧光棒，显色好，亮度也足够。

从前方上部均匀打过来，显得镜中人五官清晰。连身后衣柜内部也照得清清楚楚，柜门背后的饰品闪闪发光。

改造后，真心感觉，每天穿衣都提升了一个level！

物我之间

其实，这个主卧室原本有条件把衣柜再加长3 600mm。我也曾经以为迟早会需要补足这块黄色区域，做一组巨型衣柜。

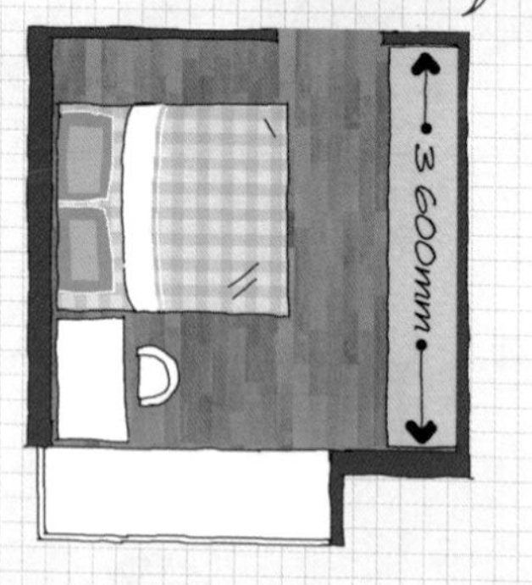

然而，随着年纪增长，我开始对于着装有了更自信的眼光和更高的品位，便慢慢能控制购物欲，也琢磨出适合自己的穿衣风格、饰品喜好。

衣不贵多而贵精。穿衣不再依赖单品，而是巧思搭配。

多次筛减后，我的衣服、鞋子、包包已经减到很少。目前卧室的储物空间不仅足够，甚至还有两成余裕。衣柜的角落里再也不会有被遗忘许久的衣服存在。

打开衣柜，每一件都是精心甄选的。物我之间，唯心回旋。

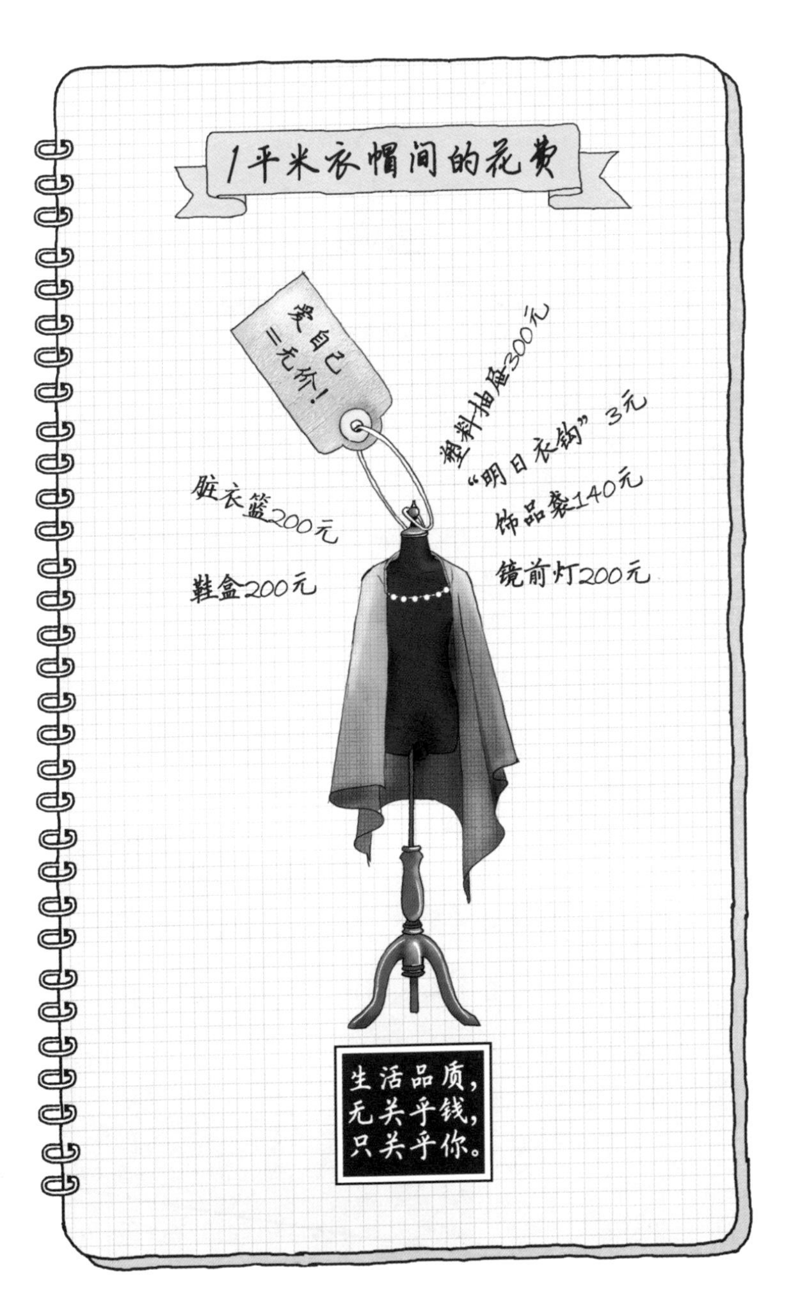
1平米衣帽间的花费
爱自己=无价!
塑料抽屉300元
“明日衣钩”3元
饰品袋140元
脏衣篮200元
鞋盒200元
镜前灯200元
生活品质，
无关乎钱，
只关乎你。

衣帽间是女人宠
爱自己的地方。

只是，再大的
衣帽间也装不
下每到换季时
就感觉无衣可
穿的女人心。

衣服、鞋子、包包，
你永远不会嫌多。

唯有“少而精”：

少买点，买好的，买舍不得扔的，买第
二眼仍钟情的，才能保持家的整洁。

只留下现在喜爱的，用心塑造自己的风格。

1平米衣帽间，我心足矣！

懒女人的化妆台

由于平时我总谈些"收纳""整理"之类的话题，常常会有不明真相的朋友对我说：

此刻的我总是非常心虚的/⊙ω⊙/嗯，其实……

对不起，让大家失望了。

——我是个彻头彻尾的懒女人。

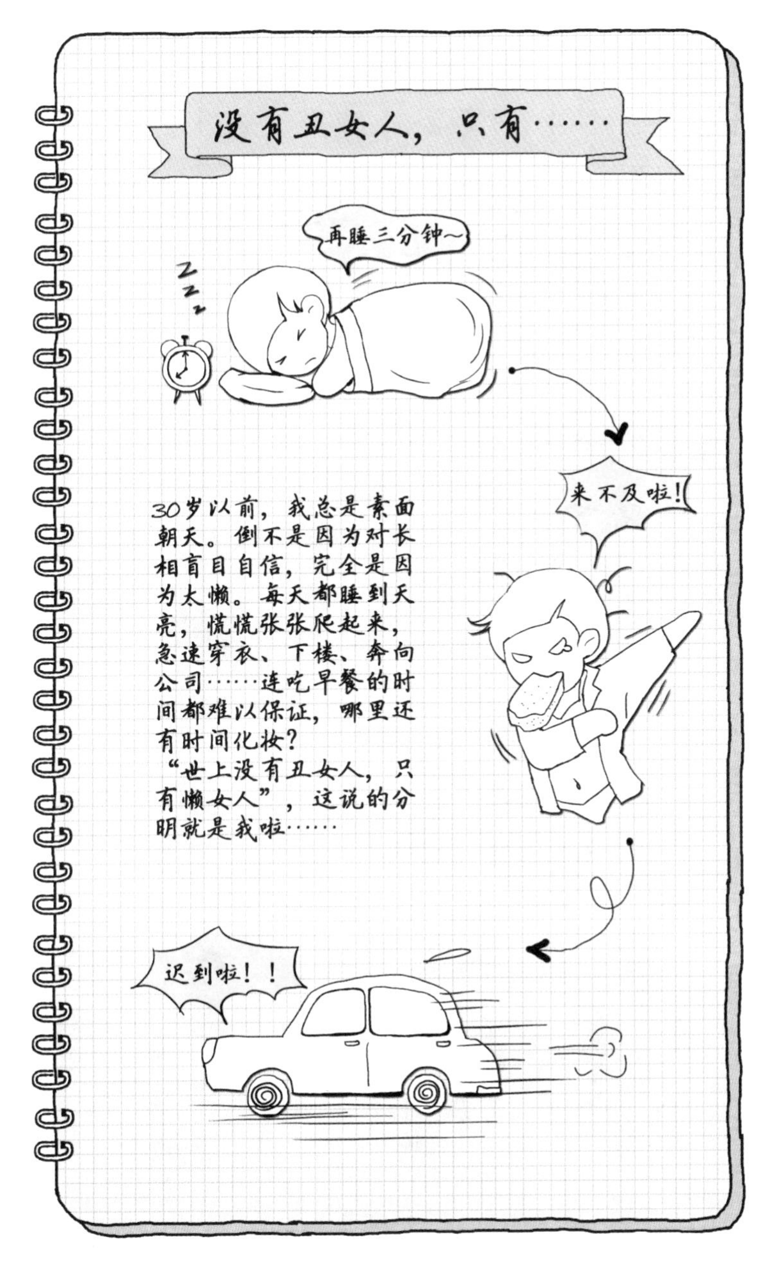
没有丑女人，只有……
再睡三分钟~
来不及啦！
30岁以前，我总是素面朝天。倒不是因为对长相盲目自信，完全是因为太懒。每天都睡到天亮，慌慌张张爬起来，急速穿衣、下楼、奔向公司……连吃早餐的时间都难以保证，哪里还有时间化妆？
“世上没有丑女人，只有懒女人”，这说的分明就是我啦……
迟到啦！！

中年女子重燃斗志
现如今，我已步入中年，自觉不化妆出门简直是“冒犯社会”。于是，在闺密们的监督下，不得已置办了一批化妆用的家伙什儿，并正儿八经弄了个化妆台。
暗下决心：
今后一定不偷懒，每天认真扮靓！
BB

老少女也有公主心
我的主卧室有一个很大的凸窗，采光很好。于是很自然地，就把化妆台摆在了窗前。想象着，自己每天迎着朝阳打扮的美好画面……

不如在卫生间化妆？
这不能怪我，要怪就怪化妆太麻烦，跑来跑去也太费事了……
不是我懒，全是化妆台的错！它太远了，位置不方便……
努力找借口
对了！我以后洗完脸就直接在卫生间化妆好了，那多方便！好！就这么办！
找台阶下，急中生智

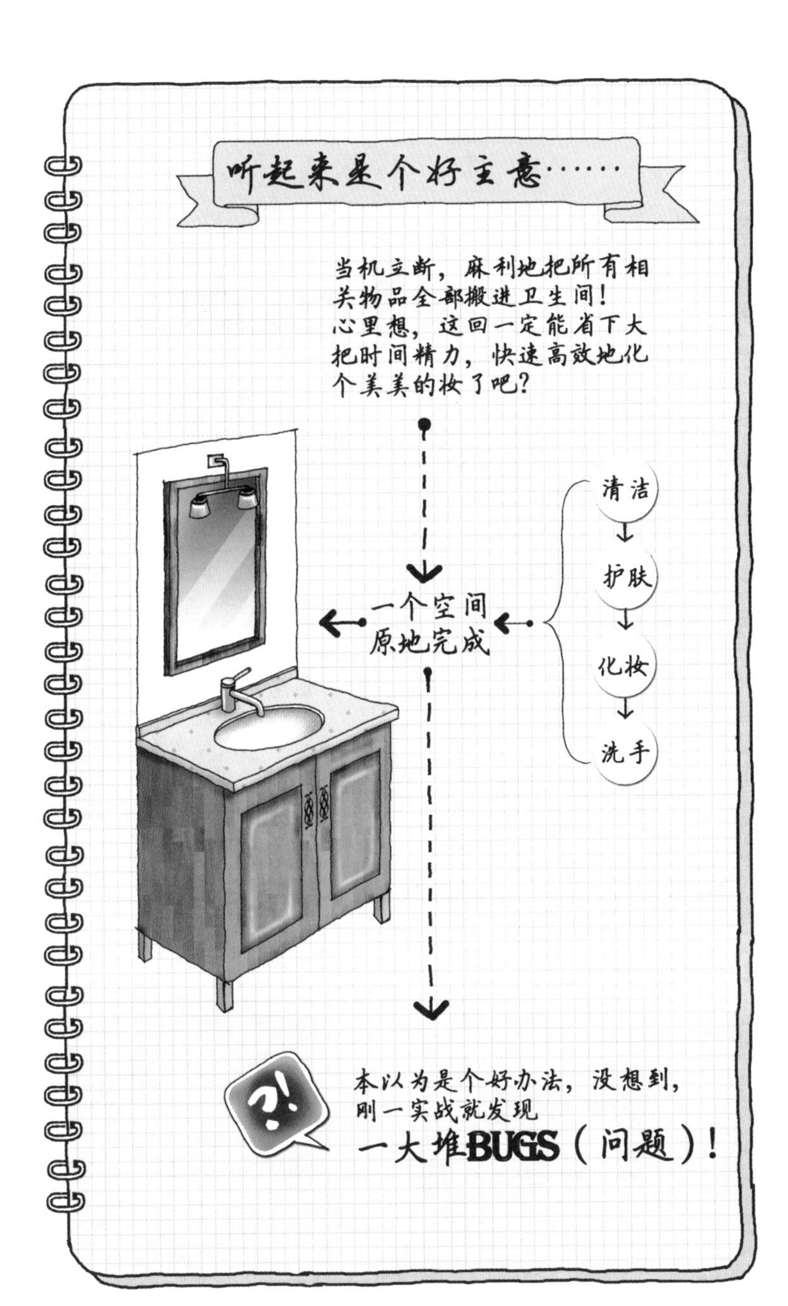
听起来是个好主意……
当机立断，麻利地把所有相关物品全部搬进卫生间！
心里想，这回一定能省下大把时间精力，快速高效地化个美美的妆了吧？
清洁
护肤
化妆
洗手
一个空间
原地完成
?!
本以为是个好办法，没想到，刚一实战就发现
一大堆BUGS（问题）！

第一个麻烦

BUG 1 收纳空间不足

原有洗漱用品

＋ 基础护肤

＋ 各种工具

＋ 化妆用品

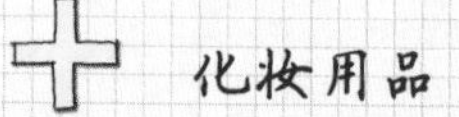

我家的主卫生间洗脸柜，是好几年前购置的简单款式。没有配置镜箱，只有一面普通镜子。此前在这里只是洗脸刷牙，所以物品也很简单，直接放在台面上就好。

没想到化妆品移进来之后，物品数量呈几何级增长！

瞬间爆仓！

第一个麻烦
BUG 1
收纳空间不足
虽然台盆下方有一个小柜子，但是这个区域很容易受潮，每次拿东西都要弯腰，很不方便，所以只能放些备用沐浴液之类的，不适合放置化妆品和保养品。
如此一来，只能把瓶瓶罐罐堆放在洗脸台上，乱糟糟的一大片。最头痛的是，一洗脸就会将水溅到台面。擦干台面又是一件麻烦事。

第二个麻烦

BUG 2 镜子距离太远

梳妆台镜

梳妆台本身深度大约400mm，人坐下后，面部距离镜子500mm。可以轻松看清楚五官细节，描眉画眼等精细活儿也很容易操作。

太远了555~

洗脸台镜

卫生间洗脸台的标准深度为600mm。站立化妆时，人脸距离镜子大约700mm。化眼妆、唇线时，需要弯着腰、努力向前凑才能看清。

第三个麻烦

BUG 3 光线总不给力

第三个令人头疼的问题就是光线。

我曾参观过很多住户的家，其中，绝大部分女性的化妆台都如我之前一样，“本能”地靠近主卧窗台放置，关键原因是窗边自然光线充足。

而化妆移到卫生间后，基本只能靠人工照明。

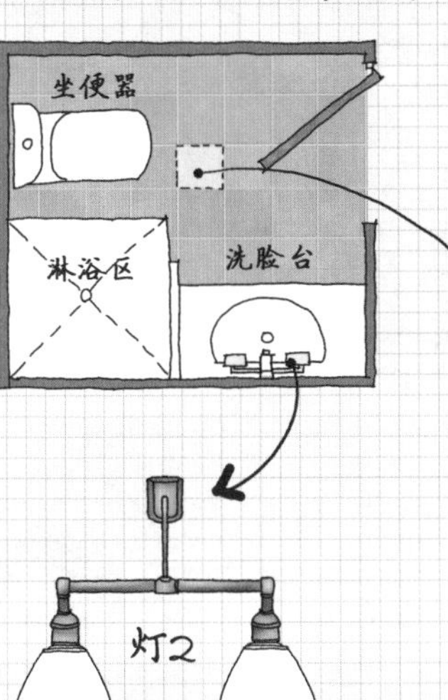

我的主卧卫生间早年还是毛坯房时，只有一个位于卫生间天花板正中央的顶灯位。

后来自己装修时又另外花钱改了线路，专门安装了镜前灯。

本以为，小小卫生间有两盏灯，既有中央照明，又有重点照明，应该足够了。

没想到，化妆时竟完全不给力 ?!

第三个麻烦

BUG 3 光线总不给力

其一：光线角度不佳

只开顶灯时

顶灯位于卫生间天花板居中位置，人立于洗脸柜前时，灯光是从身后高处打过来的，刚好在脸部形成阴影，完全逆光，只有脸的边缘亮而中间昏暗。

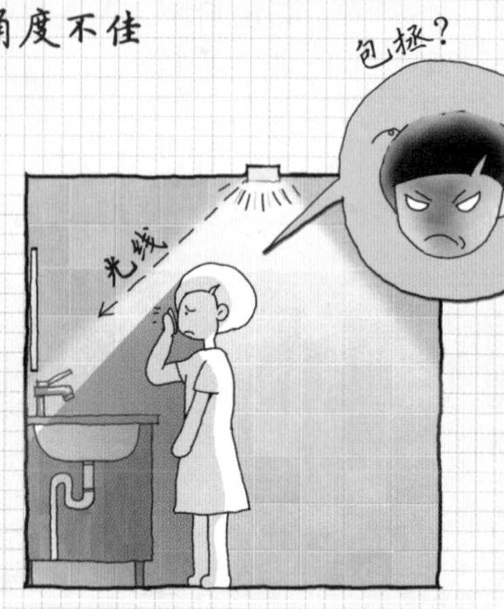

开顶灯+镜前灯

两灯齐开时，镜前灯从人面部前方照明，有效地消除了部分阴影。但两灯都高于头顶，会在眉骨、鼻子、嘴唇下方投下重叠的影子，描画细节时令人困扰。

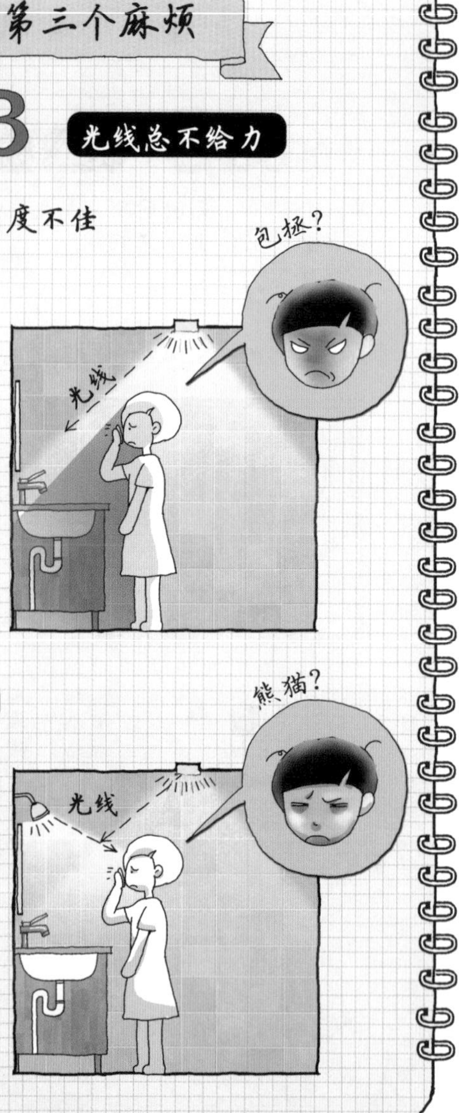

第三个麻烦

BUG 3 光线总不给力

其二：脸部照度不足

光线角度不对，亮度似乎也不太够，但到底有多不够？光用感觉描述自然不准确。

于是乎，花了点钱从网店买了一个专业照度计来实地测量一下！

说明：以下数值为阴天开灯、人直立镜前，面部垂直地面时的照度。

开顶灯+镜前灯

198LX

（注：LX为照度单位，勒克斯。）

这这这……实在是弱爆了啊！建筑学上50LX已经属于低照度了。这连正常工作照度都达不到，更别谈化妆了！

开了镜前灯，照度明显提升了，但不足200LX，对于精细的描眉画眼照度还是达不到，何况还有烦人的面部阴影~

第三个麻烦

BUG 3 光线总不给力

我曾考虑购买镜箱，但镜箱厚度达到150mm左右，很难找到合适的镜前灯，所以惯用的方法是在镜箱上下做泛光灯照明。虽然很漂亮，但是这种光线无法直射人脸，照明效果并不理想。

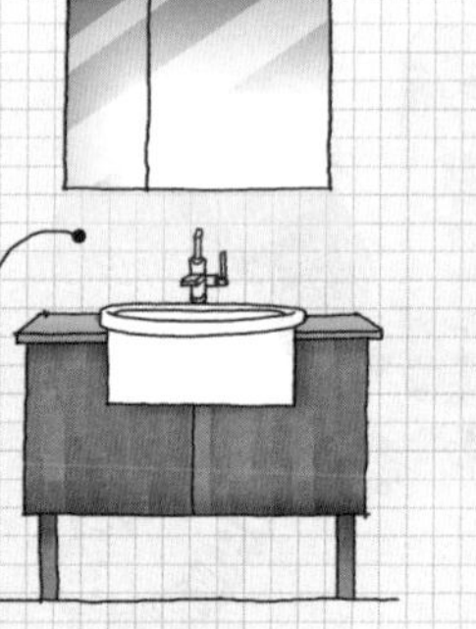

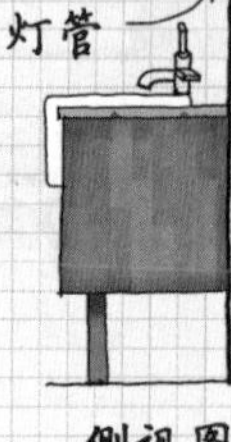

我又带着照度计这个神器到售楼处样板间里实测，结果是：

这些照度测量值是什么水平呢？大家不妨参考右边的照明标准：

公共区域走廊	50LX
住宅起居室（一般活动）	100LX
住宅起居室（书写阅读）	300LX
住宅餐厅桌面	150LX
普通办公室	300LX
教室黑板	300LX

无论如何必须搞定！
嘤嘤嘤~ 人家不过就是想尽量简单地化个淡妆，怎么会有这么多问题啊？
这次再放弃的话，只怕我一辈子都是懒于化妆的丑女人了，怎么办?！
收纳不足
距离太远
光线不对
哭了一个小时之后
不服！
在下好歹也是个女设计师啊！岂能就此认输，变老变丑?！
区区洗脸化妆柜，必须搞定它！
FIGHT

开了一堆外挂……

找了几位业内好朋友，一起捣鼓！

乙先生

我的同事，专业又敬业的室内设计师，温和低调的完美主义者。对产品细节要求之高，远胜于我这个处女座。

H先生

合作伙伴，家具设计大行家。永远精力饱满、活力充沛、工作极其严谨。我从他那儿受教良多。

Y先生

家具工厂的技术负责人，不厌其烦地帮我们多轮打样。在很多细节上会主动帮我们出主意。

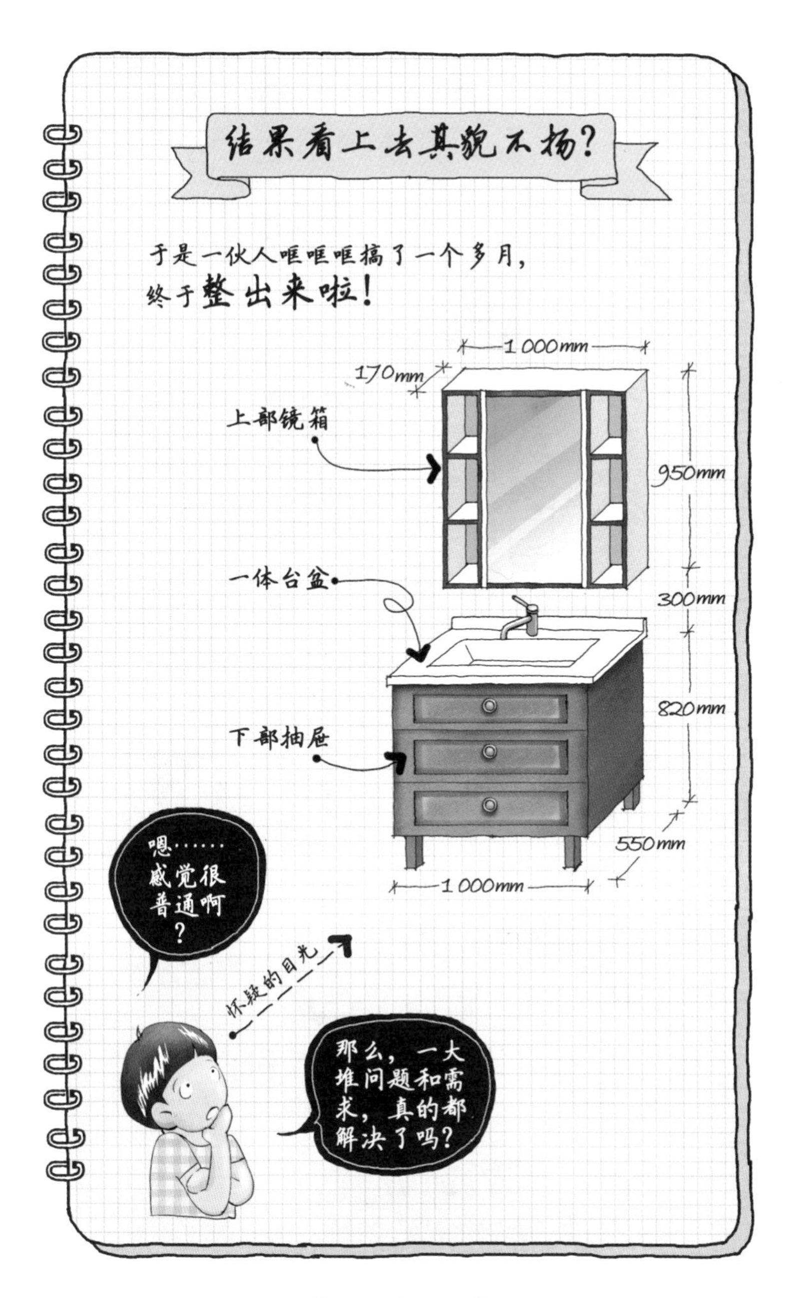
结果看上去其貌不扬？
于是一伙人哐哐哐搞了一个多月，
终于整出来啦！
1 000mm
170mm
上部镜箱
950mm
一体台盆
300mm
820mm
下部抽屉
550mm
1 000mm
嗯……
感觉很普通啊？
怀疑的目光
那么，一大堆问题和需求，真的都解决了吗？

第一关顺利闯过

那么，按照之前确定的三个标准，逐一检查吧！

第一条标准：

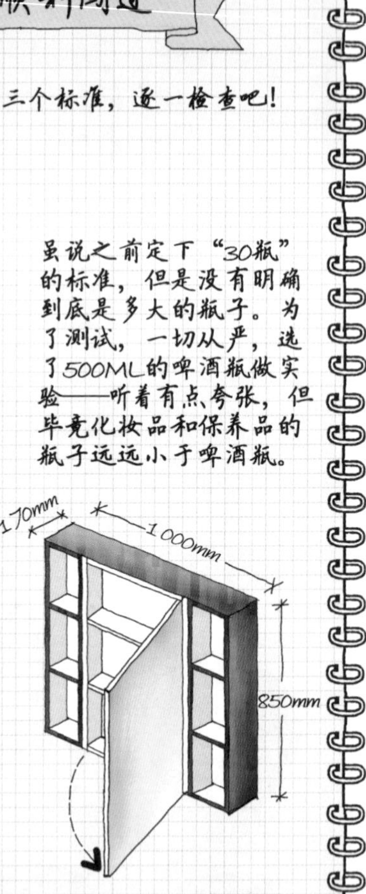

虽说之前定下“30瓶”的标准，但是没有明确到底是多大的瓶子。为了测试，一切从严，选了500ML的啤酒瓶做实验——听着有点夸张，但毕竟化妆品和保养品的瓶子远远小于啤酒瓶。

洗脸柜上部吊柜两侧是开敞置物区，中间打开镜门是隐蔽置物区。

共有3层宽1 000mm的置物层板，合计总置物长度约为：2 900mm（扣掉侧板厚度）

2 900 / 75 = 38瓶

这个算式只考虑单瓶一字铺开的情况，如果前后两排，容量更会直接加倍！

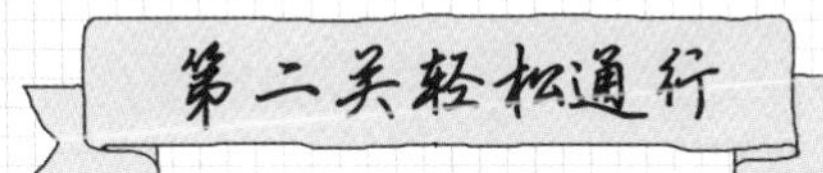

第二条检验标准则是：

400mm以内

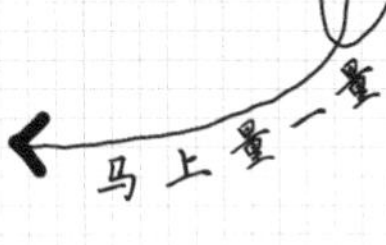

这一条确实不难呢（好像送分题目），因为镜箱本身厚度达170mm，自然而然地缩短了人和镜子之间的距离。

刚好400mm以内，可以轻松看清每根睫毛，不必再费力向前凑身啦。

PASS

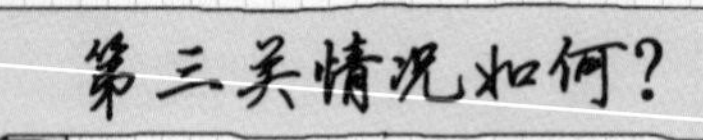

接下来是最难的一关: 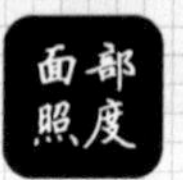

350LX无阴影

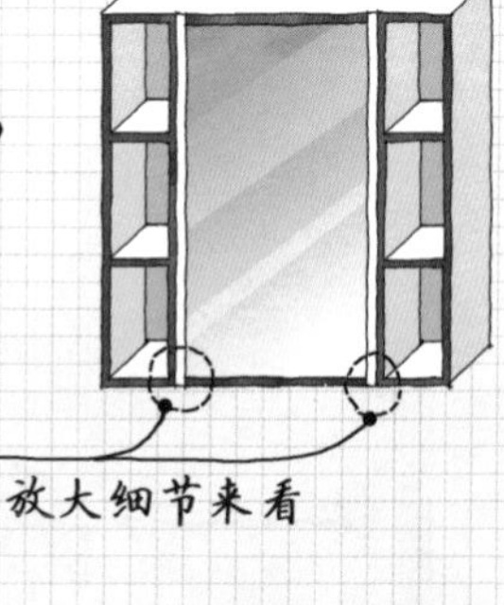

唉?
灯到底在哪儿啊?
怎么没看到啊?

放大细节来看

竟然藏在这里!

超薄LED隐形灯带

开灯时才能发现它的存在。
宽仅25mm，厚仅8mm!

近几年LED技术的快速普及，确实改变了我们对灯的固有认知，创造了超多可能性。赞~

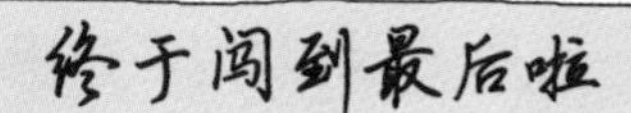

从专业化妆室获得灵感，布置灯光光源从人的面部正前方打过来，不会像顶灯一样留下难看的阴影。

两灯间距为500mm，刚好是一个人站立时的空间大小。二者光线相辅相成，侧边阴影也得以消除。

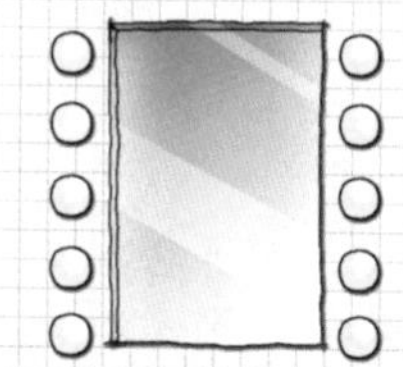

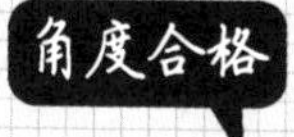

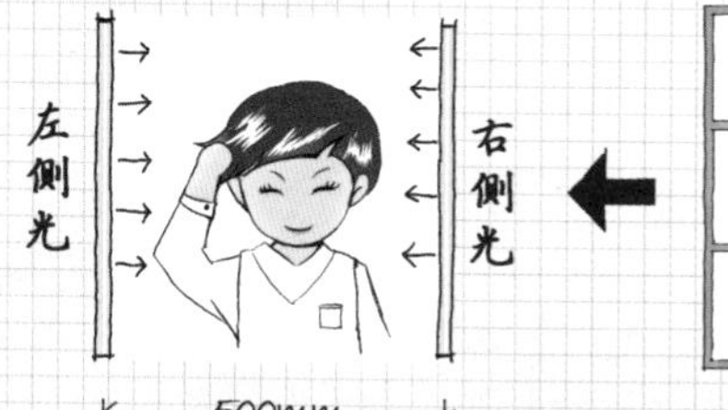

照度合格

开顶灯+镜箱灯
406LX

面部照度测量值超过400LX！灯管色温4 300K，暖白光，面部的色彩得以真实还原，再也不怕把腮红画成高原红啦~

有别于早年的“石材台面+陶瓷台盆”形式，这几年一体台盆早已成为主流。台面台盆一体成型、全无接缝，自然不会有玻璃胶发霉、日久渗水之忧。

排水口从中间移到边缘，方坡型盆底，容水量更大，排水迅速。

嵌入式可拆卸皂盒，刚好位于排水口上方，用完肥皂后滴水易干。

下方收纳空间由柜门层板式改为抽屉式。采用U型的抽屉形态，避开中间排水管。收纳空间与之前方式相比更干燥，不易受潮。

由一层层板变成了两层抽屉，容量翻番，拉开抽屉就可以一目了然，取放十分便利。

假抽屉

抽屉一

抽屉二

便利度UP！

妆饰更美好的自己

当我开始习惯在卫生间化妆后，很快发现了这样做的另一处优点——卸妆也变简单了。

有时加班到很晚回来，甩掉高跟鞋，直接走进卫生间，卸妆、洗脸、洗澡，全部都在一回身的空间内完成。这个便捷而舒服的清洁过程，舒缓了一整天的疲倦。即使工作压力超大，也能一夜好眠。

过去我曾坚定地认为，素面朝天是种骄傲与不妥协。而如今，每天在这个全新化妆台前，早上化妆、晚间卸妆，才慢慢懂得，舍得花时间端详镜中的自己、享受生命中最年轻的每一天，是身为女性的美好权利，不必轻言放弃。

化好轻淡的妆，搭配好自己风格的衣着，步伐轻盈地走出门——每天都是一个全新的自己。

我的懒病，
终于被这个化妆台**治愈了！**

家务十宗罪

人人不爱做家务？
不
喜
欢
打扫
拖地
洗衣
居家过日子，除了有在客厅看电视、卧室睡大觉、厨房做美食这些令人惬意的事情，总还有些绕不开的事等待着你：
“做家务。”

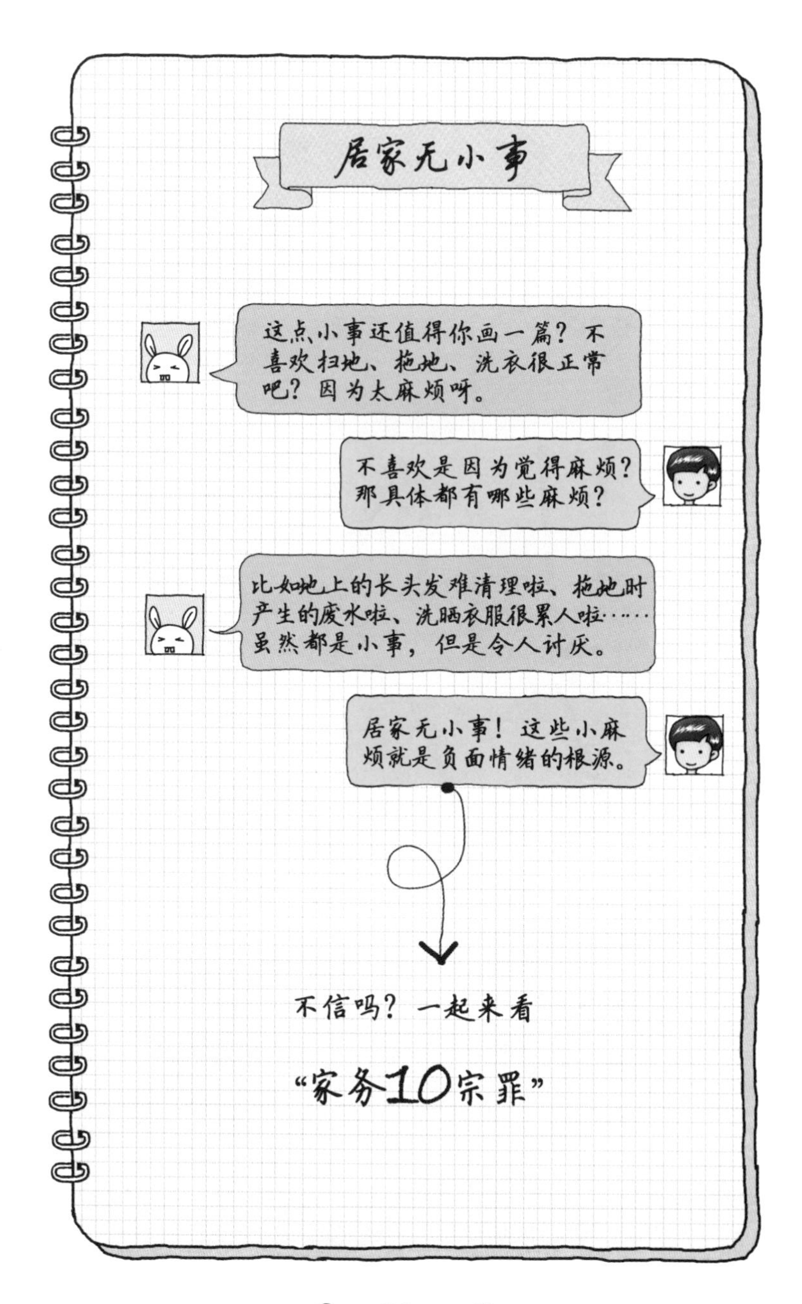
居家无小事
这点小事还值得你画一篇？不喜欢扫地、拖地、洗衣很正常吧？因为太麻烦呀。
不喜欢是因为觉得麻烦？那具体都有哪些麻烦？
比如地上的长头发难清理啦、拖地时产生的废水啦、洗晒衣服很累人啦……虽然都是小事，但是令人讨厌。
居家无小事！这些小麻烦就是负面情绪的根源。
不信吗？一起来看
“家务10宗罪”

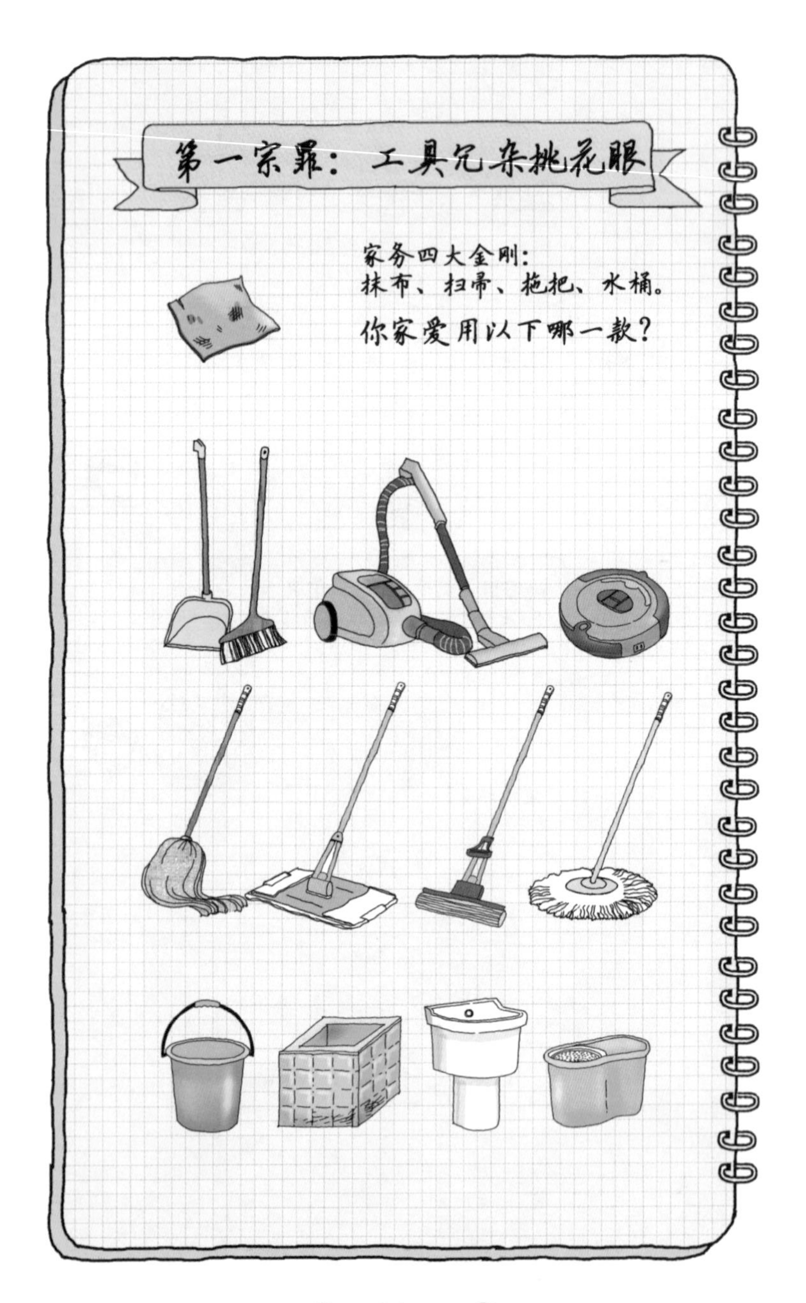
第一宗罪：工具冗杂挑花眼
家务四大金刚：
抹布、扫帚、拖把、水桶。
你家爱用以下哪一款？

第二宗罪：功能相似好几个
70%的家庭，
拥有两个及以上拖把、
两个拖把桶、两个扫帚。
我家老人买了个10块钱的简易拖把，我媳妇后来又买了一个高级的脱水型，旧的留着拖厨房。
一个拖阳台用，室内地板用另一个。
我家有三个拖把，因为干湿要分别使用，拖湿后再干拖一遍。
吸尘器我买了，但不常用，大概每个月用一两次，平时使用扫帚。

第三宗罪：上水下水不周全

既然有这么多工具，那么问题来了：
你会放在哪里呢？

在诸多家务活中，扫地相对简单，属于“干作业”。而抹布清洁、拖地、洗衣则是“湿作业”，需要用水（含上水及下水），因此，即使你并没有主动去布置家务区，也会很自然地将工具放置在水点的附近。

但是，同样是有用水需求，相对于卫生间和厨房两处重头空间，家务水点的布置一直不受开发商重视，实际布置的结果更是五花八门。

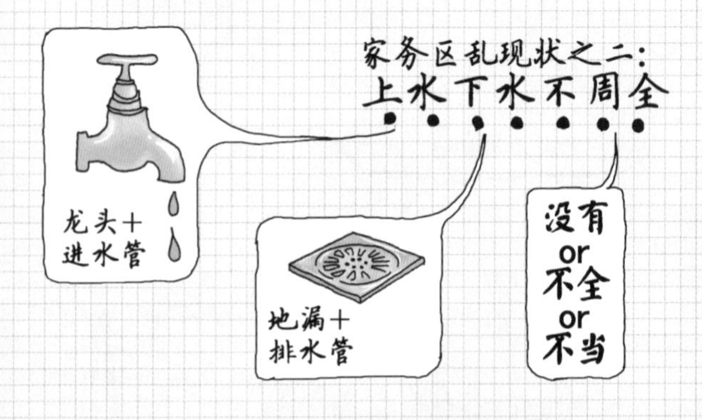

有时开发商预留的上下水位置条件令人哭笑不得，下面举几个**反面典型案例**。

第四宗罪：淋浴间变拖把池

家务区比较理想的位置是

阳台。

但如果在设计前期，阳台上没有预留水位的话，水龙头的缺失会给居住者带来意想不到的大麻烦。

阳台上没有取水点，那我只好去卫生间洗拖把和抹布了~

这样一来……

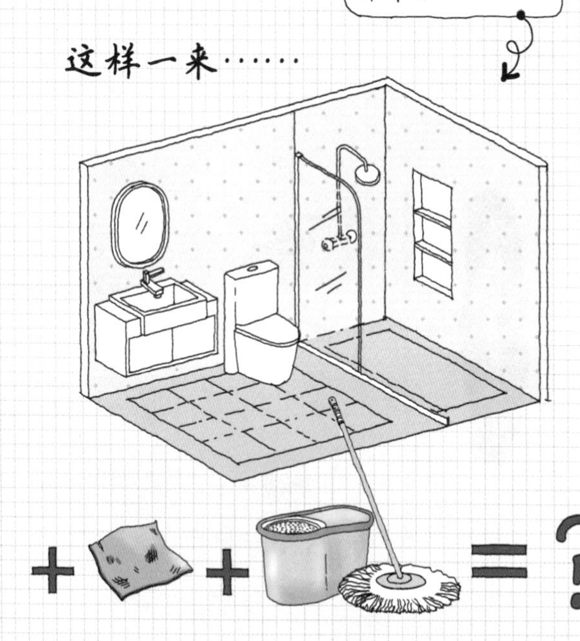

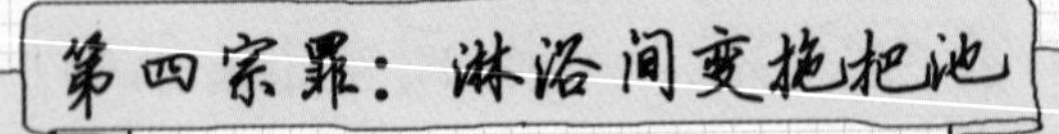

我拜访过不少的家庭，特别是小户型住宅的卫生间淋浴区本来就窄小，却放了两个拖把桶、两个洗脸盆——实在令人难以想象，他们每天是怎么和拖把共浴的……

这样将就的环境，怎么能让人从沐浴中获得快乐和正能量呢？

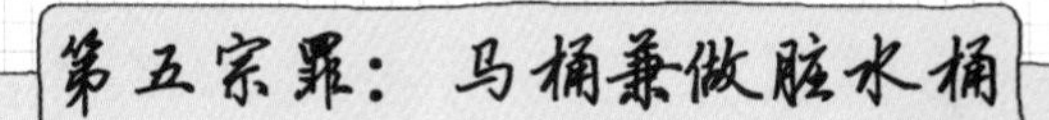

第五宗罪：马桶兼做脏水桶

其实只解决了开头，还没解决**结尾**呢。

如果阳台上没有安装专用家务地漏或污水管，用完的脏水倒到哪里去呢？拎起来泼在阳台上？想想也不能如此自暴自弃吧？

如此，大约还是乖乖地拎着水桶，回到卫生间，倒进马桶里。

然后，

水桶或许顺手就放在卫生间了……

再然后，

卫生间仍逐渐沦落成清洁工具间……

第六宗罪：雨污合流不环保
也有爱动脑筋的居住者，会购买专用三通来做小小改造，将原来的地漏改造成三合一的功能。但是：
不推荐！NO!
1
雨水
2
污水
3
污水
这样做虽然表面上解决了问题，但是实际会造成雨水和洗涤污水合流，对环保是非常不利的（建筑设计和城市规划上需要二者分开、各自处理、循环利用）。希望大家尽量避免采用这种设计。
科学的做法应该是从源头分开，以支管接入污水管。

第七宗罪：开门竟是家务间

入户花园在华南地区的住宅中比较常见，属于住宅和公共电梯厅之间的缓冲过渡的半户外空间，一方面有一定的隐私保护作用，另一方面有利于通风采光。

近年来，由于住宅趋于小型化，入户花园的面积也被一再压缩。而在只有2~3平方米的情况下，家务上下水点却常常被开发商预留在入户的花园里。

入户花园决定着开门后对家的第一印象，兼有玄关的功能。而“家务区”则是与清洁工具打交道的，本应设置在相对隐蔽的位置。

这种混淆一体的水位设计，使得走进很多家庭一开门就看到一堆拖把、扫帚、洗衣机、洗涤剂……客人只有穿越这满地狼藉的入户花园才能进入客厅——温馨不再，杂乱不堪！

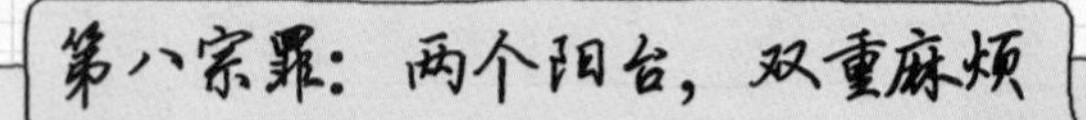

你说的这些问题，我家都不存在哦！我家有南北双阳台，把北阳台作为家务区，且上下水齐全！

听起来虽然好，但小户型的北阳台，面积往往十分窄小，通风采光亦差。因此，使用时又会产生新的矛盾：

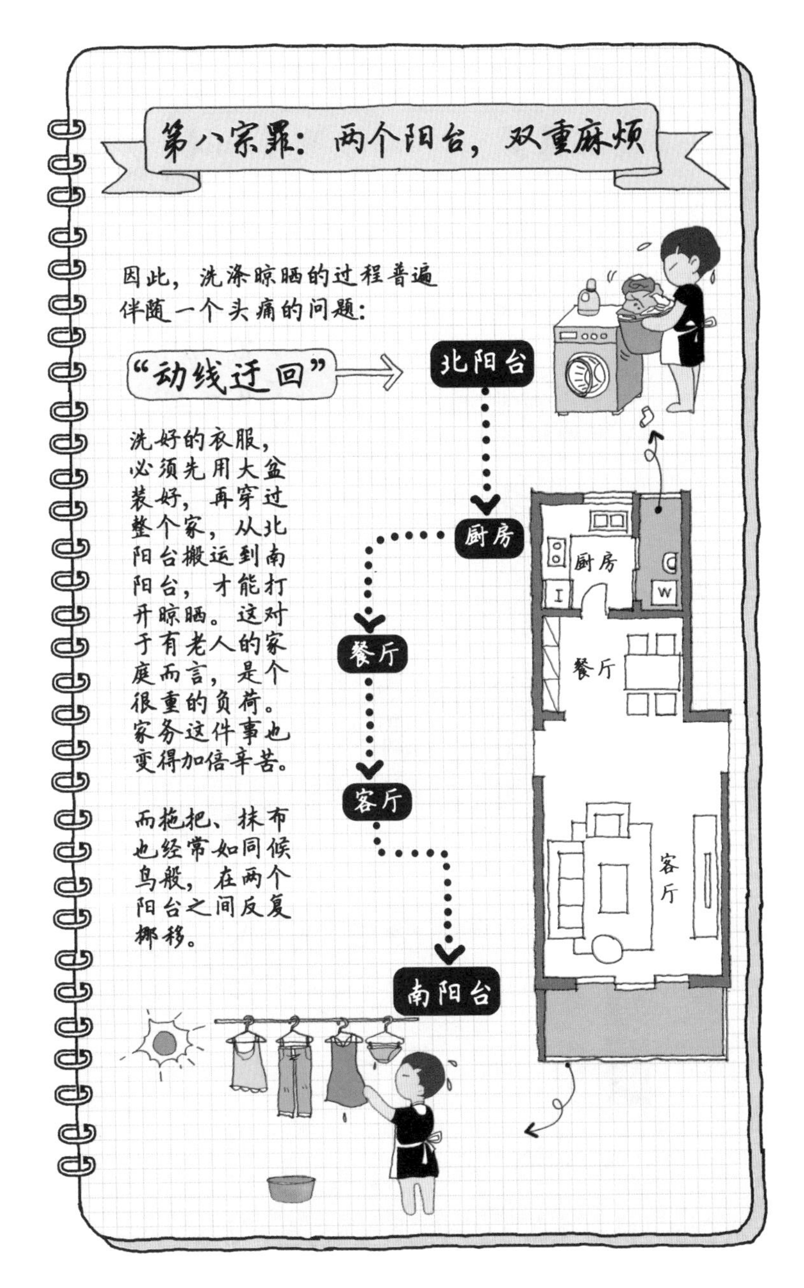
第八宗罪：两个阳台，双重麻烦
因此，洗涤晾晒的过程普遍伴随一个头痛的问题：
“动线迂回”
北阳台
厨房
餐厅
客厅
南阳台
洗好的衣服，必须先用大盆装好，再穿过整个家，从北阳台搬运到南阳台，才能打开晾晒。这对于有老人的家庭而言，是个很重的负荷。家务这件事也变得加倍辛苦。
而拖把、抹布也经常如同候鸟般，在两个阳台之间反复挪移。
厨房
W
餐厅
客厅

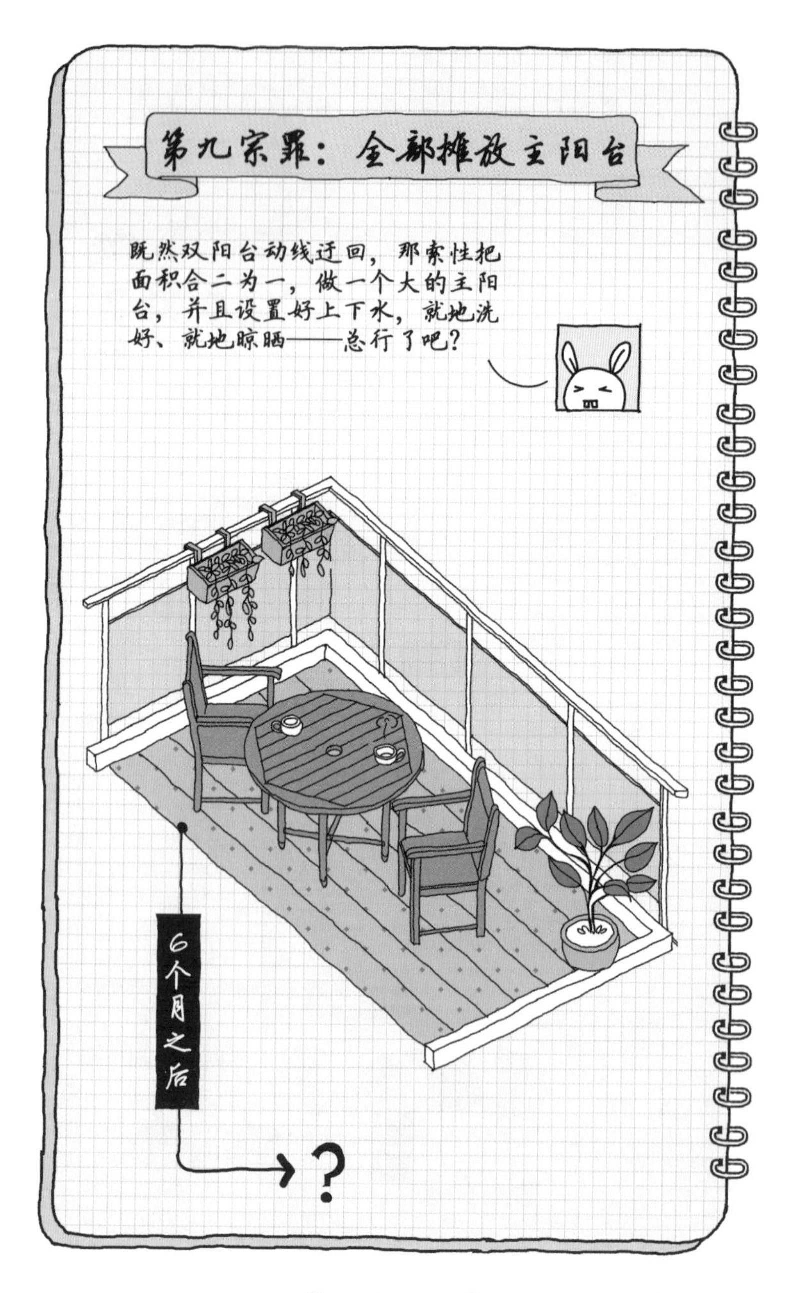
第九宗罪：全部堆放主阳台
既然双阳台动线迂回，那索性把面积合二为一，做一个大的主阳台，并且设置好上下水，就地洗好、就地晾晒——总行了吧？
6个月之后
?

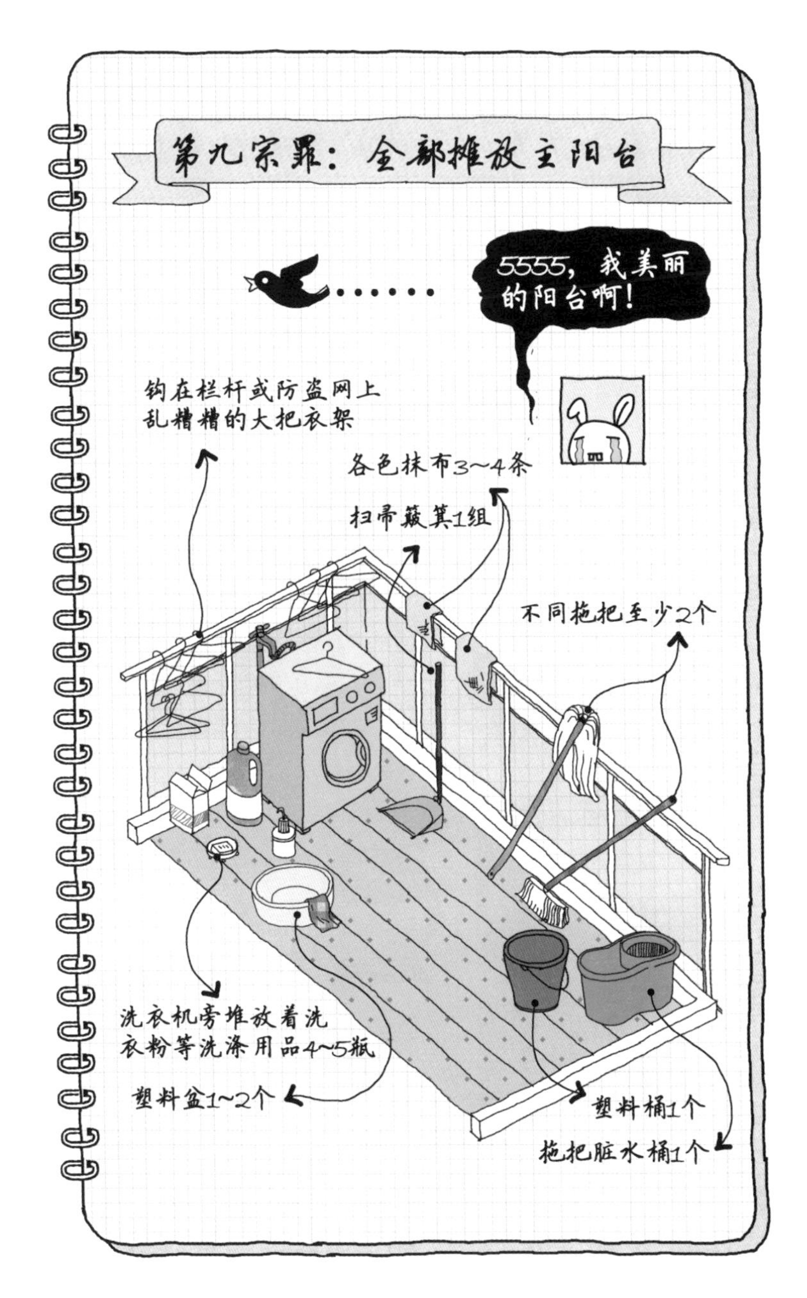
第九宗罪：全部堆放在阳台
5555，我美丽的阳台啊！
钩在栏杆或防盗网上乱糟糟的大把衣架
各色抹布3~4条
扫帚簸箕1组
不同拖把至少2个
洗衣机旁堆放着洗衣粉等洗涤用品4~5瓶
塑料盆1~2个
塑料桶1个
拖把脏水桶1个

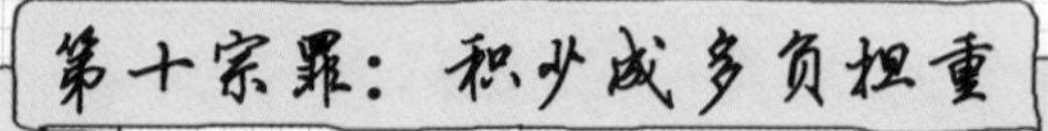

分析了这么多的混乱和不方便的现状，
真令人恼羞成怒——做个家务竟这么麻烦，
谁还爱干啊？！

越不喜欢，越懒得动手；
越久堆积，负担越沉重！

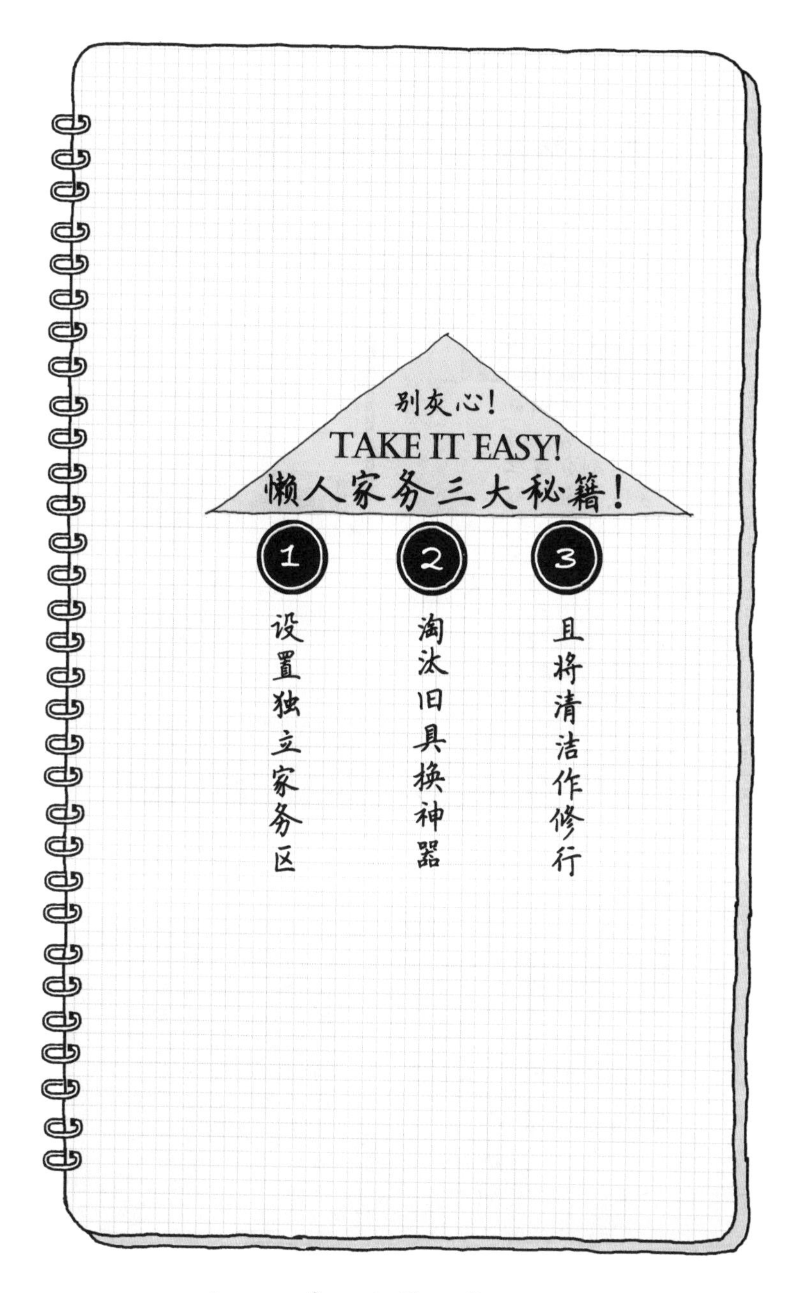
别灰心！
TAKE IT EASY!
懒人家务三大秘籍！
1
设置独立家务区
2
淘汰旧具换神器
3
且将清洁作修行

第一秘籍：设置独立家务区

为了不“污染”其他生活空间，家务区必须独立且相对隐蔽。阳台是相对理想的区域，以下是我设计“阳台家务区”时的个人喜好排序：

首选南向长阳台：

横跨两个房间的南向长阳台，可以自然划分成三个区域。相对独立又可合而为一。不仅处理家务方便，就地晾晒用时短，也避免了从客厅望向阳台时晒满的衣服挡住了美景。

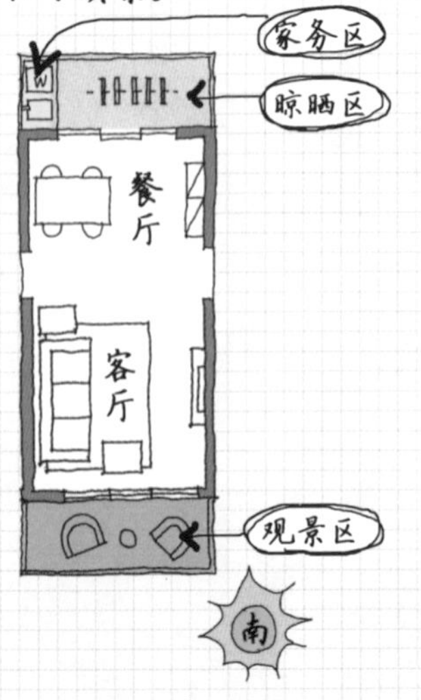

其次是北向大面积生活阳台：

设双阳台时，若北向阳台足够大、通风采光良好且无厨房油烟困扰时，可以作为完整家务区使用，就地洗涤、就地晾晒，不必迂回至南阳台。这种传统做法在华南更为普遍。但如果在北方，北阳台缺乏日照，可能会晾晒不佳。

第一秘籍：设置独立家务区

前两种阳台设计的前提是有较大面积的户型（正常需要110平米以上）。一线城市房价高昂，这个面积段已属于改善型，往往难以企及。

所以，这里重点说一下第三种情况：

首置小户型唯一主阳台的家务区：

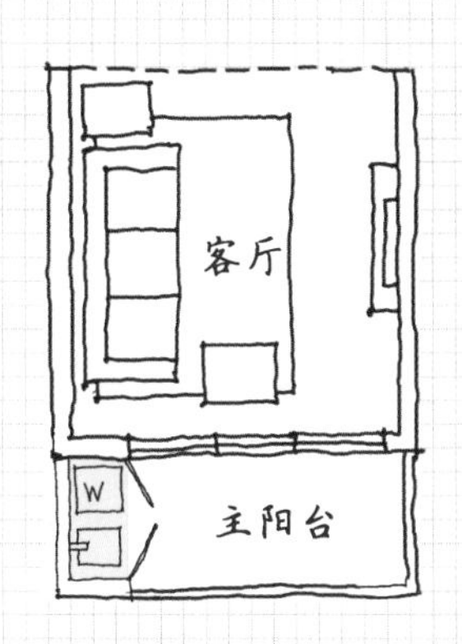

咦，就是一个普通的观景阳台啊？家务区在哪里？

打开铝合金百叶门看看！

第一秘籍：设置独立家务区

1. 以多功能集成空间，解决三大家务行为；
2. 实现动线最短化；
3. 以百叶门形式加以遮蔽，独立成区。

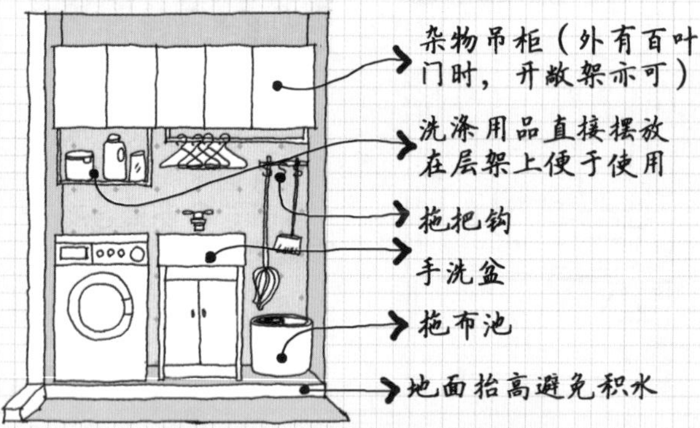

无论阳台封闭与否，都建议用铝合金百叶门将整个家务区域遮蔽，否则仅靠日常习惯维持阳台家务区和休闲区的整洁非常困难。要不了多久，就会变成满阳台都是家务工具的狼狈场景！

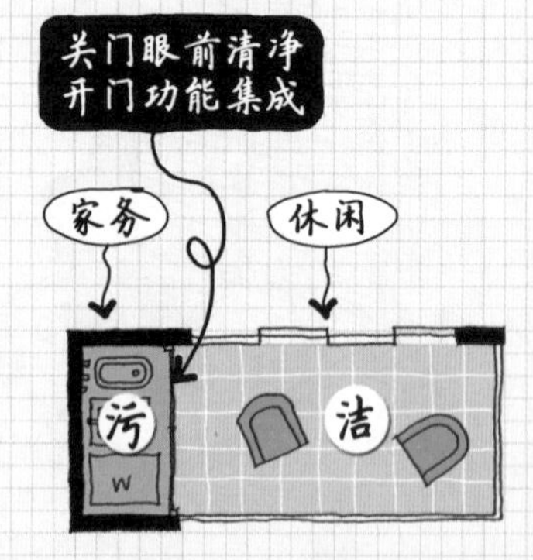

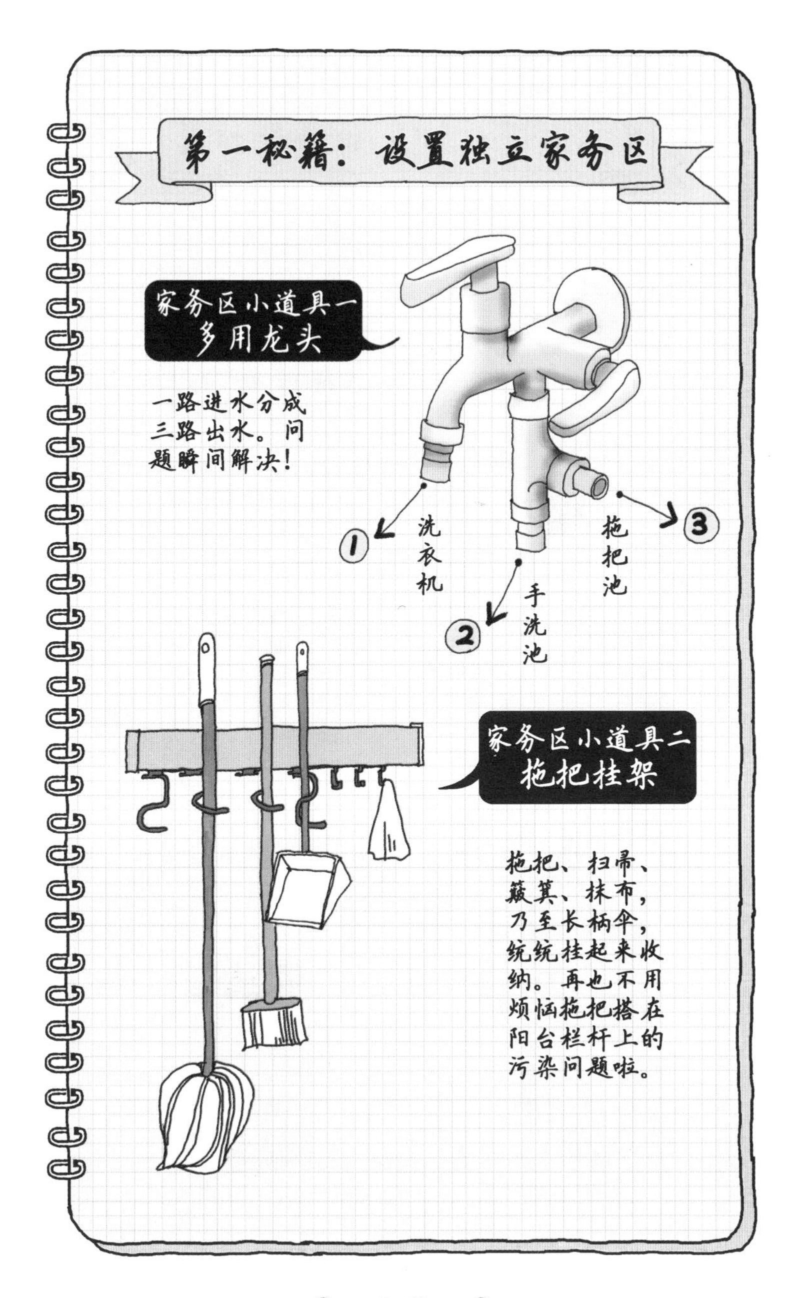
第一秘籍：设置独立家务区
家务区小道具一
多用龙头
一路进水分成三路出水。问题瞬间解决！
1 洗衣机
2 手洗池
3 拖把池
家务区小道具二
拖把挂架
拖把、扫帚、簸箕、抹布，乃至长柄伞，统统挂起来收纳。再也不用烦恼拖把搭在阳台栏杆上的污染问题啦。

第二秘籍：淘汰旧具换神器

工欲善其事，必先利其器。

神器一
超细纤维巾

八成以上家庭使用的抹布是用旧毛巾改造的。虽然表面看是废物利用，但实际上毛巾的材质特点决定了它真的不适合当抹布——纯棉线圈极易脏；吸水性强，不易晾干；纤维易脱，越擦越脏。

那条又脏、又干、又硬、又擦不干净的旧毛巾，快扔了吧！

到任意超市、网店花上10元，就能买到一包“超细纤维巾”。这才是抹布中的“战斗机”、专业级的选择！

普通纤维直径 4 μm VS 超细纤维直径 0.4 μm

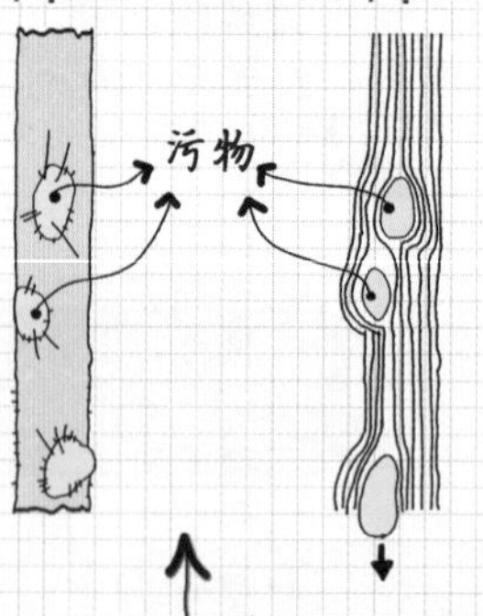

（注：μm为微米）

普通纤维会把污垢吸附到纤维内部，清洗后仍有残留，所以毛巾会逐渐变脏变硬。超细纤维直径仅为前者1/10，因此污物只是吸附在纤维之间，很轻松就能清洗干净。

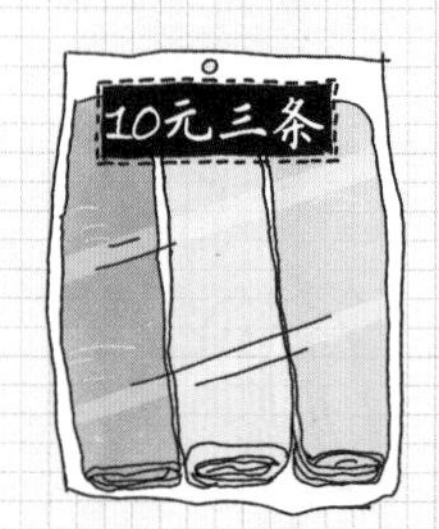

第二秘籍：淘汰旧具换神器

神器二 喷雾拖把

从小我就最讨厌拖地，讨厌用手洗脏拖把，接触脏水和缠在布条上的脏头发。

为了减轻这种厌恶感，我一直努力去寻找各种新的拖地工具，无论是早年的挤压海绵型、近年的旋转脱水型，还是刚出现不久的刮地型，我都一一买回来试用过。

今年年初，从网店买到一个神奇新产品——自喷雾拖把，超级好用！

它的牛掰之处在于，自带水瓶和喷雾，所以，全程无须洗拖把、无须换水，最后洗一次布就可以。并且非常节水，它自带的水瓶只有普通矿泉水瓶大小，却可以把整个屋子拖好几遍。

不需要拖布桶！

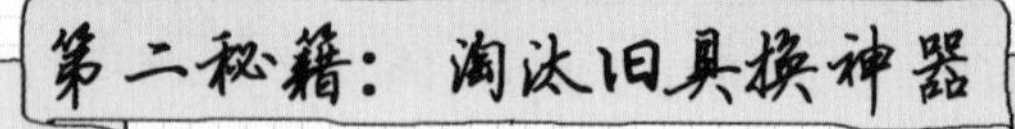

吸尘器作为欧美、日韩家庭的首选清洁工具，在中国的普及率却不及20%。

我个人认为，吸尘器绝对是家中最值得重金投资的电器之一。它的效率和效果，远比扫把强10倍！

使用吸尘器的关键心理障碍在于拖线的麻烦，所以想要一劳永逸的话，咬牙买台

无线吸尘器吧。

保证物超所值，你绝不后悔！

神器三

无线吸尘器

约2 500元，真的不便宜，但真的很好用，好用到“内牛满面”！

实在舍不得买的话，至少先从300元左右的有线吸尘器开始！

掉发

细灰

螨虫

第三秘籍：且将清洁作修行

最后也是最根本的秘籍要点：

把家的清洁作为一种人生修行。

很少会有人不爱洗脸或不爱洗澡吧？洗脸洗澡，帮我们清洁了身体，更舒缓了心灵。古人所谓“沐浴更衣”，本身就是充满清洁力量的宗教仪式。

家的清洁，也拥有同样的魔力。

每天几分钟时间的付出，得到的是可以倒映出人影的地板和一个闪闪发亮的家。

每月半小时的清扫行为，表面上看似是在打扫房屋，实际则是在整理和擦拭居住者的心灵。

工作一天后拖着疲惫的身体回到这清爽居所的瞬间，心灵仿佛得到了嘉奖和治愈。

疲倦感和坏心情全部冲走！

家是人生道场，清洁亦是修行。

后记

"挺好的，留着下次装修参考！"

"等我买了自己的房子，一定试试~"

"等孩子长大些、上小学以后，好好搞搞。"

——在我的微信公众号"家的容器"上，经常收到这样的粉丝留言。

一方面，我很感谢这些给我留言的热情读者；

另一方面，我又觉得十分落寞。

因为，我认为自己并不只是在说房子、在讲装修，更不只是在谈柜子。

我之所以尽力去写、努力去画、积极更新，是希望唤起更多人对于"居住"这件事情的爱。

我见过太多的房子，价格从几十万元到上千万元，面积从几十平米到近千平米，不一而足。然而真正能好好住、精致住的，并不多。我所追寻的"美丽的家"，不过百之一二。

你是否明白，"住"这件事，与房子有关，但并非绝对相关。最重要的，还是住在其中的人。

即使有了更大的房子、更豪华的装修、更科学的设计，也不过只是拥有了升级版的"硬件"，它永远无法替代"软件"——居住者本身。

吃饭是本能，而美食是学问。
穿衣是本能，而时尚是学问。
居住是本能，而住商是学问。

住商如同情商，它不是与生俱来的天性，而要靠学习技艺来提升。

有人说：“太难了！这是专家的事情。我做不到。”但我想说，很多事情，不是你不能，只是你不想。若是真心想要好好住，一定有无数的办法，克服眼前的困难。

即使是租来的旧房、简陋的家具、有限的资金也不能磨灭热爱生活的勇气。

经常在网上看案例，每次看到“80后小夫妻3000元改造出租屋”之类的新闻，看到简陋无比的房子被居住者妙手改造为舒适的家，都忍不住为其鼓掌赞叹，心里暖暖的。

我曾在朋友圈里问了一个问题：“你觉得你的住宅除了财产意义和归属感以外，还能给你带来别的幸福吗？”

其中一个回答是：“干净的时候，会幸福。”

“居住”，就是这么简单的幸福。

无论房子大或小、租或买，你都可以做到：把它打扫得干干净净、收纳得整整齐齐，用温馨的布艺装饰它、用小小的花朵点缀它。夜晚，关上吸顶灯，点起小小的香薰烛，在橘黄色摇曳的烛光中，慢慢把自己的心沉静下来。

凌乱肮脏的家，就算房子再大再值钱，居住者也会被负面的环境日夜影响；干净整洁的家，就算是一个临时小窝，也会给予它的主人温暖，每天多份回家的期盼。

“下次装修”“买大房子”或许会给予生活改变的契机，但是一切的硬件和外因都不能替代居住者的“心”独立存在。

你还在等待“哪天买个大房子”吗？
请不要再等了。

请从今天开始，
把握本来就属于你的居住幸福。

住宅设计师逯薇
2016年3月

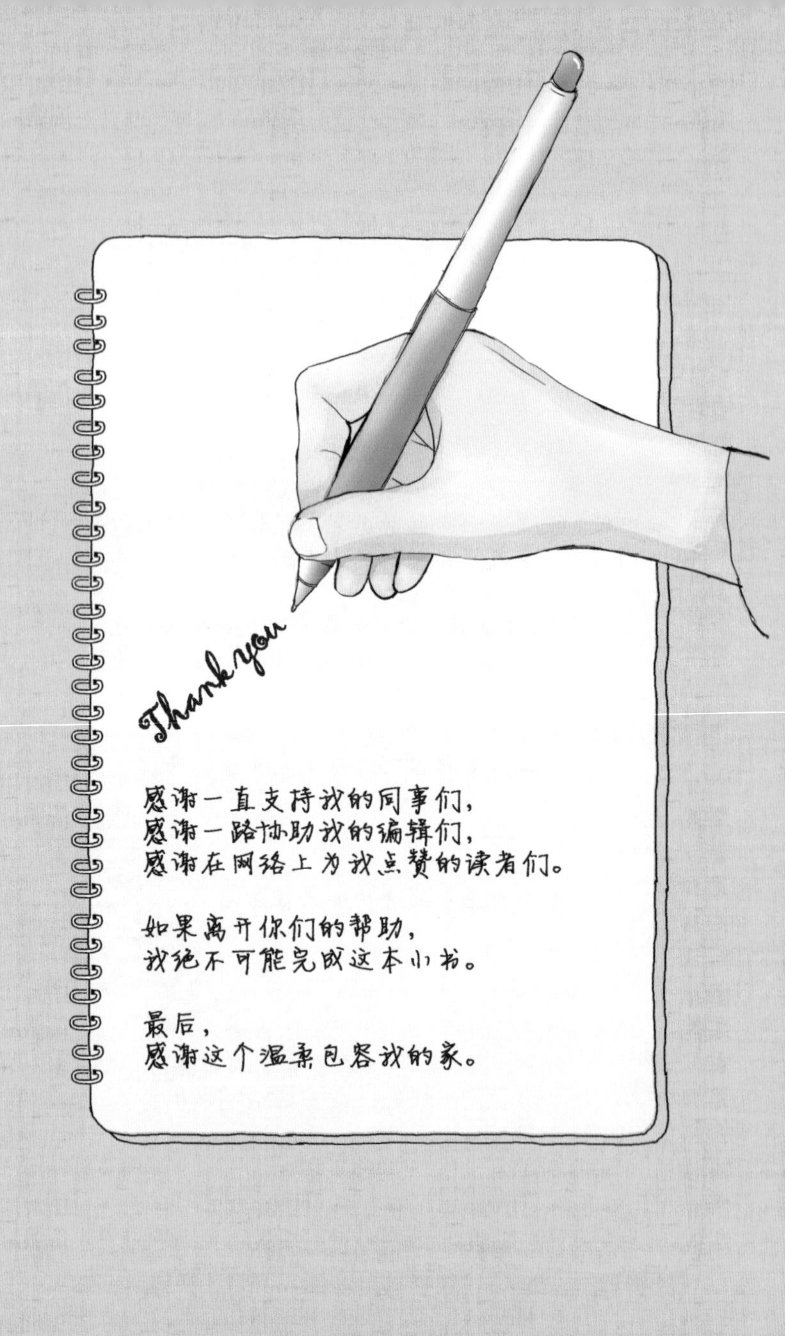
Thank you
感谢一直支持我的同事们，
感谢一路协助我的编辑们，
感谢在网络上为我点赞的读者们。
如果离开你们的帮助，
我绝不可能完成这本小书。
最后，
感谢这个温柔包容我的家。

中英文词汇对照表

after	后来	level	水平
beer	啤酒	MIN	最少
before	之前	MAX	最多
better	更好	more	多
bigger	更大	my love	我的爱
bug	漏洞	my sweet home	我可爱的家
bye-bye	再见	no	不
CBD	中央商务区	NO.	第几
cosplay	角色扮演	OK	好的
designer	设计师	open	打开
dirty	脏	pass	通过
DIY	自己动手做	say no	说不
dweller	居住者	so	所以
easy	简单	step	步骤
fight	拼搏	system kitchen	整体厨房
go	走、进行	take it easy	放轻松
goal	目标	thank you	谢谢
home	家	up	提升
house	房子	vs	相对
key word	关键词	welcome	欢迎
LED	发光二极管	why	为什么
less is more	少即是多	yes	是的
let's	我们一起		

单位名称对照表

L	升
ML	毫升
mm	毫米
m	米
m^2	平方米
m^3	立方米
μm	微米
LX	照度
K	开